君が左胸ポケットにほうりこんだ大切なchocolateのひとかけら
私の体温で溶かしてあげる

三浦悦子の世界〈29〉
［時計じかけのchocolate cake］

JN012177

M. Ocaranza

——

毒、というのは言うまでもなく、
生命の維持に支障をきたすもの。

しかしご存知の通り、
同じ物質でも量などの加減によって毒にも薬にもなったりするし、
また、ある生物には毒であったりするものが
別の生物にはまったくそうでなかったりする。

毒は生物にとって完全悪なのではなく、相対的な概念。
その絶妙なバランスで生態系が保たれているのだ。

国立科学博物館、大阪市立自然史博物館での「毒展」や、
サンシャイン水族館での「もうどく展ReMix」が人気を集めたりしたが、
そこには、人間中心の価値観に対する懐疑の広まりもあるのかもしれない。

一方、毒は、生命の危険と隣合わせであるからこそ、人を惹き付けてきた。
そこにはタナトスの欲動も投影されているのだろう。
そして毒は、表現の性質に対する比喩にも用いられたりするが、
その喩えにも、危険性の警鐘よりも
魅惑の思いが強く込められていることが多いように思う。

「毒」は、毒そのものはもちろん、比喩においても、
既成概念を問い直すものであるのだ。

「毒」を、新たな境地に導いてくれる、ある意味、甘美な誘惑として捉え、
その世界を逍遥してみよう。

——沙月樹京

★マヌエル・オカランザ《愛のいたずら》1877年

四方山幻影話55

◎写真&文＝堀江ケニー
●モデル：松永天馬
しらい
★文＝沙月樹京

場末の路地で
出会った
少女と男

男は甘い誘惑を
囁きます

しかし男は
ときどき様子が変

男は少しずつ
少女を毒で染めていきます

少女は感づいていました
でも逃げたりしません

少女は言います
わたし
天使だけど悪魔

嘘っぱち それがわたし
赤く 白く 塗りつぶして

男にとって
それはお安いご用でした

男の持ったくさんの毒は
人々には忌み嫌われていましたが
少女には甘い安らぎを
与えたのです

★松永天馬インタビュー↓56頁
しらいプロフィール↓64頁

人形が、絵が、動き変容するめくるめく悪夢

「オオカミの家」

La Casa Lobo

　これは、単なるストップモーション・アニメではない。アート・パフォーマンスの記録という見方もできるだろう。チリのクリストバル・レオンとホアキン・コシーニャの二人組は、世界各国の美術館やギャラリーに実寸大のセットを組み、等身大の人形を動かしたり絵を描いたりする様子や、制作途中の映像を、展示の一環として観客に公開。企画から完成まで5年の歳月をかけて完成させたのが、この「オオカミの家」だ。

　その映像は、人形やモノだけでなく、壁などに描かれた絵も動く。画面のいたるところでさまざまなものが動き解体し変容していき、物語を形作っていく。そしてそれらを映すカメラも常に動き続け、そのせいか、物語世界に潜入しているかのような臨場感で観る者を包み込む。

　話の内容も少々変わったものだ。チリ南部に助け合いをモットーにするドイツ人集落があり、そこの娘がブタを逃してしまったがゆえに罰せられ、それに耐えられず、脱走してしまう。逃げ込んだ家には2匹の子ブタ。最初は可愛がっていたが、やがてその家は悪夢のような世界へと変貌していく。ストップモーション・アニ

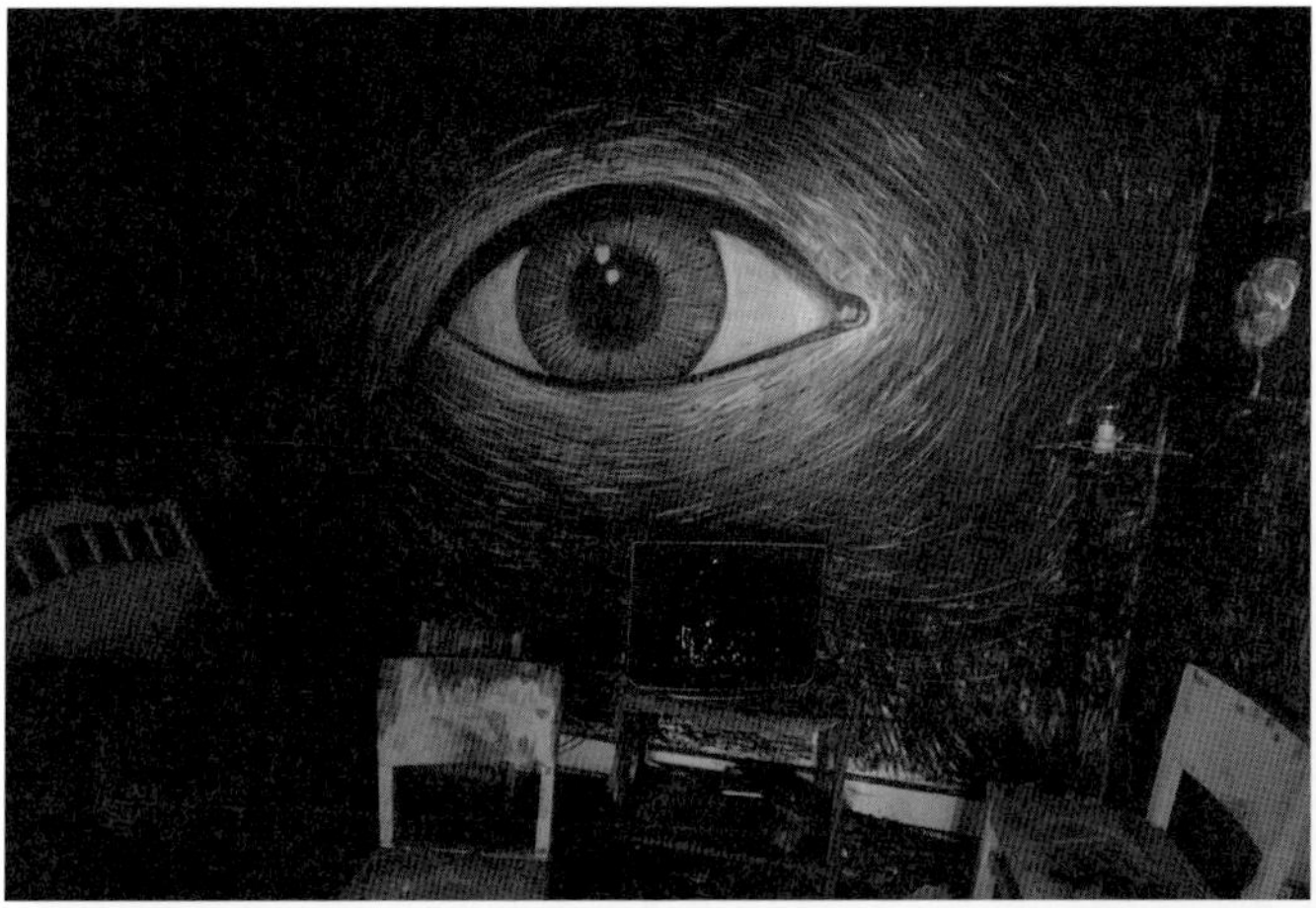

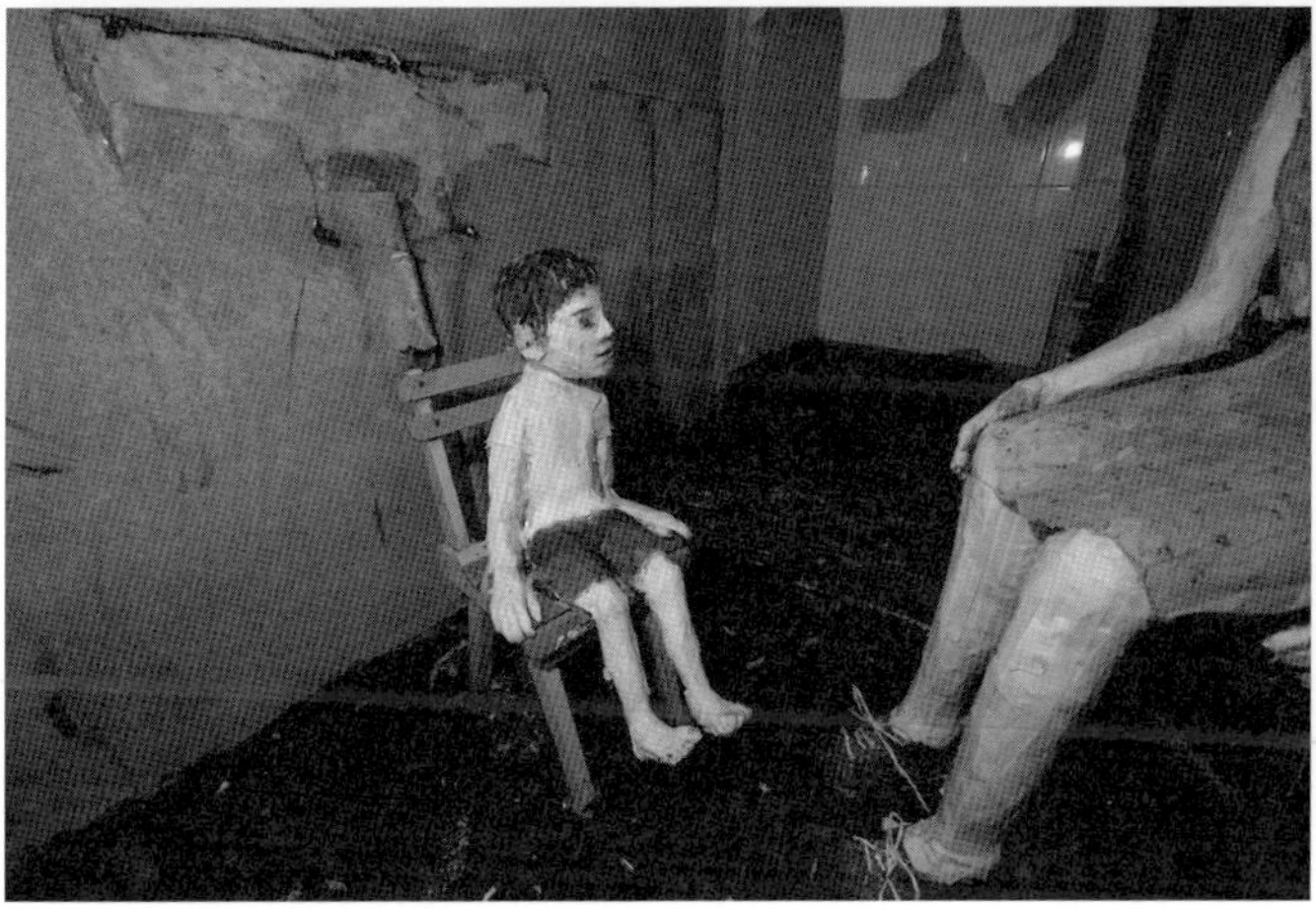

★右頁と左頁上は、「オオカミの家」より ©Diluvio & Globo Rojo Films, 2018

★「オオカミの家」
2023年8月19日（土）より
シアター・イメージフォーラム他
全国順次公開
配給：ザジフィルムズ
http://www.zaziefilms.com/lacasalobo/

★短編「骨」も同時上映
©Pista B & Diluvio, 2023
「美術館建設に伴う調査で発見された、少女が人間の死体で行う謎の儀式の映像」という設定で作られた奇妙な作品。

メならではのリアルさがある一方で、それが次の瞬間ガラリと違う光景に転じていくさまは、まさに悪夢的。少々毒々しさのあるマジカルな映像に、いっときも目を離すことはできないだろう。ぜひ大画面で何度も見たい。（沙）

果物が入ったかごを持って、にっこり微笑みながらお見舞いに来た少女。だけどよく見れば、その果物は腐って虫が湧いている。または、横たわり、互いを見つめ合う少女ふたり。ふたりは赤い糸で結ばれていると思いきや、ふたりをつないでいるのは点滴チューブ。ふたりはどうやら、赤い血で結ばれているらしい。宮本香那が描く少女たちは、どこか常軌を逸している。

　しかしそれは決して嫌悪させるものではなく、愛らしい愚かさがほんのりと漂い、また他人と普通の関係を築けない孤独感に共感を覚える者も少なくないだろう。

　宮本が札幌のギャラリーで初個展を開催したのは2012年。その後も一貫して少女をモチーフに、ほのかに甘く、だがシニカルな毒がまぶされた世界を描き続けている。そしてこの8月、その代表作をまとめた待望の作品集が出版され、出版記念の個展が開催される。宮本の描く少女の心情は少々歪んでいるかもしれないが、いずれも弱さがその背後に読み取れるだろう。そこに感じられる甘い毒を、いとおしく味わってほしい。（沙）

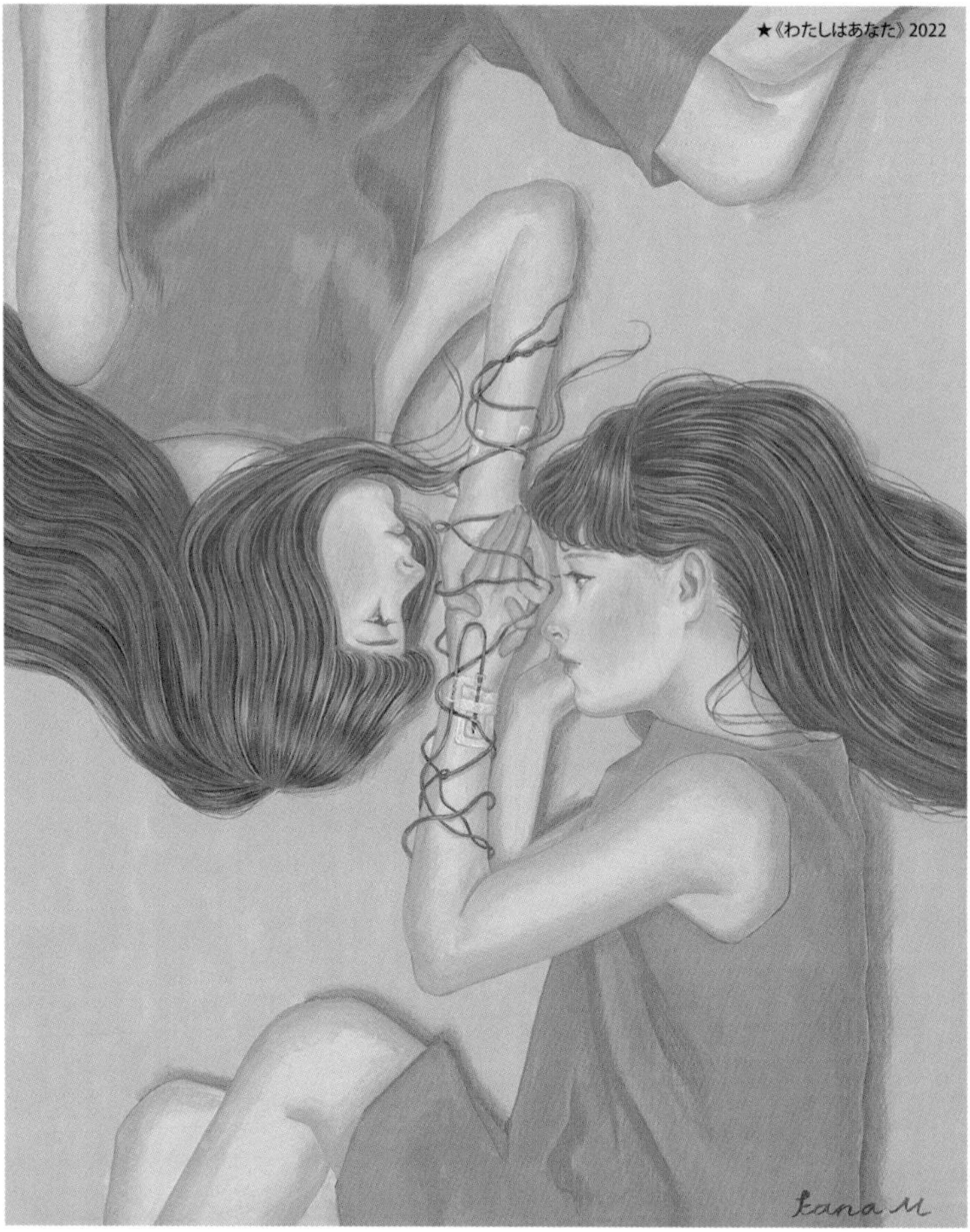

★《わたしはあなた》2022

★《喪失》2021

ほのかに甘い、シニカルな毒

宮本香那 MIYAMOTO Kana

★《お見舞い》2018

★《バースディブルー》2022

★宮本香那 個展

2023年8月26日（土）～9月10日（日） 月・火休
12:00～19:00 入場無料
場所／東京・小伝馬町 みうらじろうギャラリー
Tel.03-6661-7687 https://jiromiuragallery.com/

★宮本香那 画集 2023年8月下旬発売！
B5判・カバー装・96頁／発行・アトリエサード、発売・書苑新社
※ここに掲載した図版は、この画集収録作より。

★《あいされたい》2012

★《永い眠りから覚めて》2020

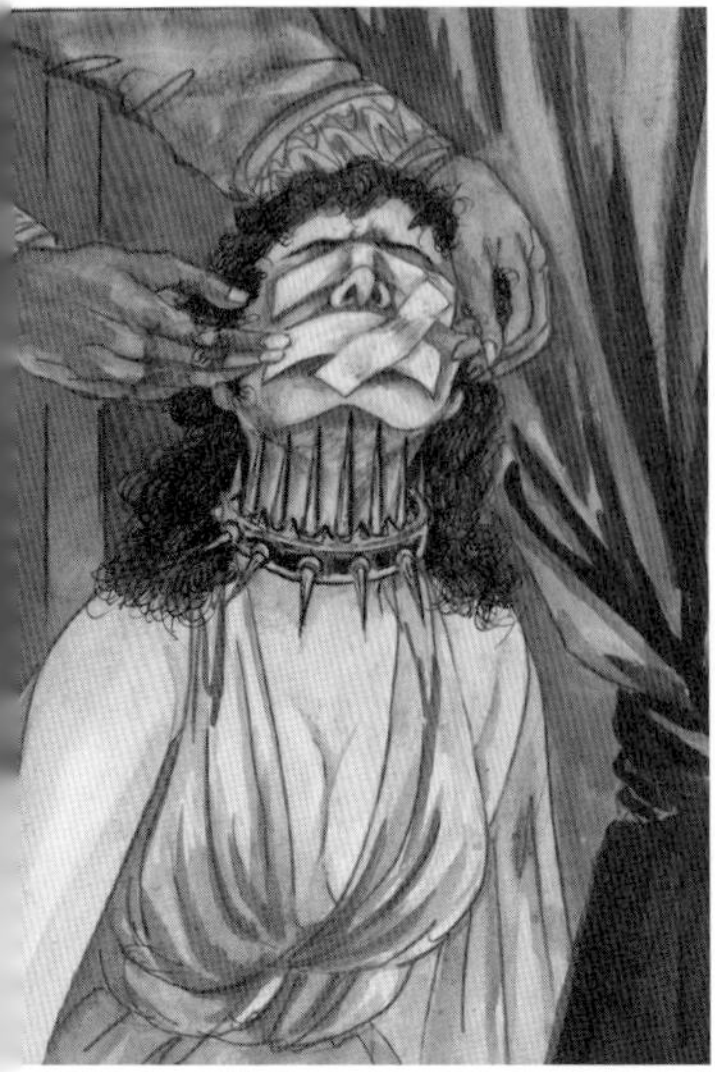

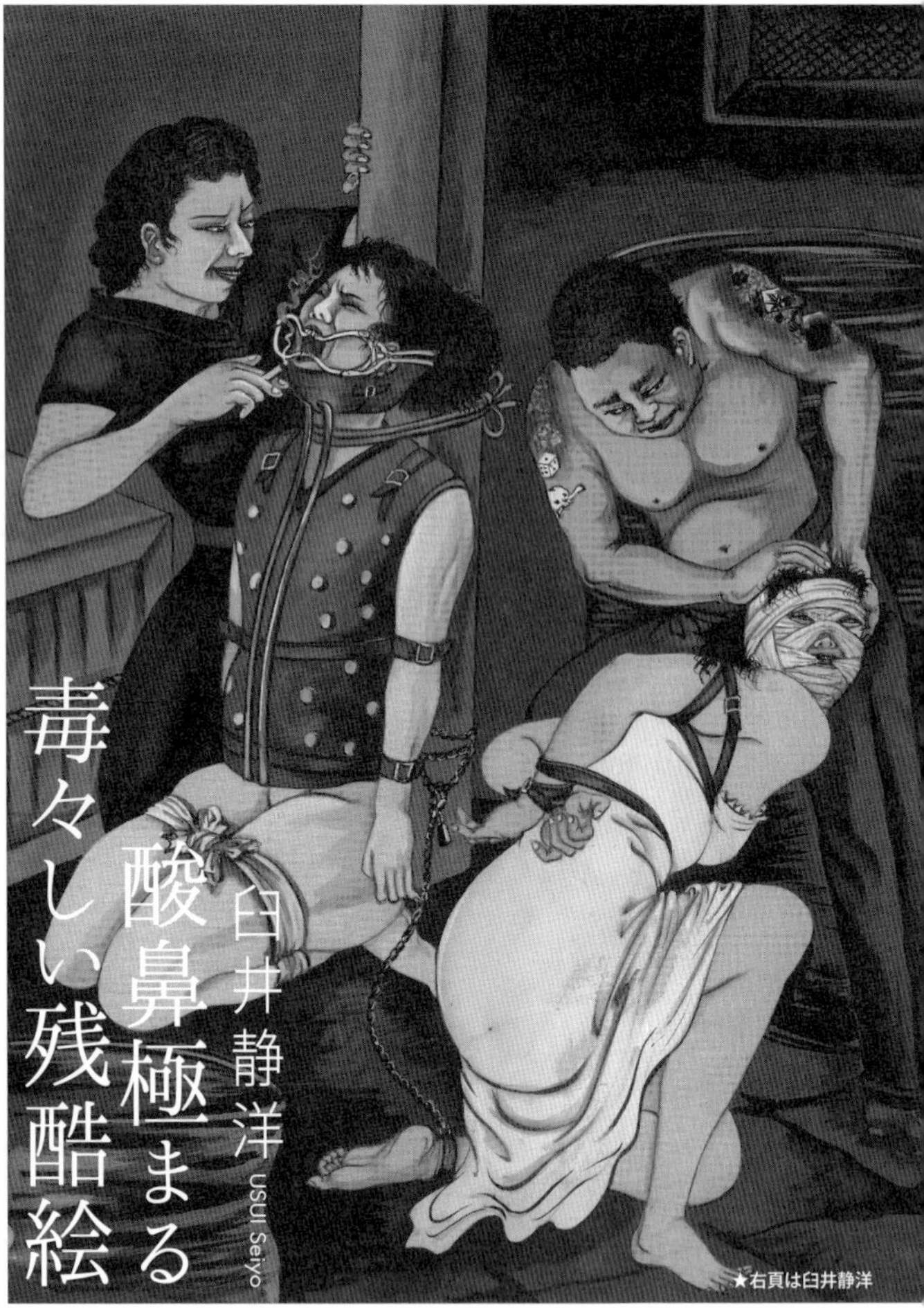

臼井静洋という、謎の絵師がいる。昭和20～30年代に活動していたと思われるが、詳細は不明。飯田橋にあるSM・フェティシズム専門図書館、風俗資料館に、その原画が残されるのみである。

しかもその原画は、ただひとりの依頼主のためだけに描かれたものだという。おそらく、その依頼主の性癖を汲んだものだろうが、それにしてもこの陰惨酸鼻極まる場面の数々！そして加虐者、被虐者双方の極度に歪んだ表情！大衆に向けてではなく、たったひとりの依頼主を満足させるためだからこそ、これほどまでに毒々しい作品を描き得たのだろう。

風俗資料館はこうした貴重な原画類も収蔵しており、『秘匿の残酷絵巻［増補新装版］～風俗資料館秘蔵画選集』は、同じくひとりの依頼主に向けて描かれた四馬孝の作品と、昭和50年代を中心にSM雑誌などで活躍した責め絵師・観世一則の作品からの選りすぐりも合わせて収録、残酷絵の極めつけの一冊となっている。

臼井静洋と四馬孝は、絵物語も数多く残していて、同書では臼井の「ギブス娘製造医院」、四馬の「包帯夫人」を全画掲載。四馬は、臼井より少々現代的な女性像で残酷な辱めを描く。

昭和の日本だからこそ生まれ得た特異な作品の数々。ぜひひっそりとその毒を味わってみてほしい。（沙）

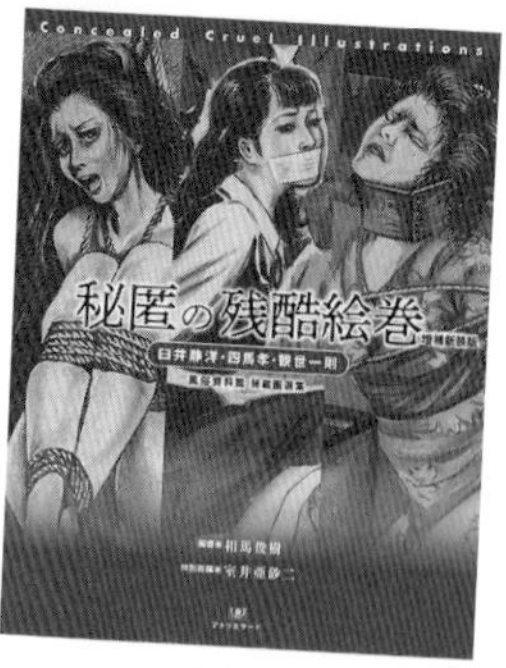

★「秘匿の残酷絵巻［増補新装版］
～臼井静洋・四馬孝・観世一則」
好評発売中！※旧版より図版増量
A5判変型・カバー装・160頁・税別2200円
発行・アトリエサード、発売・書苑新社

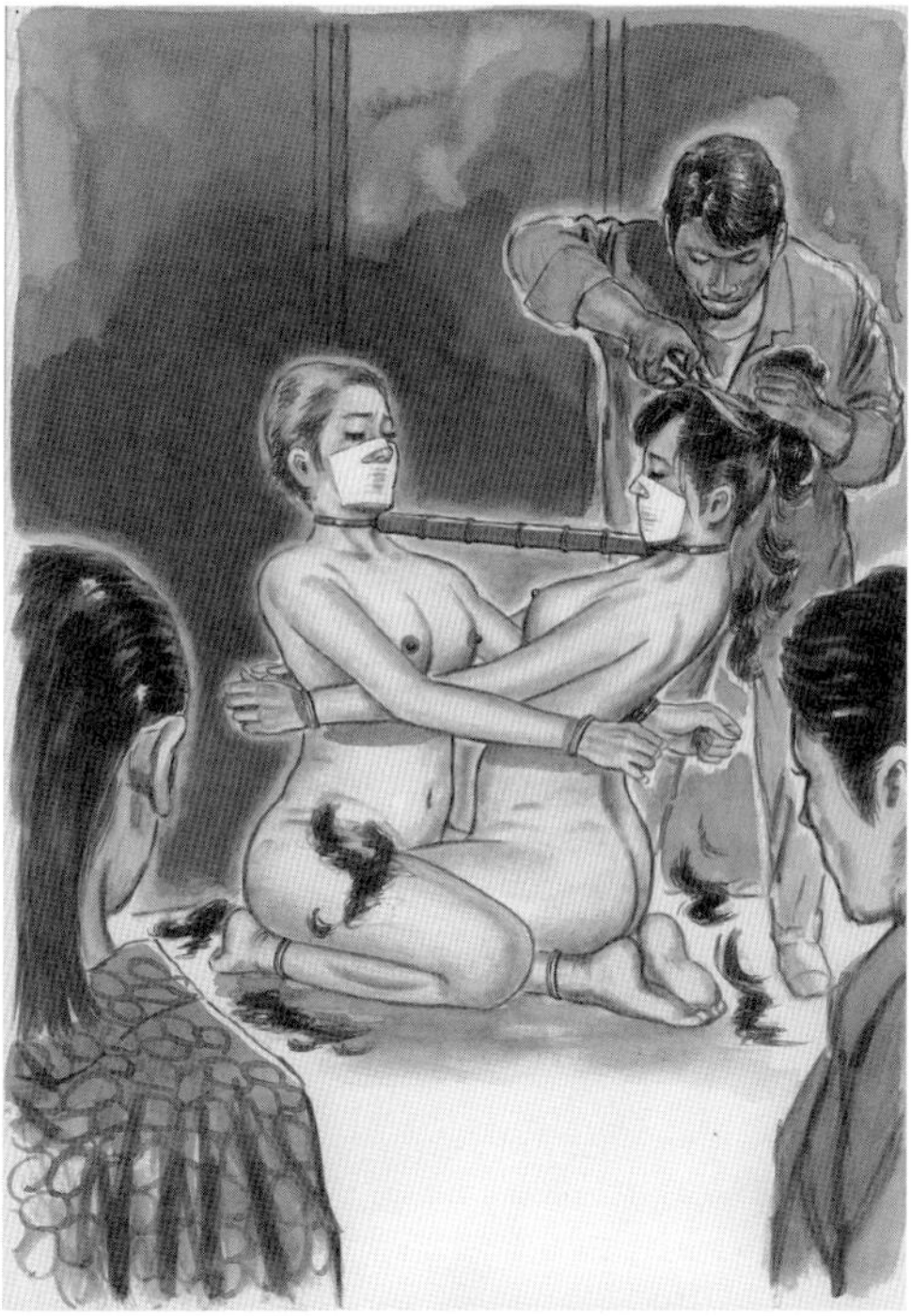

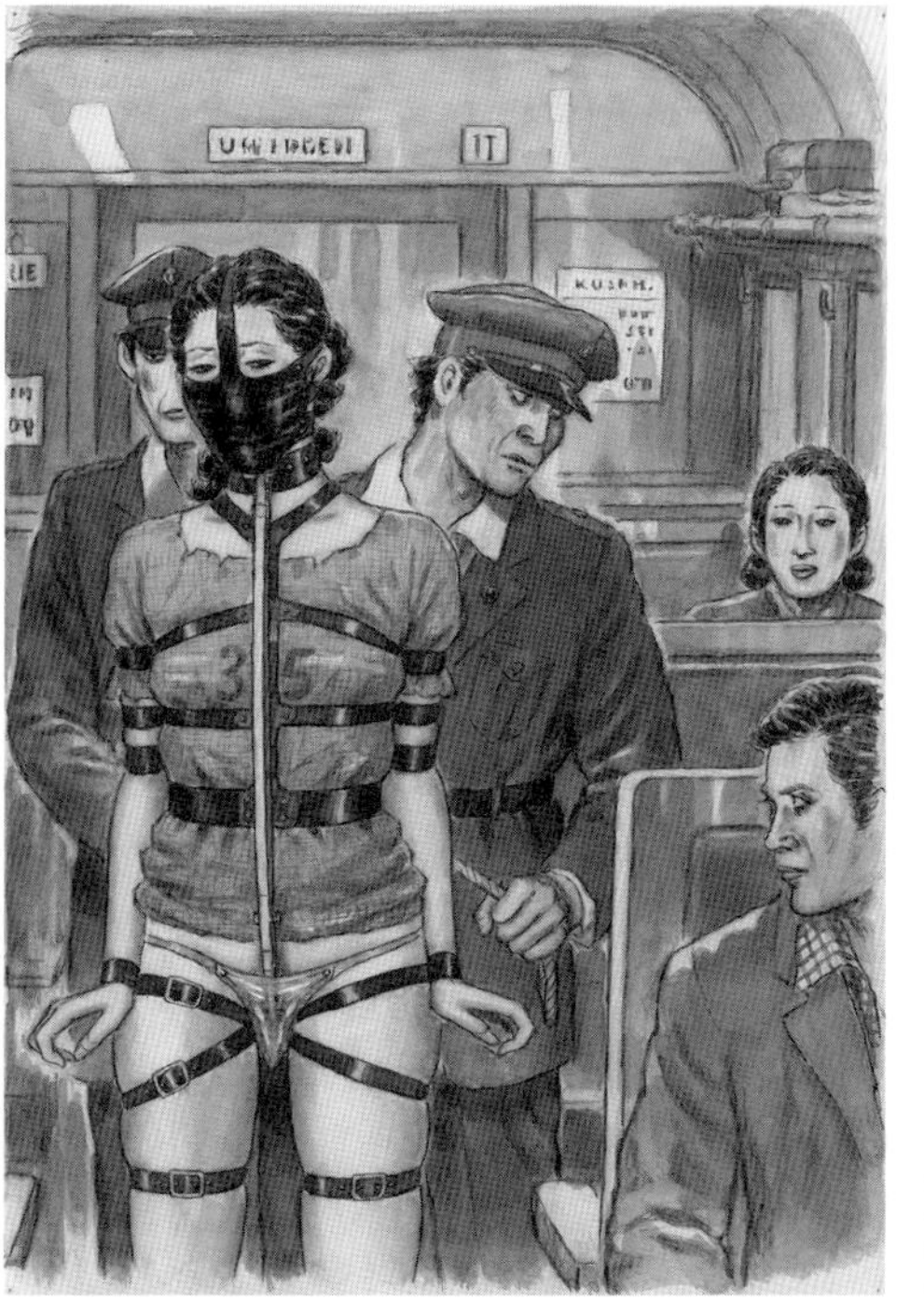

★四馬孝

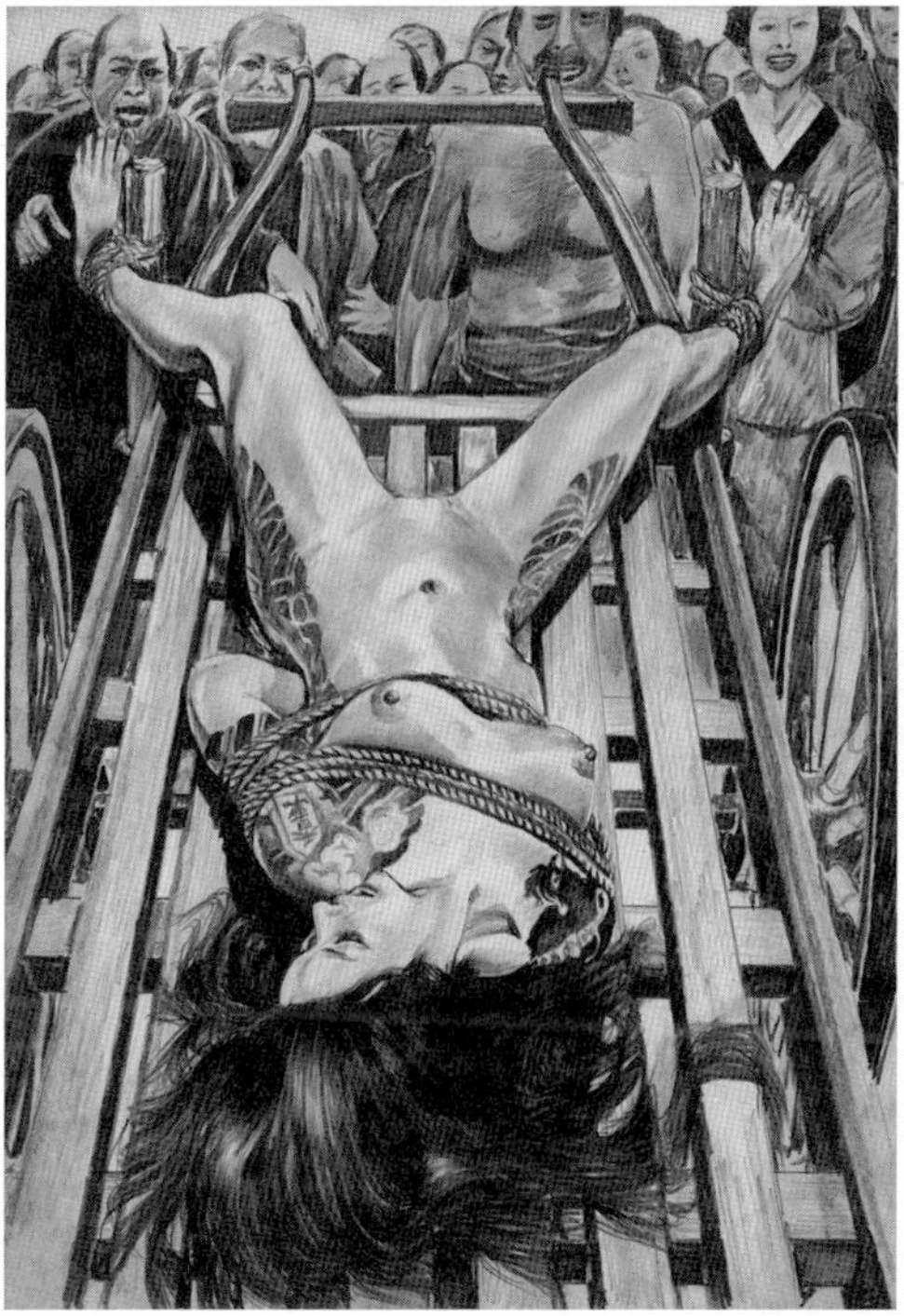

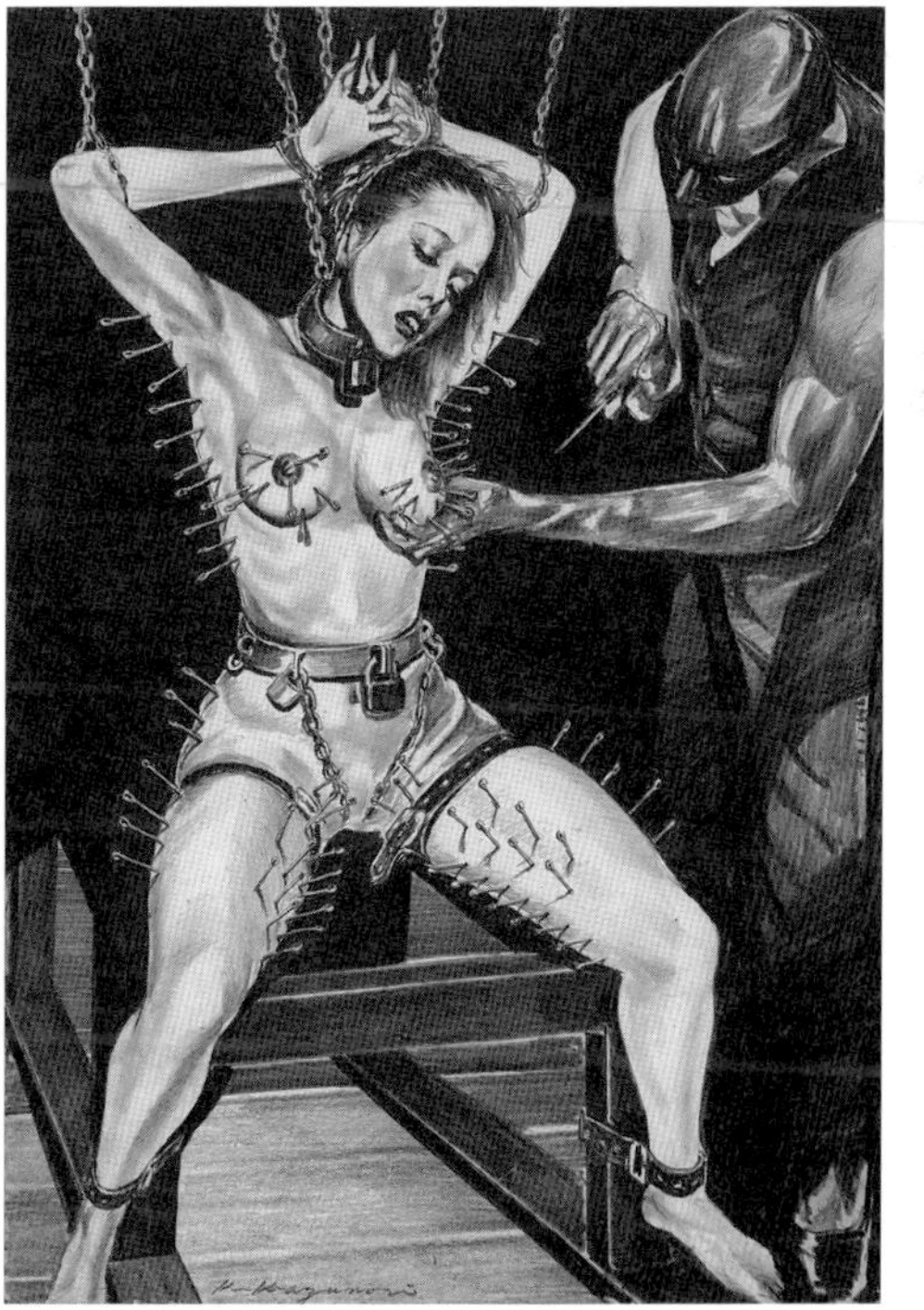

★観世一則

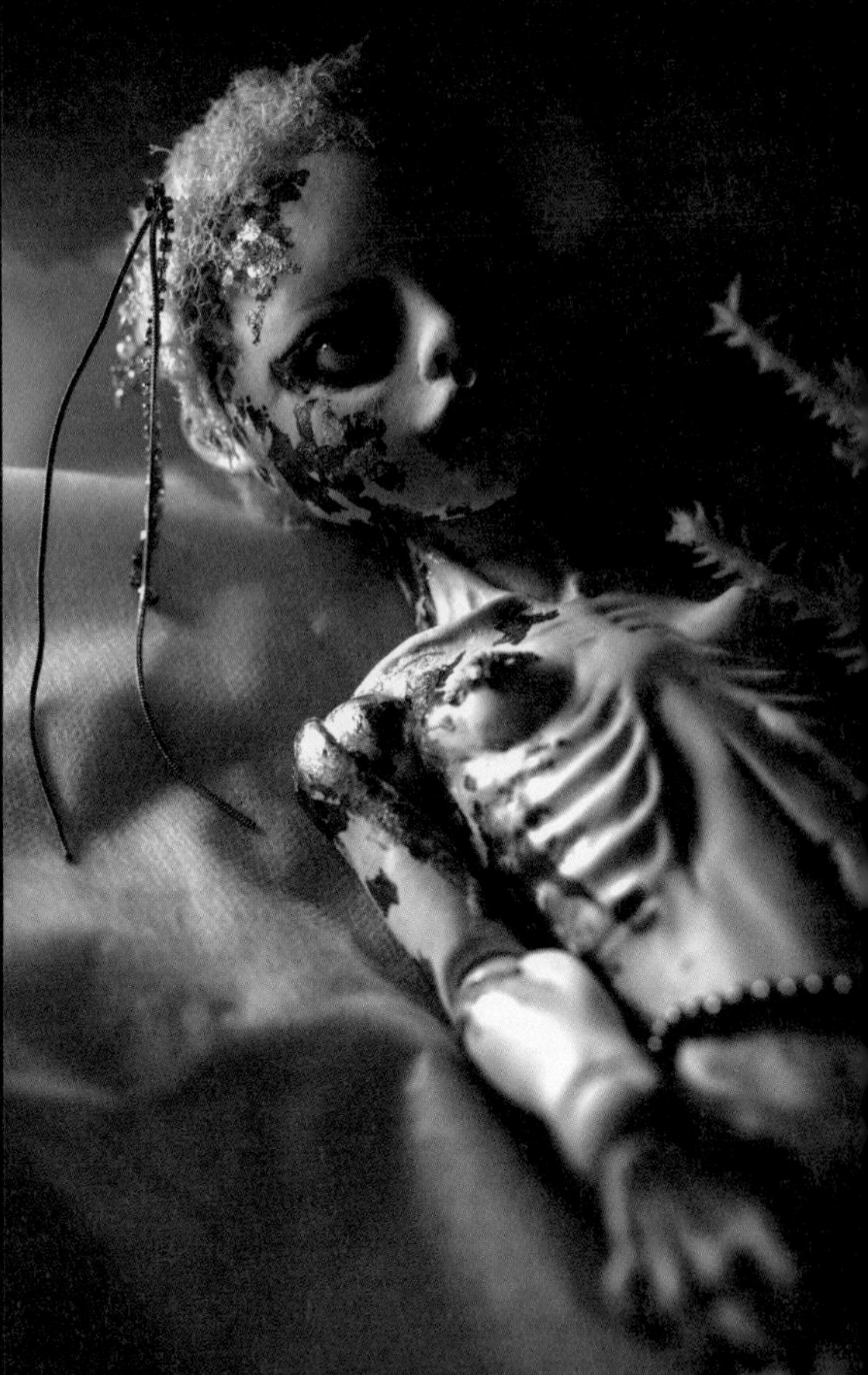

本誌で「辛しみと優しみ」を連載している人形作家・与偶。その作品作りへの思いは、本誌No.82「もの病みのヴィジョン」掲載のインタビューでも熱く語られていた。幼少のころからの親からの虐待、人形を通して同じ苦しみを抱えている人と共鳴し合えたらという願い――その人形の鋭い目は、暴力を振るう者を睨みつける目なのだという。しかしそうした強さとともに、与偶の人形は、心の内に引きこもるかのような弱さをのぞかせることもある。

そこにあるのは、傷つき、だけど生き続けようとする幼いままの子供の精神だ。それを――たとえば自身の血を人形の内部に塗るといった行為も通して――そのまま人形に憑依させているがゆえに、観る者は心揺さぶられるのだろう。

その与偶の6年ぶりとなる個展が開催される。お耽美写真家Kayと田中流による写真も展示。その世界から、ぜひ生きる勇気を受け取りたい。（沙）

★与偶人形作品展「死神に 唸り、牙を剥く」 A室
2023年9月28日(木)～10月9日(月・祝) 会期中無休
入場料／オンラインチケット800円
当日券1000円(空きがある場合のみ販売)
※B室も観覧可能
場所／東京・銀座 ヴァニラ画廊
12:00～19:00(土・日・祝は～17:00)
Tel.03-5568-1233 http://www.vanilla-gallery.com/

★右頁は、写真：田中流

傷つき、でも生き続けようとする精神

与偶
YOGU

©Yogu/Kay

★左頁は、写真：お耽美写真家Kay

★（右頁上）《待宵の月》2023
（右頁下）《Lucille》2021（撮影：吉田良）
（左頁上から）
《Fleur》2019（撮影：田中流）
《Sara》2022
《雪月花》2020（撮影：田中流）

未完の美を湛えた儚き人形たち

待宵の月、それは、十五夜の前夜に昇る十四夜の月。最も美しい十五夜の月を待ちわびながら見上げる、未完の美。人形作家・月が生み出す人形も、そうした、いまだ叶わない未来を待ち望む刹那の美を湛えた存在なのだという。月はそうした美や儚さを、透明感のあるビスクドールで表現する。また月は、「可動する人形に魅せられたのは、その姿に『余白』を感じたから」とも記している。未完、そして余白。観る者の想像力が、そこに喚起される。それぞれの人形の、一夜限りの物語を思い描いてみたい。（沙）

★月 個展「待宵の月」

2023年8月24日（木）～28日（月） 会期中無休
13:00～18:30（最終日は～17:00） 入場無料
音楽：KOMAGOME

場所／東京・曳舟 gallery hydrangea
Tel.03-3611-0336 https://gallery-hydrangea.shopinfo.jp/

★《Jupiter》2007

★《ブラックキャットの花束》2020

妖しさの中にきらめく 澄み切った美

ときに幻想的に宇宙に思いを馳せ、ときに艶麗な男女の耽美を愛でる――浅野勝美は、銅版画や油彩混合技法によって、妖しいきらめきに満ちた世界を描き出してきた。

浅野は1989年に『詩とメルヘン』のコンクールで大賞を受賞しデビュー。物語を喚起する幻想性ある作風で、新潮文庫のシェイクスピア全集や、皆川博子、タニス・リー、中山可穂、坂東眞砂子などの装画も手がけいる。

その浅野の初画集が刊行され、出版記念展も開催される。小説家の篠田節子はその画集に寄せた解説において、浅野の作品には「不純物、澱みのようなものはみつからない／蒸留を経た澄み切った美が、鋭い光を放って視覚を直撃する」と評した。浅野の作品は、特に銅版画は、闇に包まれた妖しさを湛えているが、確かにそこには、純粋無垢な情動が感じられるだろう。

その純粋さと妖しさが拮抗する浅野独自の世界を、原画で、画集でぜひ味わってほしい。(沙)

★《ヴェニスの商人》2004

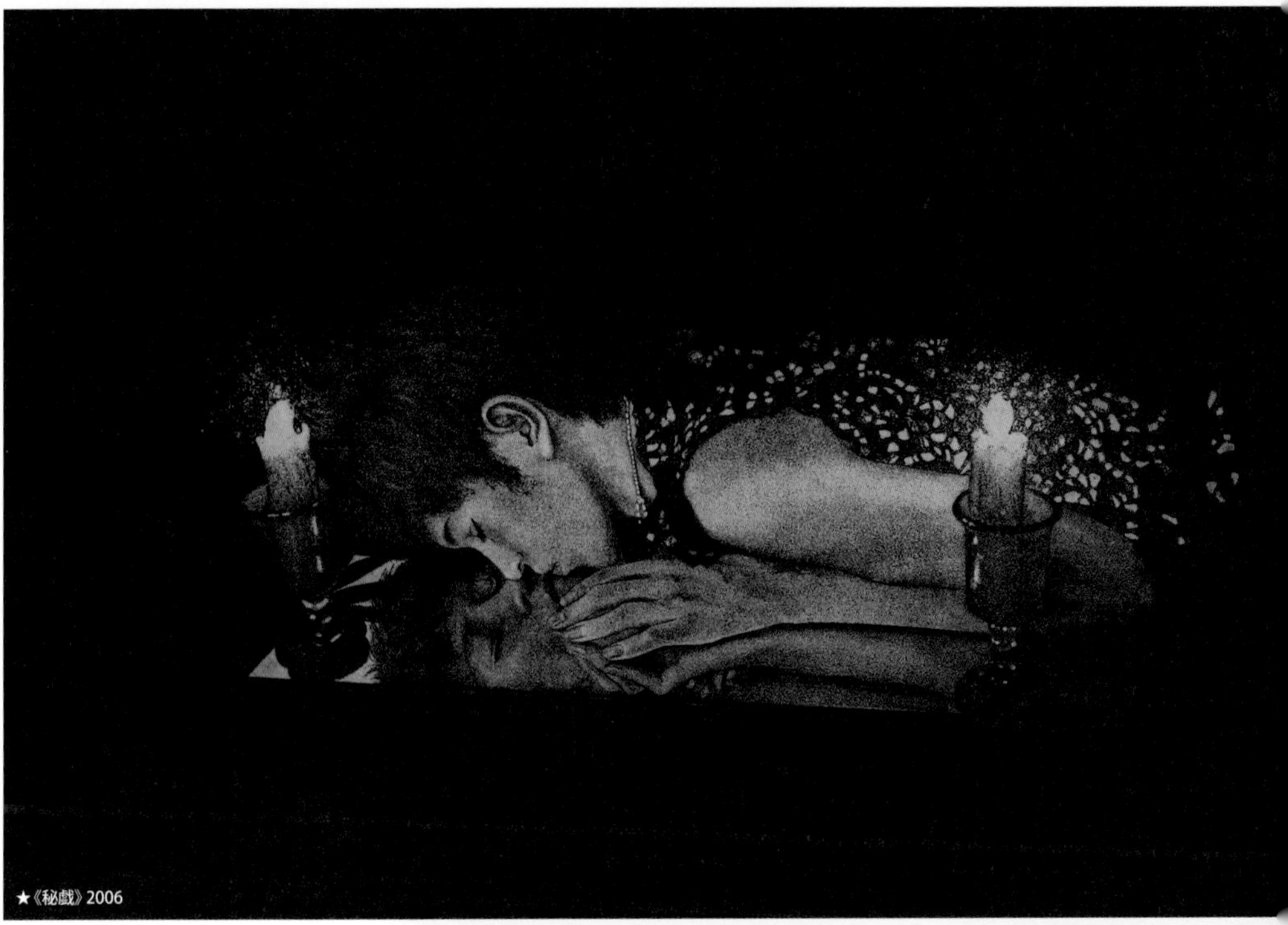

★《秘戯》2006

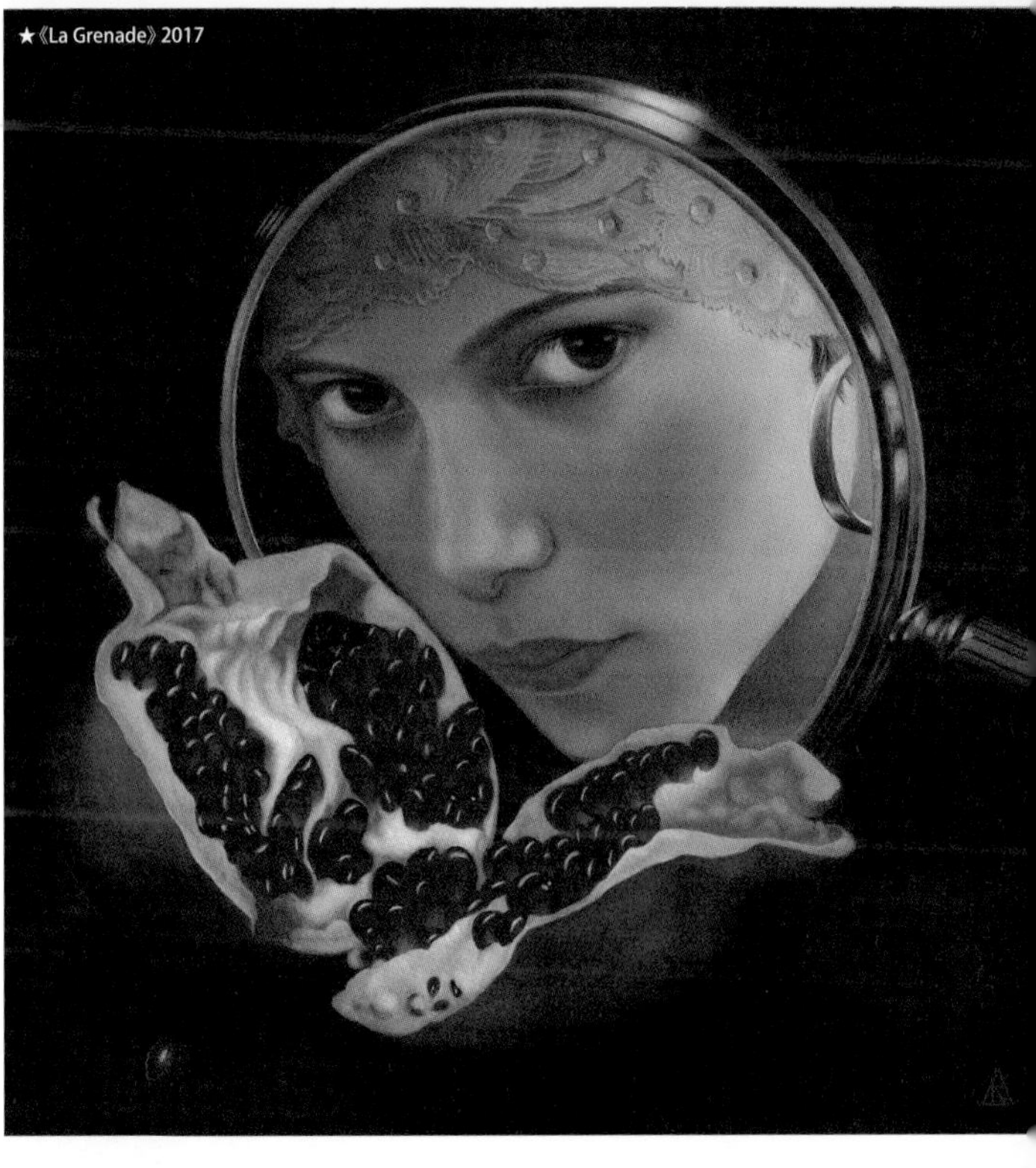

★《La Grenade》2017

★浅野勝美 出版記念展
2023年9月9日(土)〜16日(土) 日曜休
12:00〜18:00(最終日は〜17:00)
入場無料
場所／東京・銀座 ぎゃらりぃ朋
Tel.03-3567-7577
http://gallerytomo.main.jp/

★浅野勝美 画集「Psyche(プシュケー)」
2023年9月13日発売!
(上記個展にて先行発売)
B5判・ハードカバー・64頁・予価税別3000円
発行・アトリエサード、発売・書苑新社
※ここに掲載した図版は、この画集収録作より。

遊郭跡にあそぶ あでやかな人形

地方において独学で人形を作り続けている花。「10代から40代の現在まで、低賃金職と風俗業を行ったり来たりで生きてきました。そんな私の心の拠り所は、30代より始めた趣味の人形制作です」と言う。あくまで趣味として、主に日本の遊女や娼婦をイメージした人形を制作してきた。

しかし花は、単に制作するだけでなく、遊郭跡やレトロなラブホテルに人形を持ち込み、写真を撮影しているのがユニークだ。歴史を感じさせる空間の中、艶めかしい人形が、まるで止まった時を再び動かすかのように、生き生きと息づいている。

その花の個展が、Gallery Cafe&Bar オンディーヌにて開催される。あでやかだが頽廃感も漂う人形や写真とともに、在りし日の時代に思いを馳せたい。(沙)

★花 個展「あそびめ人形展」

2023年10月3日(火)～22日(日) 月曜休
平日18:00～23:00、土日14:00～23:00
場所／Gallery Cafe&Bar オンディーヌ
東京都杉並区高円寺南1-30-15-102
Twitter @ondine0515

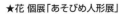

お菓子作り
好きな子が、
出来ました。うふふ。
久しぶりのこの感覚。
こやまけんいち絵本館
no.52

まずは、小さなお菓子から。
少しずつ優しく尽くして
慣らしていくの。
慎重に、今度こそは
逃げないように。
気づかれない
ように。

最初のお菓子には
何を足してあげようかしら。
丁寧に練り込んで、
見た目は可愛いカップケーキになるように。
ああ、久しぶりの、ぞくぞくするこの感覚。うふふ。

ひたすらに話し合う、それだけなのに見えてきたこと

サラ・ポーリー監督『ウーマン・トーキング　私たちの選択』

◉文＝岡和田晃

鬼のいぬ間に

全体的な色調は昏く、荒涼とした村の情景は一時期の東欧を思わせる。それこそ、タル・ベーラ監督の『サタンタンゴ』（一九八五、レビューは本誌№80）が思い浮かぶが、長回しの技法が採られるわけではなく、大部分は女たちの会話で進んでいく。絵を観ることと同じくらい、話を聞くことが重視されているようだ。彼女たちは教育を与えられず、誰一人として読み書きできない。権威主義的な政治体制に、人々ががんじがらめにされ、息を潜めて暮らさざるをえない、そんな社会が扱われているということで――映画を見終わり、背景を知って驚いた。この話は実話をモデルにしており、二〇〇〇年代後半の南米ボリビアにおける農本主義的な宗教コミュニティの状況が投影されているのだという（映画の設定年代そのものは二〇一〇年）。

舞台となるメノナイト派のコロニーに暮らす女たちは家畜用の麻酔で意識を奪われ、なんと、その隙にレイプされる。目覚めると、ベッドが血まみれになり、身体が苦痛を記憶しているから、何者かに襲われたのは間違いない。にもかかわらず、男どもは口裏を合わせ、お前の妄想だの悪魔の仕業だの、責任を女の側にかぶせて恥じないのだ。〝祈り、働け〟とい

★『ウーマン・トーキング 私たちの選択』は全国公開中。詳細は公式サイトへ https://womentalking-movie.jp/

右頁の写真は同映画より ©2022 Orion Releasing LLC. All rights reserved.

う自給自足の共同体だが、性的な欲望の捌け口は〝弱き性〟たる女性の側が一手に負わされるという矛盾がある。

　だが、ある晩、寝室に男が忍び込んできたことから事態が露見する。逮捕された男の保釈金を支払うため、男どもは出払っている。保釈されるまで時間はわずか四八時間。その間、女たちは、三つの選択肢から今後の方針を選ぶことにする。「一、何もしない」。「二、この場に留まり、男たちと戦う」、「三、この場を離れる」という三択のなかから投票で選ぶのだ。読み書きができない女たちのため、選択肢はそれぞれイラスト化され、誤解が生じないようになっている。結果は「二」と「三」が同数。女たちは二派に分かれ、それぞれの主張をぶつけ合うのだが……。

外部の眼差し、ゆらぎ、象徴性

　いわば、ただそれだけの映画なのに、引き込まれるのだから不思議である。グロテスクに肥大化した家父長制の残滓のごとき前近代的なコミュニティにおいてなお、抵抗の礎となる民主主義は生起してくるのだという手触りが、はっきり伝わるからだろう。女たちの話し合い《ウーマン・トーキング》を記録するのは、その場にいる唯一の男性で、かつ大学出の教師オーガストである。ホモソーシャルなコミュニティにおいて「男らしくない」という彼は、唯一の知識人として話し合いを記録する立場にある。もう一人の例外は、子どもたちを世話するメルヴィン。メルヴィンはいわゆる「性同一性障害」のようで、自分のジェンダー・アイデンティティは男性であると感じていたものの、強姦被害の犠牲となったことによって、加害性を含意する大人たちとは話せなくなっていたのだ。

　女たちの間には、このように内なる外部からの眼差しが周到に設定されている。そのうえで年長のスカーフェイスは信仰における許しを、若いサロメは戦いを主張する。傷痕の残る顔《スカーフェイス》に、運命を狂わせる女《ファム・ファタル》という彼女たちの名は、そのまま女たちの置かれた位置を寓喩的《アレゴリカル》に表象している。

　けれども話題が移り変わるうちに、夕方になって戦いと許しの間で揺れているマリチェの夫が戻ってくる。酔っ払った夫は、顔が腫れるほどの苛烈な暴力を彼女に振るう。これを目の当たりにした彼女たちは、静かに決断を下すのである。しかし、子どもたちはどうするのか？

　純粋無垢で人格の陶冶を要する子どもが、男尊女卑に居直るのはいつからなのか？　幾重もの問いが投げかけられる。

　名付けだけではなく、音楽から場面設定から、あちこちに象徴性が埋め込まれているのも、本作の見どころだろう。途中でいささか唐突に、日本語圏ではザ・タイマーズ（忌野清志郎の覆面バンド）のカバーで有名なザ・モンキーズの「デイドリーム・ビリーバー」（一九六七）の明るいメロディが流れ、女たちだけで話し合える時間の楽しさと、それは束の間のものだという有限性をさりげなく伝える。村を離れようにも地図がないという恋人マーラ（寝込みを襲われ、父のわからない子をすでに妊娠している）に、オーガストは自分の地図を渡し、南十字星に向かって拳を挙げて方位を測る方法を教えるのだが、その身振りは静かな決起、抵抗の身振りとも受け止められるのだ。

製作の背景・原作

　映画の製作にあたっては、何人かのキーパースンがいる。まず、スカーフェイス役のフランシス・マクドーマンド。定住せず車を宿として放浪を続ける女性を好演し、新たな〝トライブ〟の誕生を示唆したクロエ・ジャオ監督『ノマドランド』（二〇二〇）での主演が印象的だが（詳しくは「ナイトランド・クォータリー」Vol.24の拙稿を参照）、彼女がプロデューサーのデデ・ポーリーに原作小説を紹介したのである。監督のサラ・ポーリーもまた、一〇代で性被害を受けた当事者であり、そのときの痛みが、映画のあちこちから伝わってくるように思われる。意外なことに、製作総指揮にはブラッド・ピットの名もあるが、別段ヒッチコックのようにカメオ出演するわけではなく、それがかえって好印象を与えている。

　原作小説はカナダの作家ミリアム・トウズの『ウィミン・トーキング（Women Talking）』（二〇一八）。こちらはオーガストの語りから始まる。映画では彼が詩人サミュエル・テイラー・コールリッジの言葉を引用する場面があるのだが、確認したところ、これは原作小説でも出てくるもの。曰く、「愛のために働くことで、愛は生まれる。正確な知識や真実に親しみ、想像力を喚起すること」。もとのコールリッジのテクストから、多少の修正が加えられているようだが、喧々諤々の話し合いの末に行き着く愛のあり方を仄めかすものとなっている。原作小説は二〇二三年七月時点で未訳だが、映画を深く知り女性へのエンパワーメントをより多角的なものとするためにも、日本語版の刊行を期待したい。

★左頁の図版は、原作小説

辛しみと優しみ〈53〉

人形・文＝与偶
doll & text by Yogu

幾度となく襲いかかる目を覆う苦痛にも決して生きることを諦めない
いつも安く見積もる自分の命より、永遠に愛する大切な命がそれを教えてくれた
この不条理な世界に対して、あきらめるということを恥じた私は「戦士の決意」を改めてここに誓う
…悲しみの血の涙で死の誘惑に常に翻弄されながらでも

撮影◎サト・ノリユキ / SATOFOTO

※与偶個展、ヴァニラ画廊にて開催！→詳細p.16

ストップモーション・アニメだからこそ生まれたリアリティ

ディーン・フライシャー・キャンプ監督『マルセル　靴をはいた小さな貝』

◉文＝岡和田晃

★マルセルとお婆ちゃん

擬似ドキュメンタリー形式を取る映画は、すでに世にあふれており、食傷気味ですらある。けれども本作『マルセル　靴をはいた小さな貝』は、ストップモーション・アニメの技巧を中核に据えることで、殺伐とした〝炎上〟とはまた異なるSNS時代のリアリティを獲得することに成功している。

マルセルは体長二・五センチメートル。見た目は貝殻なのだが、なぜか穴のあいた部分に眼があり、お洒落な靴も履いている。声は子どものようなウィスパー・ボイス。見るものすべてが新しく、ちょっぴり気弱ではあるが、しばしば好奇心の方が勝っている。利発で何事にも一家言あるが、訳あってお婆ちゃんとふたり暮らし。広いお家の片隅で、あるいは庭の一角で、静かに楽しく暮す日々は、人間にとっては見慣れたものでも、マルセルにとっては冒険でもある。その模様が、本作の監督・脚本をつとめる映像作家のディーンによるドキュメンタリーとして撮影され、SNSで大きなバズを巻き起こす。

マルセルは一躍人気者に。動画に映り込んだ家の様子から、マルセルの住処を「特定」するような輩すら現れる一方で、マルセルの人気はうなぎのぼりで、ついにはテレビ出演することになる。それは、離れ離れになった両親や親族と再会するためだった……。

藤子・F・不二雄の児童向けコミック群が典型的だが、異類との共同生活はたいてい、マルセルのような存在を悪用せんとする第三者が介入し、それに振り回されたうえ、互いに棲み分けることが最

★『マルセル 靴をはいた小さな貝』
全国公開中
公式サイト https://marcel-movie.asmik-ace.co.jp/
© 2021 Marcel the Movie LLC. All rights reserved.

良の解決として終わりを迎える。けれどもそんな定型は、よい意味で裏切られる。マルセルの動きや台詞回しがあまりにもナチュラルなので、つい疑わずにいてしまうが、そもそもマルセルの存在は、それこそ妖精のようなファンタジーではないか。なのに、誰もそのことを根源的に疑わないのが面白いところで、そこから新たな相互理解の期待までもが本作では素描されていく。これはストップモーション・アニメだからこそ生まれた、リアリティの淡いの演出がなせる業で、それをディスコミュニケーションのためではなく、相互理解の端緒とするのが、本作のユニークなところなのである。

　マルセルの存在と対になるのが、彼のお婆ちゃんだ。彼女の趣味は、自分の身体の何倍もある本を読むこと。そこで読まれる「季節の変化について」の一節が、「木々に葉がつきはじめる　まるで何かを物語るかのように／新しい芽が和らぎ始める　その緑はどこかさみしげだ／彼らは生まれ変わり　私たちは老いるから？」と、生命の連鎖を詩として問いかける。それこそハリーハウゼン監督の『アルゴ探検隊の大冒険』（一九六三）ではないが、ストップモーションの撮影には気が遠くなるような手間暇がかかる。しかし、だからこそ生まれるリアリティがあり、それは日常をちょっぴり楽しいものにすること。マルセルは、そのためのヒントを教えてくれるのだ。

ブロードウエイの極上の舞台を映画館で

©Joan Marcus

©Joan Marcus

©Joan Marcus

　愛に生きるか、夢に生きるか――ビング・クロスビーとフレッド・アステアが主演のミュージカル映画「ホリデイ・イン（邦題：スイング・ホテル）」（1942）を舞台化したブロードウェイ・ミュージカル「ホリデイ・イン」。歌あり、バレエあり、タップダンスありの豪華絢爛なサクセス＆ラブストーリーだ。その舞台をそのまま撮影した映画が、10月から公開される。本場ブロードウェイの雰囲気を日本にいながら映画館で味わえる一作、極上のエンターテインメントをぜひお楽しみあれ。（沙）

★『ホリデイ・イン』
2023年10月6日（金）より全国順次限定公開！
公式サイト https://broadwaycinema.jp/
©Joan Marcus

立体画家 はが いちようの世界《第41回》

石ノ森章太郎の机

「石ノ森漫画館」（石巻市）から本作の制作依頼を受けたのは2008年6月で、納期限は8月末だった。ところがそのときわたしは拙展の準備に追われていてまったく身動きがつかなかった。しかし重ねてのご要望を受けて、我が作品中最多の助っ人陣を構成し、彼らの協力によって、なんとか納期限内に完成させることができた奇跡的一作である（縮尺12分の1）。

すなわち椅子、机、Zライトはヨシダ・トモヒコ氏に、仮面ライダーはヤザワ・シュンゴ氏に、カーテンはサノ・キョウシロウ氏に、書籍はタヤマ・マユミさんに、文具類はヨネヤマ・ヨウコさんに、漫画原稿はサカイ・エリさんにという具合に、6人のプロに、それぞれのパーツを手分けしてつくっていただき、最後にわたしがそれらをビルドアップしただけ。なのでわたしは台座や壁などの基本部分以外はほとんどつくっていない。それなのに素晴らしい作品に仕上がったのは、右の6人が超絶技を披露してくれたからである。左下に掲載したリアル写真と比べても、模型が見劣りしていない。

（株）石森プロ所有。

芳賀一洋（はが・いちよう） https://ichiyoh-haga.com/
1948年、東京に生まれる。1996年より作家活動を開始し、以後渋谷パルコ、新宿伊勢丹、銀座伊東屋などでの作品展開催や、各種イベントに参加するなど展示活動多数。著作に写真集「ICHIYOH」（ラトルズ刊）などがある。

★はがいちよう作品集「錠前屋のルネはレジスタンスの仲間」
～レトロなパリと昭和の残像～抒情たっぷりの写真集！
税別2222円 好評発売中！
★ExtrART file.33に作品掲載（計11ページ）

★ろくでなし子《ヴァーチャルまんこミュージアム》2023
https://decoman.io/museum/

★ろくでなし子《留置場ゲーム》2023 https://decoman.io/museum/

ろくでなし子 Rokudenashiko × 森下泰輔 MORISHITA Taisuke

逮捕・裁判の経験もアート作品へと昇華！

まんこアーティスト、ろくでなし子が現代美術家・森下泰輔と『まんこラボ展 仮象としての現実に関する考察 It's not here - Considerations on Reality as Virtual Universe』（アートラボ・トーキョー）を開催した。

彼女はもともとルポ漫画を得意としたマンガ家で、2013年にクラウドファンディングのリターンとして自身の外陰部の3Dデータを配布したことを発端とする逮捕拘留裁判に至るプロセスも、2冊の著書『私の体がワイセツ?!』（筑摩書房）と『ワイセツって何ですか?』（金曜日）にまとめている。その後も逮捕自体を作品のテーマとして、アーティスト活動を展開しており、2016年には、アイルランドの国民的人気ロックバンド、ウォーターボーイズのマイク・スコットとめでたく結婚し、一児の母となった。アイルランドに移り住んでいた時期も

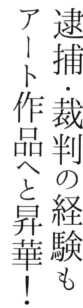

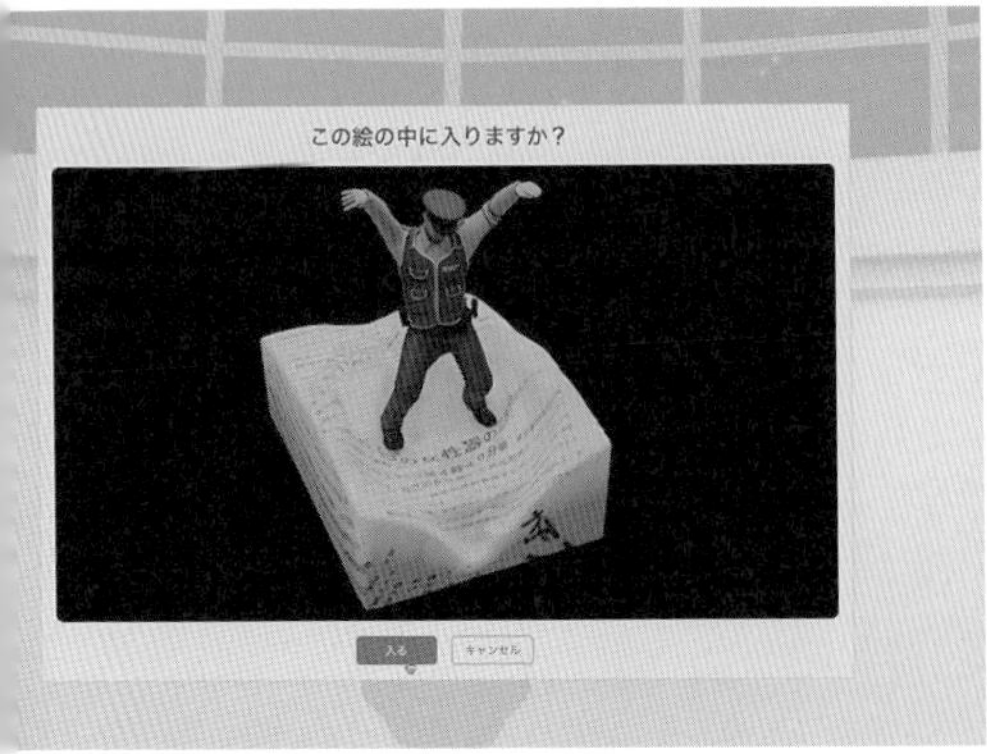

★作品に入るを選択すると立体的に体感できる作品もあった。《ヴァーチャルまんこミュージアム》から

★刑事の尋問でエネルギーが減少したら友人と接見して元気をもらう。《留置場ゲーム》から

まんこ裁判で日本美術史に異例な足跡を残したろくでなし子と現代美術家・森下泰輔による先鋭的な2人展

あったが、現在は息子さんを日本の小学校に通わせるために帰国している。

彼女はマンガ家としても早くからパソコンを導入し、手書きよりはペンタブで描いていたという。もともと最初の逮捕のきっかけとなったまんこの3Dスキャンも当時としては先端的な技術であり、近年も3Dモデリングで作ったキャラクターを3Dプリンターで出力して作品として展示するなど、その先見性は今も健在だ。

今回はさらに進んでメタバース空間に「ヴァーチャルまんこミュージアム」を構築し、留置場ゲームと合わせて2つの体験型作品を発表した。

それらの新作は展示会場に設置されたパソコンや大型モニターで体験することができたが、スマホやパソコンがあればどこでも体験できる。ぜひ遊んでみて欲しい。https://decoman.io/museum/

ヴァーチャルミュージアムから見ていこう。プレイヤーは、キャラクター「まんこちゃん」として画面に登場し、第三者目線で3Dミュージアム空間を自由に移動できる。壁には、数々の作品が展示されており、それらに近づき「作品の中に入る」を選択すれば、実際に作品を観たり、解説を読むことができる。なんといっても素晴らしいのが、実在する作家や関係者らのキャラクターたちとの対話を楽しめることだ。幼い女の子の風貌をした「ろくでなし子」や豹柄のコスプレした「岩井しまん子」、夫のマイク・ス

★2つのヴァーチャル作品をモチーフに制作された新作ドローイング

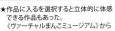

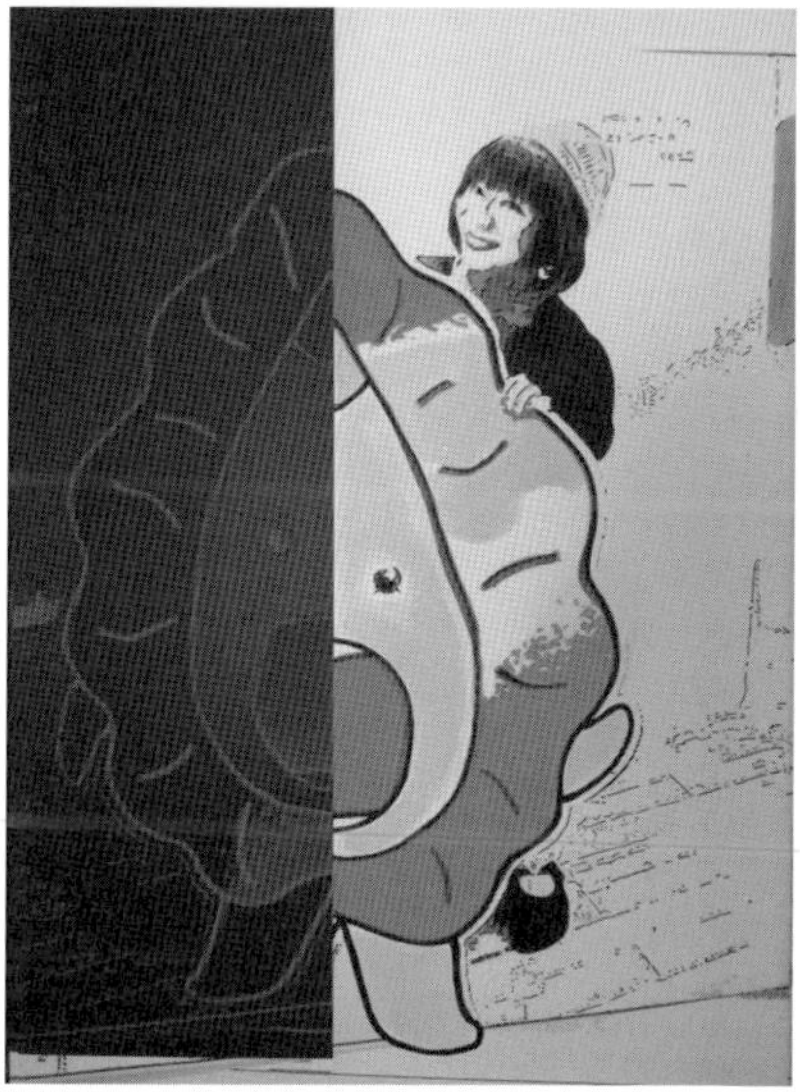

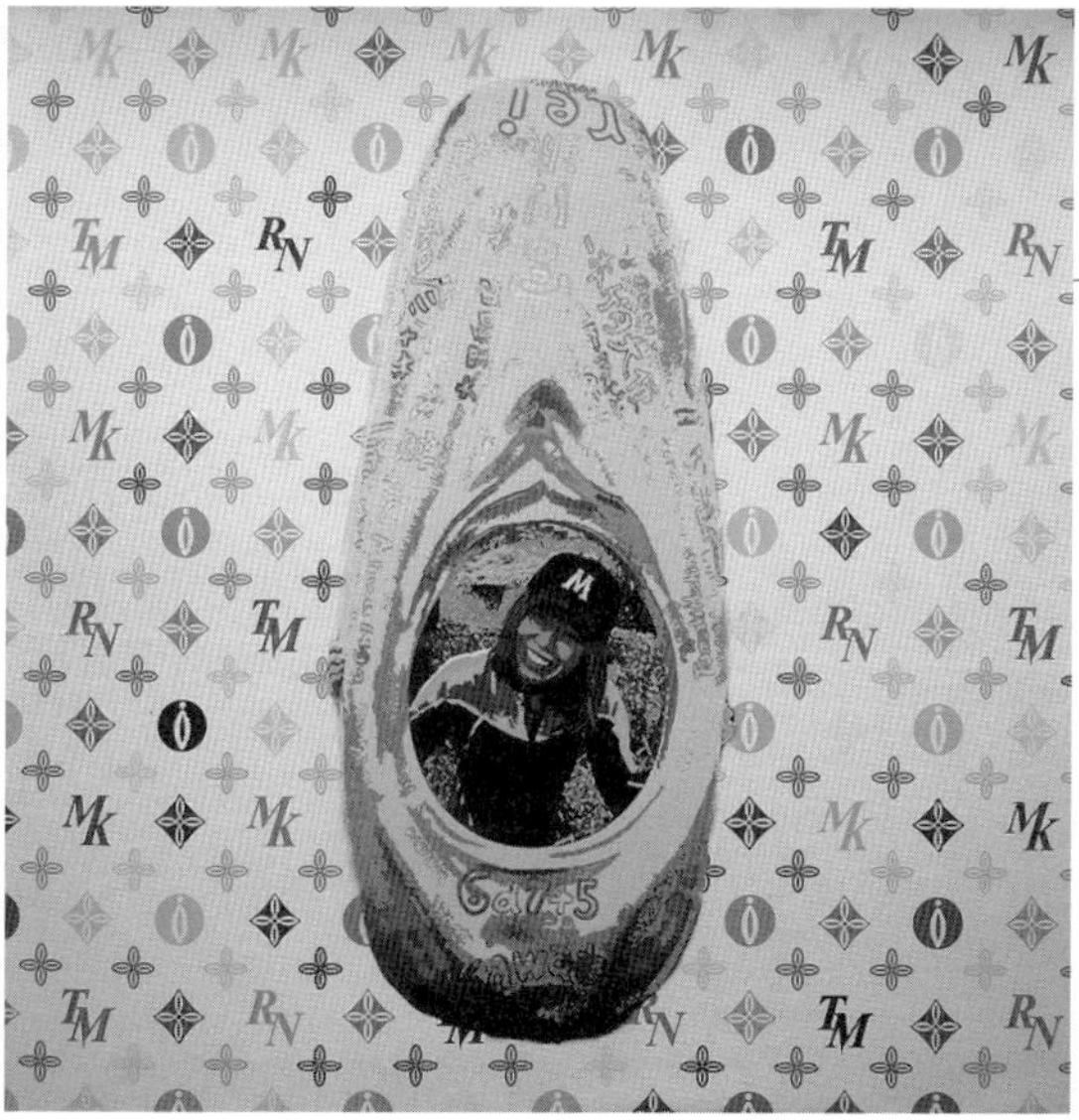

★ろくでなし子との共作2点以外は森下泰輔作
（右上）ろくでなし子との共作《SEP 7, 2013》
（右中）《MAY 9, 2016》
（左上）《FEB 1, 2016》
（左中）《MAY 9, 2014》
（左下）ろくでなし子との共作《OCT 19, 2013》

コット、ヤマベンこと山口貴士弁護士、今回コラボした森下泰輔も「森下くん」として登場する。さらに刑事に話しかけると逮捕され、そこから留置場ゲームに移行してしまう。もちろん、トップ画面から直接ゲームを選択することもできる。

ろくでなし子は、「2013年からずっと観客を巻き込めるアートを目指してきた。私の裁判がその頂点でしたが、今回はヴァーチャル空間で観客自身が体験できる作品として、アートとゲームを融合させた」と笑顔を見せた。プログラミング

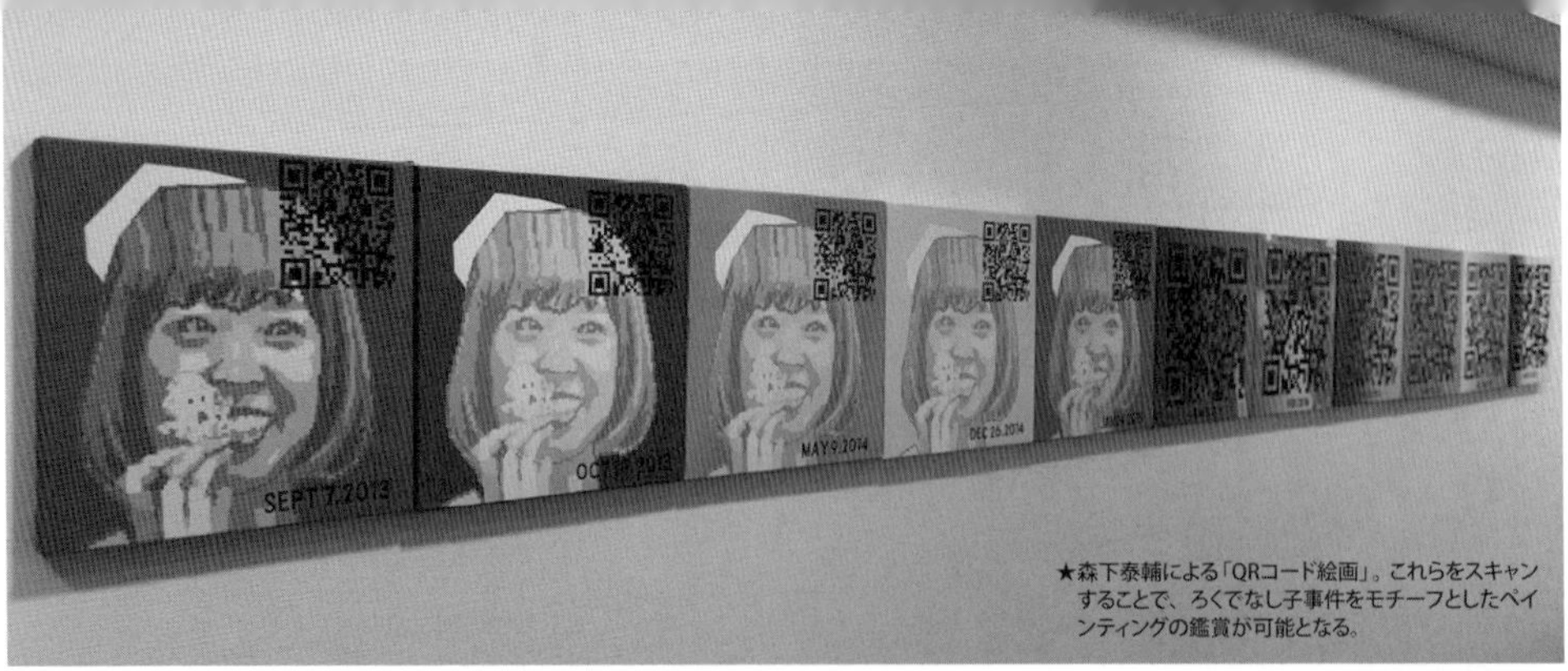

★森下泰輔による「QRコード絵画」。これらをスキャンすることで、ろくでなし子事件をモチーフとしたペインティングの鑑賞が可能となる。

★森下泰輔によるろくでなし子事件をモチーフとしたペインティングシリーズ

★QRコードをスマホでスキャンすると森下泰輔《JUL 16, 2020》を鑑賞できる。

開発に携わった高野政徳によれば、キャラクターはAIに学習させて人格を作っており、複雑な対話も可能になっている。

留置場ゲームに送られてしまったらどうすればいいのか。7日間のうちに与えられたエネルギーをうまく温存し、最後の判決で無罪を勝ち取れば脱出することができる。とはいえ、そう簡単に攻略できない。刑事に尋問されるたびにエネルギーが減少し、返答の内容によって不利になる。弁護士や友人と接見したり、アイテムを購入して対抗するのだ。無罪を目指して挑戦して欲しい。

展示会場には新作のヴァーチャル作品から着想した手描きのドローイング作品が展示され、《マンボート》や一時的に警察に押収された《デコまん》シリーズなど、事件を象徴する有名作品が展示された。

一方、森下の作品もろくでなし子事件と連動したもので、改めてその歴史的な重要性を強調している。彼女がヴァーチャル空間の新作にこだわったように、森下もまた15点のキャンバス作品は大部分展示せず、「QRコード絵画」を展示し、鑑賞者はスマホをかざしてQRコードを読むことで、元のキャンバス作品を鑑賞できる。今回の「ギャラリーにはなくネット上にある」というコンセプトを徹底していた。

森下は、「僕なりにろくでなし子事件のヒストリー、河原温のデートペインティングを参照し、それぞれの日付にろくでなし子に何が起きたのかを結びつけることで、6年間の事件の経緯をインタラクティブに鑑賞できるものにした」と解説してくれた。

また、某有名ブランドを連想させるアナグラムの作品も、そのQRコードはヴァーチャルミュージアムそのものにリンクしていた。展覧会全体を通じて、ろくでなし子のこれまで活動を見渡すことができるレトロスペクティブ的なぜいたくな内容となっていた。彼女によれば、来年は逮捕10周年となるという、これからも楽しい笑いとともにまんこ表現に付き纏う閉塞感を取り払って行きたいと最高の笑顔見せてくれた。今後の活動にますます期待したい。

★ろくでなし子（右）と森下泰輔

『ろくでなし子・森下泰輔 まんこラボ展 仮象としての現実に関する考察 It's not here - Considerations on Reality as Virtual Universe』は、2023年6月13日〜25日に、Art Lab Tokyoにて開催された。https://artlab-tokyo.com/

制服のもとに喪失された自己

フィンランドのユハ・アルヴィド・ヘルミナンは、デモを警察が暴力制圧した場面を目撃し、制服がいかに隠れ蓑になるか、いかに団結を生み、また壁を生み出すかを実感した。「インビジブル・エンパイア」は、人がその壁の囚人となり、権威、宗教、伝統の名のもとで、いかに自己を喪失していくかを漆黒の写真で表現したシリーズだ。与偶の個展(↓16頁)と同時期の開催。

またヴァニラ画廊では、8月には古屋兎丸の原画展が2展示同時開催される。(沙)

★上と右下は、ユハ・アルヴィド・ヘルミナン

★古屋兎丸

★古屋兎丸展「SCHWEIGEN-沈黙-」/「白昼夢-WACHTRAUM-」 A&B室
2023年8月9日(土)～9月3日(日) 会期中無休
入場料／オンライン予約・当日券1000円

★ユハ・アルヴィド・ヘルミナン展「Journey into the Invisible Empire」 B室
2023年9月28日(木)～10月9日(月・祝) 会期中無休
入場料／オンラインチケット800円
当日券1000円(空きがある場合のみ販売)
※A室・B室の両方を観覧可能
場所／東京・銀座 ヴァニラ画廊
12:00～19:00(土・日・祝は～17:00)
Tel.03-5568-1233 http://www.vanilla-gallery.com/

マヤ文明、赤の女王のマスク本邦初公開！
古代メキシコの3000年を三大遺跡で一望

特別展「古代メキシコ ─マヤ、アステカ、テオティワカン」

●文・写真＝ケロッピー前田

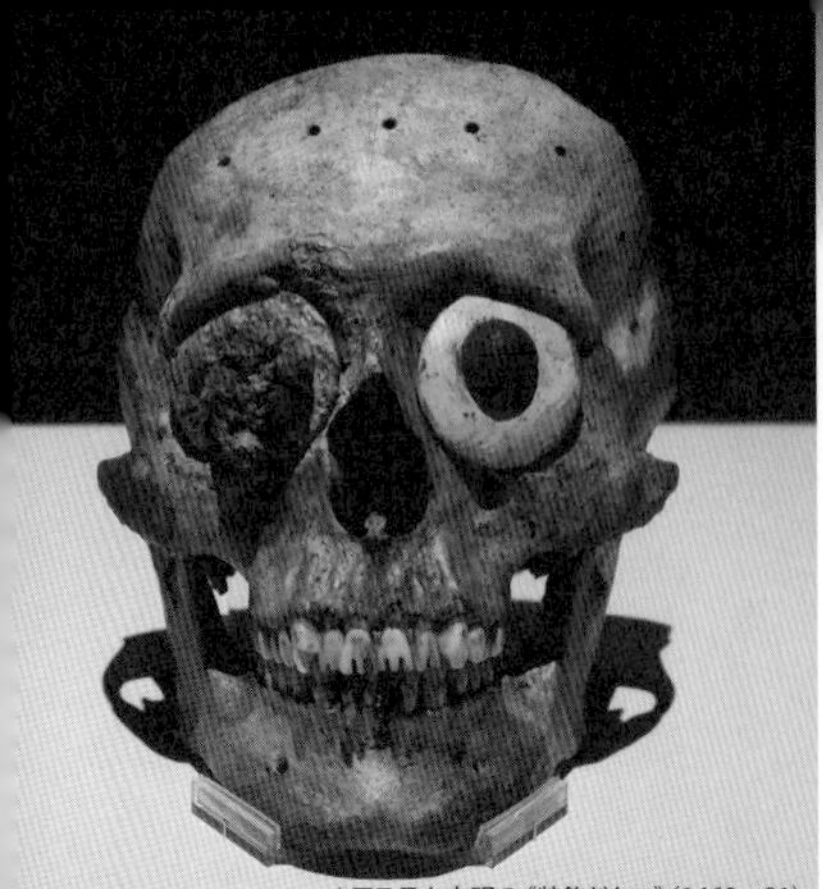

★アステカ文明の《装飾ドクロ》(1469〜81)
／テンプロ・マヨール博物館蔵

★アステカ文明の《チコメコアトル神の火鉢（複製）》(1325〜1521)
／メキシコ国立人類学博物館蔵

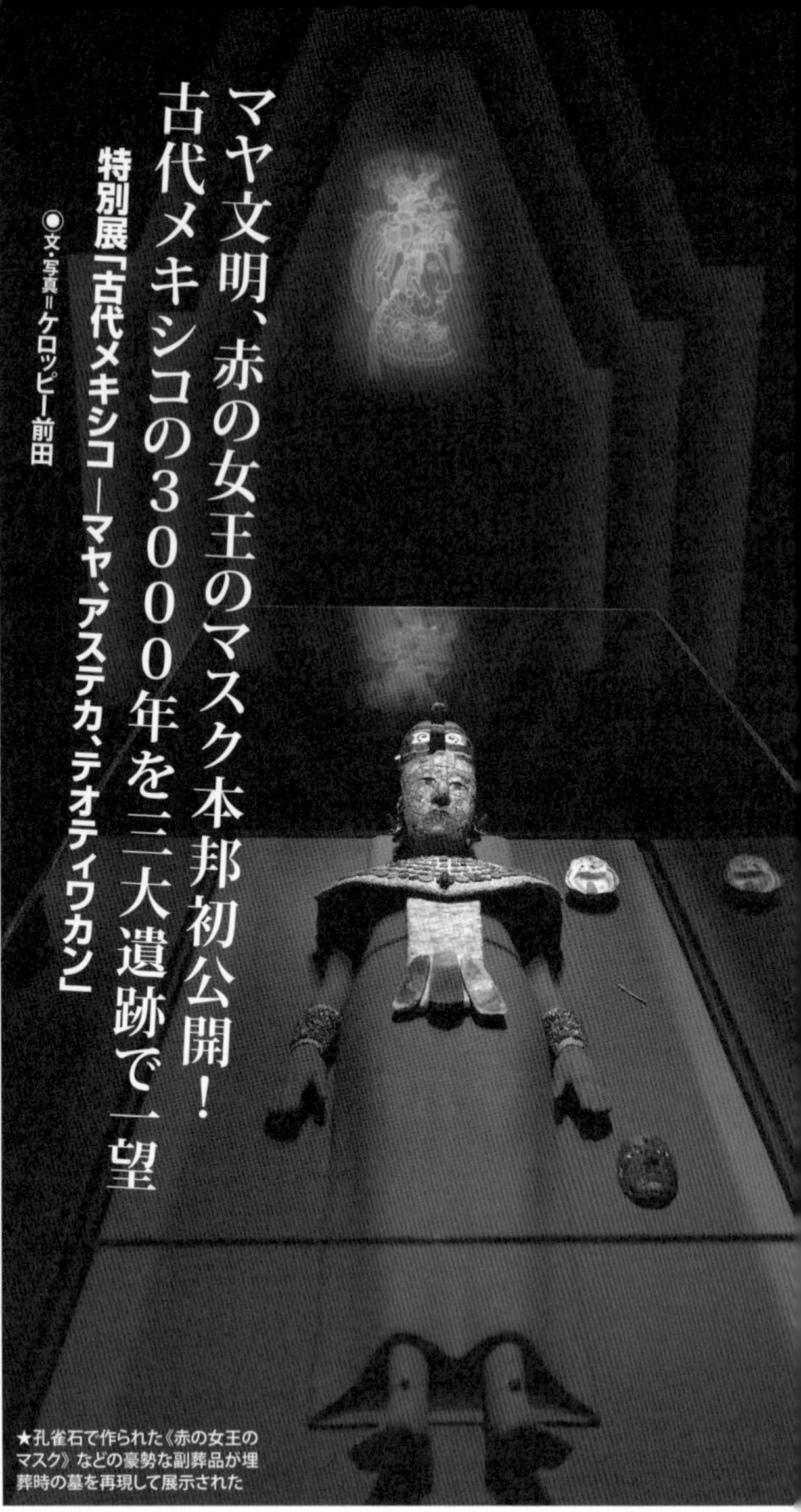

★孔雀石で作られた《赤の女王のマスク》などの豪勢な副葬品が埋葬時の墓を再現して展示された

マヤ、アステカに代表されるメキシコの古代文明は、日本では大人から子供にまで人気があるコンテンツだ。そして今回、特別展「古代メキシコ ─マヤ、アステカ、テオティワカン」が上野・東京国立博物館平成館にて開催中。その後も九州国立博物館、大阪の国立国際美術館に巡回し、その内容に高い関心が集まっている。

東京国立博物館としては、1955年以来約70年ぶりとなる古代メキシコ文明に関する展覧会とあって、約140件もの代表的な出土品が集められた。そのなかでも注目なのが、本邦初公開となる赤の女王のマスク、冠、首飾りなどである。この女王はマヤの都市国家パレンケの黄金時代を築いたキニチ・ハナーブ・パカル王の妃とされ、その貴重な出土品とともに墓の様子を再現して展示されている。また2003年、テオティワカンの羽毛の蛇ピラミッドの地下に新たに発見された全長103メートルの古代トンネルからの出土品や発掘調査の成果も初のお披露目となる。

メキシコには35もの世界遺産があり、紀元前15世紀から後16世紀のスペイン侵攻までの3000年以上にわたり、様々な古代都市が生まれ、独自の文化を築いた。本展はそのなかから「マヤ」「アステカ」「テオティワカン」という三大文明に焦点を当て、それぞれの代表的な遺跡に

★テオティワカン文明の展示より、
右手前が《羽毛の蛇神石彫》（200〜250）、
左奥が《シパクトリ神の頭飾り石彫》（200〜250）
／テオティワカン考古学ゾーン蔵

注目することで、時間と空間を超えて具体的に古代メキシコ文明の世界に分け入り、その全体を俯瞰しようというものである。

古代メキシコ文明を築いた先住民たちは、約1万3千年以上前にベーリング海峡を渡って、シベリアからアメリカ大陸に足を踏み入れたという。そして、その文明の始まりと発展は、日本の縄文時代とも時期を同じくしている。そういう視点で見ると、日本・アジアとの共通点も見えてくるにちがいない。それがまた、メキシコ古代文明の造形美が日本人の琴線に触れる理由でもあろう。

本展の展示構成は4つの章からなる。

第1章は「古代メキシコへのいざない」、紀元前1500年頃、メキシコ湾岸部に興ったオルメカ文明はメソアメリカにおける多彩な文明のルーツといわれる。豊かな自然環境で生きる人々を支えたのはトウモロコシなどの栽培植物、天体観測から暦が生まれ、豊穣と災害をもたらす神々への祈りから人身供犠が行われた。またかなり古い時代からゴムボールを用いた球技も儀礼や娯楽として始まっていた。それらは「マヤ」「アステカ」「テオティワカン」の三大文明にも通底するものである。

数ある展示品のなかでも注目したいのが、アステカ文明の《装飾ドクロ》（1469〜81年）だ。斬首された頭部はマスクにするために前頭部が取り除かれ、貝殻などで装飾が施されていた。そればかりか、よく見ると上あごの前歯がフォークのように加工されている。これは「叉状研歯《さじょうけんし》」と呼ばれる歯の身体加工で、成人の儀式などで歯を抜く「抜歯」からさらに発展したものと考えられる。縄文時代での幾つもの実例が報告されており、古代メキシコにも同様の行為が行われていたならびっくりである。

★テオティワカン文明の《死のディスク石彫》（300〜550）
／メキシコ国立人類学博物館蔵

第2章は「テオティワカン 神々の都」。テオティワカンは海抜2300ｍのメキシコ中央高原にある都市遺跡で、死者の大通りを中心に代表的な3つの巨大建造物、太陽のピラミッド、月のピラミッド、羽毛の蛇ピラミッドが並んでいた。約10万人もの住民が暮らしていたと考えられ、展示会場ではその古代都市を壁面を覆う写真と展示品を組み合わせて再現し、近年の発掘調査や研究成果をもとにその全貌を明らかにする。2003年には羽毛の蛇ピラミッドの下に全長103メートルの古代トンネルが発見され、そこでの出土品も展示されている。

第3章は「マヤ 都市国家の興亡」。暦や文字、高度な知識を誇ったマヤ文明、紀元前1200年頃から後16世紀までメソアメリカ一帯で栄え、後1世紀頃には王朝が成立し、都市間の交易や交流、時には戦争を通じてネットワーク社会を形成した。特にパレンケ遺跡は王朝美術の傑作が多く出土しており、今回は《赤の女王のマスク》（7世紀後半）をはじめとする王妃の墓の出土品を本邦初公開する。また、王が球技をする様子を神話的に表現した《トニナ石彫171》(727年頃)やパカル王が築いた宮殿で歴代の王が即位したことを記した《96文字の石板》(783年)なども当時のマヤ文明の隆盛ぶりを伝えている。

第4章は「アステカ テノチティトランの大神殿」。アステカ文明は14世紀から16世紀にメキシコ中央部に築かれ、首都テノチティトラン(現メキシコシティ)は湖上の都市で、テンプロ・マヨールと呼ばれる大神殿にはウィツィロポチトリ神とトラロク神が祀られていた。ここではアステカの優れた彫刻作品とともに、近年テンプロ・マヨールから発見された金製品の数々が展示された。アステカ文明の《鷲の戦士像》は360度ぐるりと鑑賞可能で、高さは170センチと大迫力だ。《トラロク神の壺》は美しいブルーが特徴。トラロクとは雨の神で水を貯えるための壺にその装飾を施すことで、雨と豊穣を祈願したという。

ここまで見てくると、「古代メキシコ」といっても長い歴史のなかで、それぞれ地理的にも異なる地域で文明が始まり、広く伝搬することで国家となり、巨大な都市を生み出し、その衰退とともにまた別の場所に異なる文明が勃興してきたことがわかるだろう。

マヤの文字は一部解読されているが、スペイン侵略ののち、多くが失われ、もはや解明不能のまま謎に包まれている部分も多い。それでも現在も古代遺跡の発掘調査は続けられており、そのなかで日本からの研究者も重要な役割を担ってきたという。そのような共同作業の成果が今回の素晴らしい大規模展覧会に繋がっていると言える。

その遺跡に実際に訪れた気分で、展示品の数々と向き合うことで、彼らの生きた痕跡は確かに現代に残り、それぞれの展示品が時代を超えて語りかけてくる。感性を研ぎ澄まし、古代メキシコからの声に耳を澄ませ。

★マヤ文明の《赤の女王のマスク・冠・首飾り》(7世紀後半)パレンケ、13号神殿出土/アルベルト・ルス・ルイリエ パレンケ遺跡博物館蔵

★マヤ文明の《トニナ石彫171》(727年頃)/メキシコ国立人類学博物館蔵

★マヤ文明の《96文字の石板》(783年)/アルベルト・ルス・ルイリエ パレンケ遺跡博物館

★アステカ文明の《鷲の戦士像》(1469〜86)/テンプロ・マヨール博物館蔵

★アステカ文明の《トラロク神の壺》(1440〜69)/テンプロ・マヨール博物館

★特別展「古代メキシコ ―マヤ、アステカ、テオティワカン」

開催中〜2023年9月3日(日) 月曜休(8/14は開館)

9:30〜17:00(土曜日は〜19:00)(総合文化展は〜17:00)

入館は閉館の30分前まで

場所/東京・上野 東京国立博物館 平成館

※巡回/九州国立博物館(福岡県)10月3日〜12月10日

国立国際美術館(大阪府)2024年2月6日〜5月6日

公式サイト https://mexico2023.exhibit.jp

日本のタトゥー新時代の扉を開く 刺青を心から愛するものたちの集い

刺青愛好会 TATTOO PARTY TOKYO JAPAN

◉取材・文＝ケロッピー前田

★刺青愛好会を主宰するねんぴ氏。誰に対しても親切丁寧、温和な人柄で日本全国の刺青を愛する者たちをまとめあげ、刺青の楽園を作り出している。

「今年が6周年だからもう7年目ですね。いま思うと、東京・浅草での小さな飲み会がきっかけだったんですよ。刺青が大好きな連中が自然に集まって、どんどん大きくなりました」

そう話しながら、フンドシ一丁で自慢の総身刺青を披露してくれたのは、「刺青愛好会」の主宰者ねんぴ氏だ。去る6月18日、東京・上野の某所に、男女合わせて総勢100名近い刺青愛好者たちが集結した。その迫力に圧倒されてしまう人も多いだろうが、皆さん礼儀正しく、至って健全なイベントで、普段は結婚式会場に使われる豪華なスペースが日本全国から集まった素晴らしい刺青美でいっぱいになった。

「他にこういう集まりがなかったから、東京だけじゃなく、大阪や名古屋、長野でも開催しています。地方で知り合った方々が各地のパーティのたびに遠方からも駆けつけてくれるようになって、どんどん面白くなってきています。これから

★日本で最もタトゥーを入れている男、高村裕樹氏。顔面が色彩豊な花畑となっており、手の甲のピッコロちゃんは子供たちにも人気という。小説家としても活躍中で自分の信じる生き方を貫く素晴らしさを身を持って教えてくれる。

も刺青好きの仲間で集まって笑顔で楽しめる時間を作っていきたいですね」と、ねんぴ氏は続けた。

実際、会場内を見渡すと、様々な刺青作品の素晴らしさばかりでなく、個性豊かな参加者たちの人柄も見えてくる。日本ではいまも刺青に対する根強い偏見が残っているのは事実だが、SNSの時代、異なる価値観が並行宇宙のように共存できる世の中になってきている。いまではインスタを通じて、日本にいながらに世界中のあらゆるタトゥー作品を見ることができるし、気に入ったタトゥーアーティストがいれば、直接連絡取ることもできる。世界のタトゥー文化の拡散を支えてきたインターネットの威力はいまや日本でも十二分に発揮されている。

年々拡大を続ける刺青愛好会において、愛されキャラ的な存在として場を盛り上げてくれているのが、日本で最もタトゥーをしている愛好家として知られる高村裕樹氏だ。顔面を覆い尽く

★女性の愛好者も多く参加し、パーティは贅沢な刺青撮影会となった。

★時代の変遷を肌身で感じながら刺青文化を守ってきた愛好者たちの熱量がここに集結した。

★刺青を愛する気持ちは世代や国籍、性別も超えて、みんなを元気にしてくれる。刺青愛好会ありがとう！刺青ありがとう！

す色彩鮮やかな花々、手の平に彫られたピッコロちゃんがトレードマークとなっている。

「最初に刺青を入れたのは24歳のとき、もう42年も前のことですね。腕に菊の花を入れました。その後もどんどん増やしたくなって、見えるところにも入れようと決心したのは、職場ではファンデーションで隠せることがわかったから。在職中はこのことでトラブルになったことは一度もありませんでした」と高村氏。

彼は小学校事務員として長年勤めてきた過去を持つ。現在は退職して小説家として作品をいくつも発表している。若い頃から漫画も描いていたこともあり、プロの彫師を目指そうとしたときもあったが、目の病気をしたこともあって断念。それでも自分が信じる道をしっかりと歩んできたことで、現在も人生を謳歌しているのだ。

「顔に刺青を入れたときにはちょっと面白い話があります。雑誌『タトゥー・バースト』に載っていたある女性彫師さんが顔面タトゥーの無料キャンペーンをやっていました。まさか顔を彫る人はいないだろうと思っていたんでしょう。最初のひとつは蘭の花を無料で入れてもらいました。顔の牡丹は別の女性彫師さんで、僕が理想とする写実的な表現で仕上げてもらいました」と、恥ずかしそうに照れ笑いするところが高村氏の人柄を垣間見せる。

時代を遡るなら、90年代後半、日本全国でタトゥーイベントが盛んに開催された。その現場を取材&紹介したのが、筆者も関わった雑誌『バースト』であった。99年、タトゥーに特化した『タトゥー・バースト』が創刊し、ゼロ年代半ばには前号で紹介した国際規模のタトゥー大会「KING OF TATTOO」が始動し、海外の有名彫師たちが次々に来日した。

テン年代に入ると海外からの観光客が急増し、日本の伝統刺青の現代的なリバイバルにますます拍車がかかった。その流れの中で、手彫りに専念したり、古い日本の刺青に回帰しようという彫師らの活躍も盛んになり、職人気質で技巧的にも素晴らしい刺青文化を守っている。

刺青愛好会の猛者たちもそんな時代の変遷を肌身で感じてきたことだろう。パンデミックを経て、新しい扉が開かれようとしている。日本のタトゥー新時代を刮目せよ！

※刺青愛好会 TATTOO PARTY TOKYO JAPANは、2023年6月18日に東京・上野で開催された

陰翳逍遥《第51回》

志賀信夫

帰ってきた！土方巽

▽帰って来た！土方巽―小野塚誠写真展／富士フォトギャラリー銀座、23年6月30日〜7月6日

舞踏の創始者土方巽は、目黒のアスベスト館を拠点に活動し、一九六九年には新宿でショー公演を行っていた。そのとき、高校から写真を始めていた小野塚誠は十八歳。それを見たことで人生が変わった。そこからアスベスト館や土方の舞台を手伝うことになったのだ。同時に、土方の舞台の写真を撮る。それから一九七三年までの四年間、小野塚はスタッフであり、座付写真家であった。その前に中谷忠雄が撮影をしていたが、彼は男性中心に撮っていた。中谷は後にゲイ雑誌『薔薇族』などでも活躍する。一九二〇（大正九）年生まれの中谷はすでに亡くなっているが、その舞踏の写真は、『土方巽の舞踏世界―中谷忠雄写真集』（二〇〇三）として残されている。

だが、アスベスト館の生活は過酷だった。女性舞踏家たちは住み込みで、夜、クラブやキャバレー、ストリップなどで踊り、戻ってきて深夜からレッスンをする。出演料の九割以上、土方が握る。正確には土方夫人となる元藤燁子がマネジメントして、公演する。男性舞踊家、男性スタッフも自分の時間もなく、ショーや公演のためにいわば奉仕するようなところがあった。小野塚はそんな生活に疲れて、土方の元を離れ、写真のみで生活をする。だが、折に触れ、土方の公演は撮影していた。そんな小野塚の久しぶりの写真展が、東京の富士フォトギャラリー銀座で開催された。

小野塚の写真は舞台のみならず、生活する舞踏家たちにも密着。楽屋や稽古場での姿などが生き生きと描かれ、舞踏の貴重な記録資料でもある。時には舞踏家玉野黄市などとのアート的なフォトセッション、東京の浅草寺や青森の恐山などで撮影もしており、スライド上映でそれらも見ることができた。そういった土方巽関連の写真は、慶應義塾大学アートセンターの土方巽アーカイヴに「小野塚コレクション」として四八〇〇枚が収蔵されている。

七月二日には、榎木ふくの舞踏と、小林嵯峨と小野塚のトークが行われた。小林嵯峨は土方巽の弟子、榎木はその弟子なので、土方の孫弟子にあたる。榎木の舞踏は、

★榎木ふく舞踏公演
photo：小野塚誠

★小野塚誠写真展

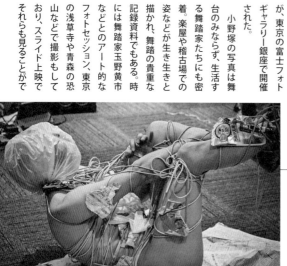

二〇二二年の公演で舞踊批評家協会新人賞を受賞した『父の死』の後半をイメージさせる、身体を縛って蠢く姿を提示し、舞踏の暗黒性を継承する意識も垣間見えた。小野塚と小林のトークは当時の土方のリアルを感じさせる、さまざまなエピソードに溢れており、詰めかけた観客は熱心に聞き入った。

小野塚誠は、土方の元を離れたが、後に再び舞踏の舞台を撮るようになった。そして、現在、若手舞踏家を含めて、多くの舞踏家が絶大な信頼を置いている。また、舞踏を撮影する写真家も徐々に増えている。舞踏の写真は、作品としても記録としても重要な価値があることを、今回の小野塚誠の展覧会は、はっきりと示している。

ろくでなし子vs森下泰輔

▽ろくでなし子・森下泰輔「まんコラボ展」
／23年6月13〜25日、ArtLab Tokyo

二〇一四年、美術界で大きな話題になったのが、ろくでなし子の裁判である。彼女は自らの女性器の型をとって、それを作品にしたが、それが猥褻として裁判になったのだ。本名の五十嵐恵などで活動していた漫画家だったが、性的体験などをマンガに描き、取材で女性器整形手術を受けたことがきっかけで、「デコまん」として女性器の型取りをする。それを、米国のエロティックアート展に出品するなど、アーティストとして活動を始める。そして、二〇一三年、3Dスキャナーで自分の陰部をモデルにしたカヌーボート「マンボート」の制作をクラウドファンディングで行い、リターンとして陰部の3Dデータを資金提供者に渡した。すると一四年、これを警視庁が「猥褻物頒布」とみなし、ろくでなし子は逮捕される。だが彼女は「準抗告」によって六日間で保釈され、裁判を起こす。さらに五カ月後、「デコまん」作品をアダルトショップに展示したとして、フェミニストの北原みのりとともに逮捕される。二十三日後、保釈。それから六年、二〇二〇年までの裁判の結果は、展示などは無罪、3Dデータの頒布のみ有罪となった。

猥褻裁判は、文学ではチャタレイ夫人、サド裁判など多々ある。そして今回画期的とされたのは、性器による表現をアー

★月面まん（2012）

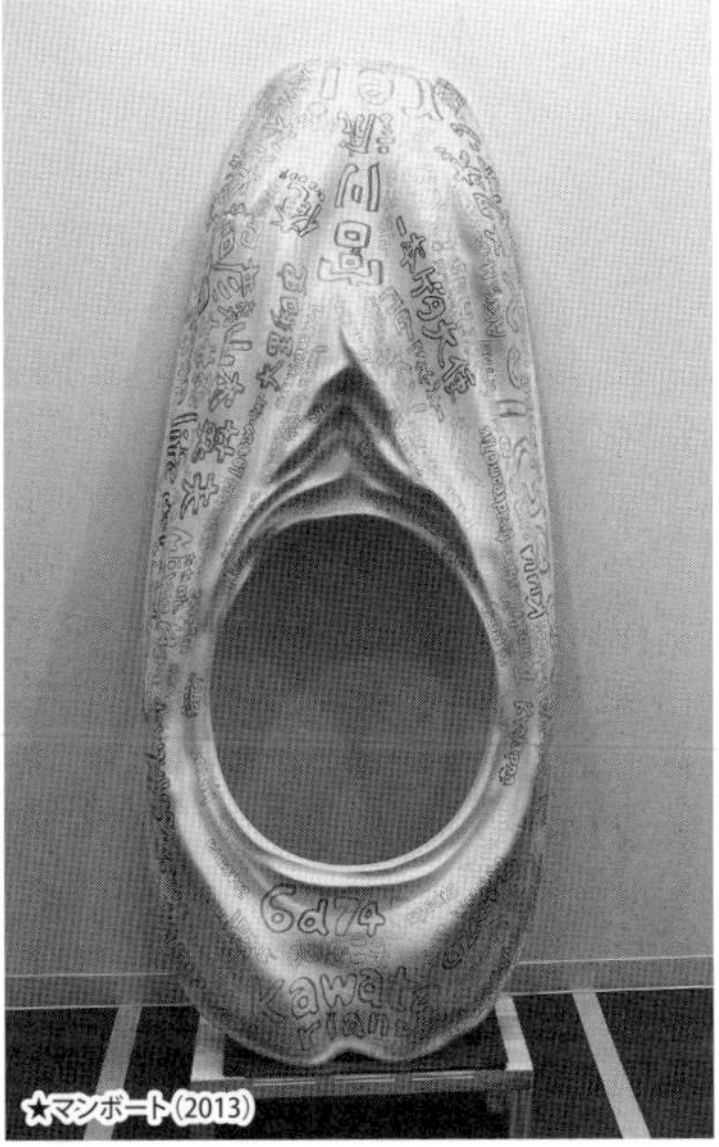
★マンボート（2013）

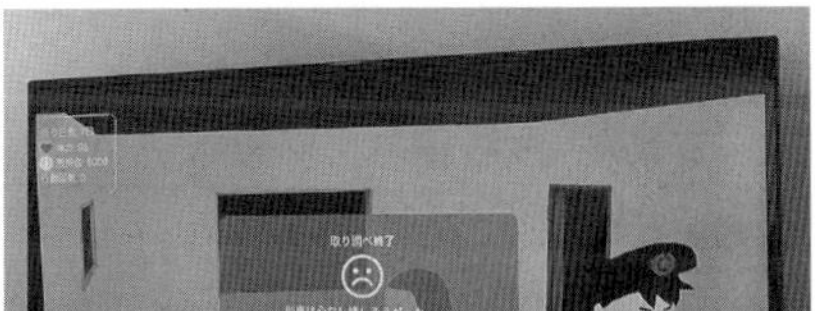
★オンラインゲーム

★ろくでなし子作品

★森下泰輔作品

トとして認める、ともとれる判決となったことだ。以前から女性器を拓本にした「マン拓」はあり、それをコピー機で行うもの、そして女性器を描いたものや写真など、さまざまな「作品」があるが、それらが美術表現なのか猥褻なのか、という線引きは難しい。「性的に興奮させる」が判断基準ともされるが、その判断も個人によって異なる。今回のろくでなし子の事件は、そんな法律に対する挑戦でもあり、アートとしては、性器のレプリカをどう見せるかによって、評価が変わることを実証したともいえるだろう。

　実際には大人のおもちゃなどで、女性器、男性器ともにそっくりなものが、シリコンなどでつくられ販売されているが、それらが規制されたという話は聞かない。また、現在なら「型取り」からではなく写真から、3Dプリンターで簡単にそっくりなものができるだろう。

　裁判としては判決が出て、アート表現としては無罪で勝訴している。だが、表現の自由と猥褻問題は、簡単に決着がつくものではない。時代とともに規制の基準が変わる。それは一つには時の行政府の権力、そしてもう一つは一般の人々の認識があるだろう。なお、この裁判はSNS創成期ともいえる時期で、ろくでなし子がさまざまなバッシングとともに、海外を含めて多方面から支援、応援のエールも受けたことを記しておく。

　アートラボ・トーキョーを主宰する一人である森下泰輔は、美術家でもあり、これまでギャラリストとして、グループ企画展でろくでなし子を取り上げてきた。今回は自ら美術家として二人のコラボレーションの「まんコラボ展」を開催した。それは、ろくでなし子の活動にエールを送るだけでなく、自らも積極的に関わるべきだと考えているためだろう。

　今回の展覧会で、森下の作品はバーコードでネット上の作品にたどり着けるようにしている。そこでは、森下が裁判の経緯などを絵画として示している。ろくでなし子は、マンボートや型押しによるアート作品の他に、ゲームを展示した。それは、ろくでなし子作品が展示されたバーチャルミュージアムで、キャラクターと会話を楽しめるが、刑事に話しかけると逮捕され閉じ込められ、留置所脱出ゲームにもなるものだ。左のリンクからゲームを楽しむことができる。このようにバーチャル、ネットを活用した展示となっており、展覧会後も楽しめる。そして裁判を振り返ることで、この問題を風化させないことにもつながるだろう。

◉ろくでなし子ミュージアム
https://decoman.io/museum/

現代美術の二〇年

▽「ARTWAVE 目黒現代美術展 2023」／目黒区美術館区民ギャラリー、23年7月4日〜9日

　目黒区美術館区民ギャラリーで、七月四日から九日、「ARTWAVE 目黒現代美術展 2023」が開催された。行ってみると、七十一名もの美術作家の作品が展示されていた。聞くと、これは二〇〇二年に滋賀県で始まった「現代アート展」が始まりだという。つまり二〇年以上の歴史を持つ展覧会なのだ。

　二〇〇七年までは滋賀県を中心に銀座のギャラリーでも展示し、その年、NPO法人現代美術普及協会を設立してからは、長崎県五島市、宮城県仙台市、福岡市、新潟市、千葉県銚子市など、各地と東京・銀座などで毎年数回展覧会をしている。のみならずニューヨーク、ユタ州、韓国など海外でも開催され、国内では福岡アジア美術館、りゅーとぴあ新潟市民芸術文化会館など、公立美術館などでも展覧会を行ってきた。そして二〇〇八年から「アートWAVE」という名称になっている。なお初代理事長は鈴木雅博、二代が杉岡博隆、現在が宮本和雄である。

　今回の展覧会の実行委員長は指田一、アートディレクターが河口聖、実行委員は宮本和雄、加藤健二、楠本恵子、星記男、伊藤洋子の四名、顧問の杉岡博隆。そして数多くの美術ギャラリーが協力している。初日には河口聖らの挨拶と、美術批評の宮田徹也などがエールを送った。

　展覧会では、まず、二〇二三年五月に亡くなった渡辺豊重、二〇二〇年に亡くなった秋山祐徳太子などの作品が目を引いた。さらに、ダウン症の佐藤純那の猫、岩崎蕙の抽象と具象の間で強い混沌を感じさせる作品、河口聖作品の端正なマチエールと構図などに、特に惹きつけられた。そして、「As版画コレクション」として、池田満寿夫、勝呂忠、中西夏之、馬場彬、早川重章、吉仲太造の作品も展示されていた。そのほかの出品作家は以下のとおり。見知った作家、交流のある作家も多く、いずれも力のある作品が並んでいた。

　青野元昭、秋ゆかり、浅野康則、荒井喜好、石橋髙次、伊藤理恵子、岩田真人、上田靖之、楳田典子、うらべ玲、江川慎一郎、大串孝二、小川めぐみ、小川ゆみ子、大塚由美子、奥山幸子、小澤理史、小原義也、影山あつこ、笠松宏有、勝間田佳子、上條陽子、北川順一郎、工藤千鶴、小杉智代、小林哲郎、斎藤ぶんせん、サイトウ良、佐藤ひろみ、さとうみゆ、佐野友美、常喜由理子、品川成明、杉浦三和、醍醐イサム、竹内タカ子、立入秀子、長尾周二、中島けい

★岩崎蕙作品

★河口聖作品

★渡辺豊重作品

★佐藤純那作品

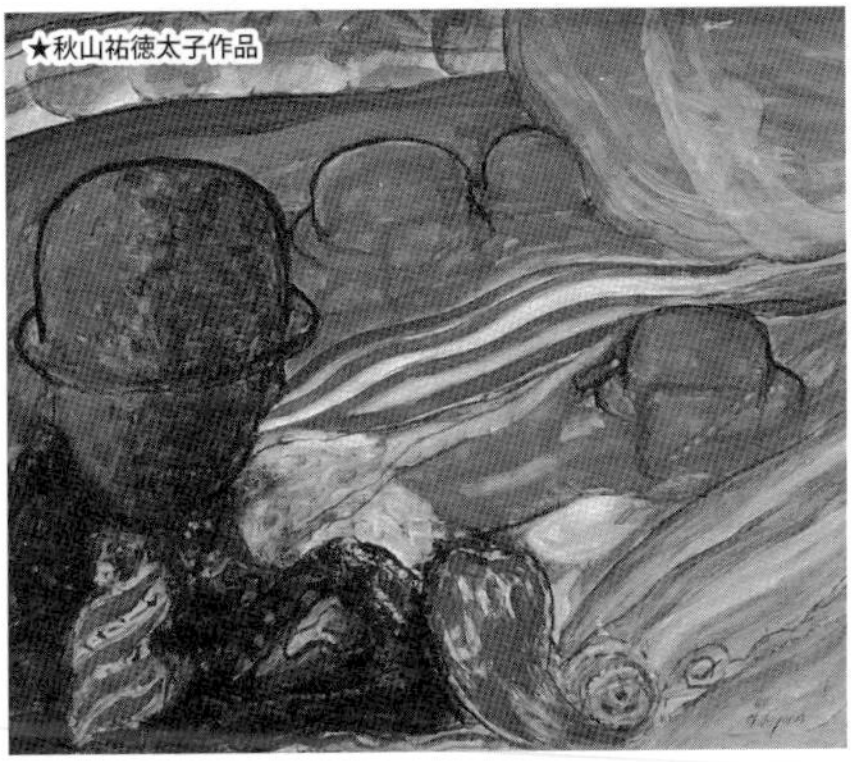
★秋山祐徳太子作品

きょう、西崎純、野田博生、橋本純子、樋口慶子、藤倉春日、布施木多恵子、フランソワーズ・イカール、千田晴美、本多裕樹、松岡眞、溝口陽子、宮崎聡子、宮塚春美、室町克代、茂木説子、森香穂里、柳和暢、山口素子、山田徹、山本宣史。

なお、目黒区美術館は、建て替え計画が進んでいる。一九八七年開館の小規模な公立美術館だが、隣接する目黒区民センターに統合され、大幅に機能・規模を縮小するという。目黒駅から権之助坂を下って一〇分、目黒川沿いでプールなどと自然のある開放的な空間なので、もったいないという思いがある。併設の目黒区民ギャラリーでも、さまざまな市民のアート活動が展開されてきた。災害対策を考慮しても、近年横行する合理化・高層化などの土地開発、土建屋優先の政治は見直すべき時代ではないかと強く感じる。

吉増剛造ふたたび

▽「**脚注《フットノート》―吉増剛造による吉増剛造**」／前橋文学館、23年6月10日～9月10日

群馬県の前橋文学館で吉増剛造展「脚注《フットノート》―吉増剛造による吉増剛造」が開催された。二〇一六年には詩人として初めて、公立美術館である東京・竹橋の国立近代美術館で大規模な個展「声ノマ 全身詩人、吉増剛造展」が開催され、その後も福島、沖縄などでたびたび展覧会とパフォーマンスが行われ、筆者も折りに触れ取材してきた。

今回、二〇二二年に最後の詩集『Voix《ヴォワ》』が刊行されたことと、吉増が長年、前橋市の萩原朔太郎賞の選考委員をつとめてきたことから、前橋文学館で二度目の個展となった。それには館長の映像作家、萩原朔美の尽力も大きいだろう。

前橋文学館では、壁に朔太郎の詩が描

かれていて、大胆かつアート的で、他の文学館とはひと味もふた味も違う。今回の吉増の展示も、一階に大きく作品と映像、そして石のインスタレーションが設置された。

まず二階の展示で目を引くのは、萩原との対話ともいえる映像作品『映像往復便』だ。吉増が十年通ったという河原の石を萩原が写した静かな映像、と思うと、見ているうちに石の一つが、すうっと上に上がる。その奇妙な感触が目に残るのだ。また、ガラス窓と吉増の書いた文字の短冊が風に靡く映像など、クールかつタイトでありながら、どこか詩情が漂う。

吉増もこれまで写真や映像作品を発表しており、一連のgozoCinéは、透明のプラスティックボードを仲介して画像と映像が多様に重なる作品だ。その複雑で錯綜、混淆したものが吉増世界の一つともいえる。

吉増の作品世界については、次の言葉が思い浮かぶ。対話、筆写、引用、記憶、脚注、ルビ、召喚、混淆、身体、手、言葉、声、舞踏、シュルレアリスム等々。相反するものを同じ場に置き、異化するともいえるシュルレアリスムとはちょっと異なり、類推、つながりから心に浮かぶことを次々と同じ俎上に置いて、時には自分に語るように言葉を発する。リフレインでの強調、言葉の文節、音節の変換などが、即興でさまざまに変化する。それが朗読やパフォーマンスとなるときは、観客を巻き込み、その朗読のテンションは優しさと過激が同居しながら、類のない世界を生み出す。

作品展示は二階が中心で、吉原洋一の写真による小スペースがある。これは、「二二乃会」といって、吉増の七十二歳の誕生日である二〇一一年二月二十二日から二二年二月まで毎月二十二日に吉増を撮るという、定点観測的作品だ。吉増は当時、頻繁に海外でも活動していたために、吉原もそのために海外を訪れたという。そうして撮影したモノクロ写真は、二〇一八年に響文社から刊行された『火ノ刺繍』に掲載されているが、井原靖章によるそのブックデザインも素晴らしい。今回の展示では、中央に鏡の三角柱が立ち、そこにもシルクスクリーンで吉増の姿が刷られ、鏡に映る姿とともに、多層的な小宇宙が出現している。

『映像往復便』の右側の壁の美術ケースに並ぶのが、最果《さいはて》カヒ、松浦寿輝、マーサ・ナカムラ、三浦雅士の四人が吉増の詩を選び、そのコメントと、それに対する吉増のコメントが示されたアートワーク、インスタレーションだ。例えば、最果カヒは『黄金詩篇』（一九七〇）に入った「燃える」を選んだ。それは次のような詩だ（／は改行）。

「黄金の太刀が太陽を直視する／ああ／恒星面を通過する梨の花！／／風吹く／アジアの一地帯／魂は車輪となって、雲の上を走っている／／ぼくの意志／それは盲ることだ／太陽とリンゴになることだ／似ることじゃない／乳房に、太陽に、リンゴに、紙に、ペンに、インクに、夢に！ なることだ／すごい韻律になればいいのさ／／今夜、きみ／スポーツ・カーに乗って／流星を正面から／顔に刺青できるか、きみは！」

これについて、最果は次のように書く。

「「燃える」に出会った時、私は、現代詩がなんなのかはわからないけれど、でもとてつもなくかっこいいと思った。そしてその感覚だけで良いのだ、と確信したのです。（中略）人生に「詩の出会い」が焼き付いた、そんな感覚でした。そしてこの焼き付く感覚こそが「現代詩」であり、それ以外に何もわからなくていいと思った。」

吉増はこうコメントを寄せている。

「最果さん、もう、これは／貴女の作品でも／あるのね。／／国花ね、／健次さん／四方田さん／／最果さん、／貴女の名前がいいね。／／刺青（入墨）／は、おそろし／生涯のテーマ／希《ねが》い……なのです。2023.5.31.」

『映像往復便』の左側の壁には、今回の展覧会に寄せた各文学館長などからのコメントが拡大して展示され、さらにそこに吉増がコメントを加えるという、これもアートワークになっている。細長い会場の中央、二室を結ぶスペースで、吉増のgozoCinéが上映されている。そして、展示台では、吉増の原稿などに描き込まれたアートワーク、さらに初期からの詩集が展示されている。これも、赤瀬川原平など、多くのアーティストの装丁作品だ。

吉原の写真コーナーの右手には、吉増の年譜が大きく展示されている。もちろん詳細な年譜ではなく抜粋的なものだが、そこで二〇一八年のところに、筆者が企画・編集した『舞踏言語』（論創社）と、それについて行ったイベント「吉増剛造と三日間」も呈示されていた。

また、三階には、福島のリボーン・アート・フェスティバルに参加したときのように、制作の場でもある「吉増ルーム」がつくられ、その窓には朔太郎の詩が書かれ、写真が貼られていた。

そして、六月二十四日に三階ホールで行われたパフォーマンスを見た。最初は吉増のパートナー、マリリアによるヴォイスパフォーマンス。ブラジル生まれでパリ

★剛造ルームの窓

★剛造ルーム

★「詩トハ何カ」

★各文学館からのコメント

★最果タヒと吉増の
言葉のインスタレーション

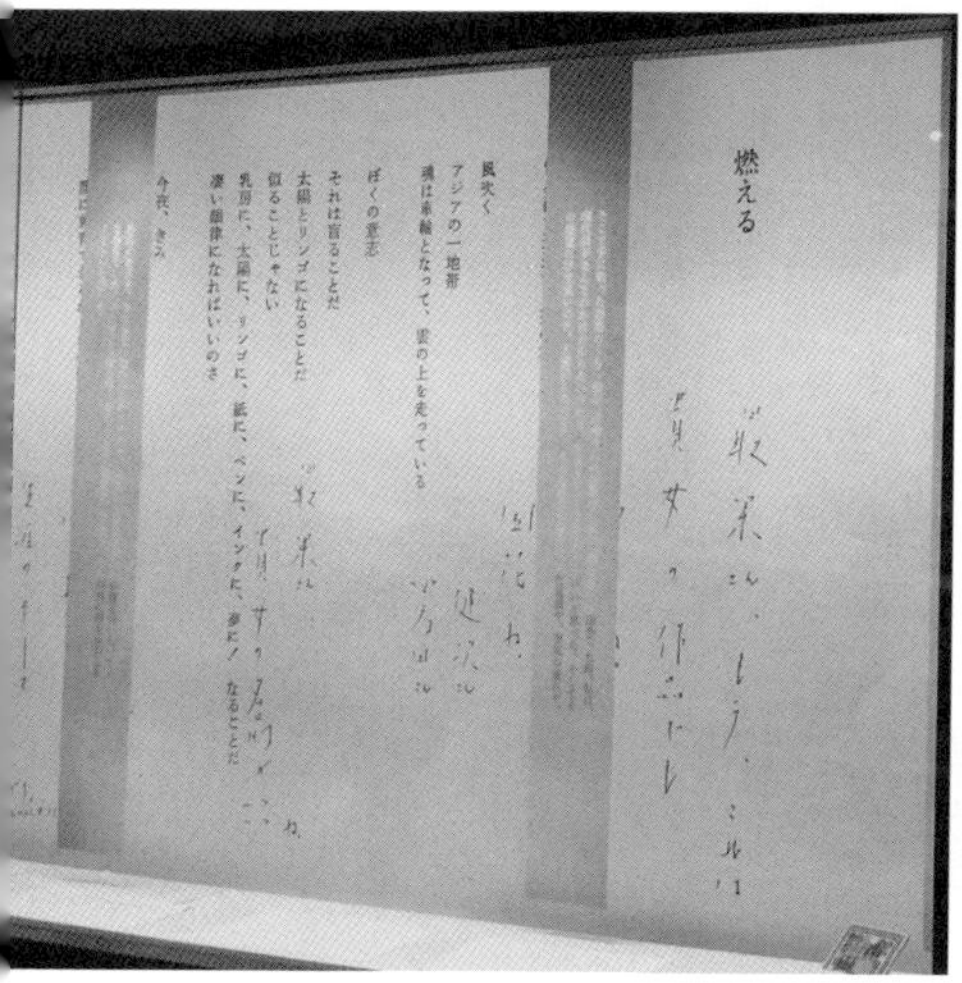

★吉増剛造のノート2008-2022と
フットノート（脚注）

★マリリアのパフォーマンス

★吉増剛造の砂を落とすパフォーマンス

★吉増剛造の朗読パフォーマンス

在住。一九九四年には大野一雄、荒木経惟と共演し、映像も発売されている。筆者は当時、大野一雄との舞台を見た。それから何度か接してきたが、今回改めてその独自のヴォイスの魅力を感じた。それは一言でいえば声の自由さだ。歌と語りの中間のような感じで発せられる声は、歌詞のとれる「歌」もあるが、興味深いのは多国語が混ざり合ったヴォイス、語りに近い声だ。それが、鈴木余位の映し出す映像とともに多様に変化する。後半ではマリリアの姿も投影され、自身との共演ともなった。

　次に吉増自身のパフォーマンス。これまで床に置いた紙や原稿にインクなどを垂らしたり、以前は銅版を打刻したりといったこともあった。今回は、ガラスのテーブルが準備され、その下からヴィデオで撮影、それが背後のスクリーンに投影される。つまり、吉増は観客席とテーブルに向かって語りつつパフォーマンスをするが、自分では見えない下からの映像を、観客が同時に見るという形だ。これまでも吉増は、目隠しをしてインクを落としたりしてきた。表現の本人の不可知感、偶然性などコントロールできないものも含めて、彼はパフォーマンスにする。

　吉増のパフォーマンスには欠かせないアイテムも登場する。アイヌの木べら「イクパスイ」、タカラガイ、吉増が親しかった金属の美術家、若林奮のハンマー、カウベルなど。これをピンチハンガー、洗濯物を干す道具の小さいものに吊して持ち、それとともに語る。それはフェティッシュ（物神）ではなく、吉増の記憶のキーとなるモノだろう。近年の吉増の詩の多くが、こういった記憶の重なり、連想とともに記される。そして、パフォーマンスの際にはその語りが重要だ。それはいわゆる詩の朗読パフォーマンスというより、前に述べたように、思索しつつ語る行為と過程をそのまま提示するという表現である。

　吉増の朗読は以前、「舞踏である」と評されたこともある。それは緊張と声の高まり、強いテンションから発される言葉、時には音節を区切って、吐出される声と言葉の数々が強いインパクトを与えるからだ。吉増と舞踏の関係は、先述の『舞踏言語』に示しているので、そちらをご覧いただきたいが、今回のパフォーマンスでは、そういわれた当時の強いテンションの朗読も垣間見えた。それは、吉増が「最後の詩集」と述べている『Voix』の朗読である。テーブルに顔をつけるようにして、詩集に入り込み、時に上を見上げて叫ぶように朗読する姿は、このうえなく魅力的だった。

A4判・並製・112頁・税別1318円
ISBN 978-4-88375-499-1

エクストラート ExtrART FILE.37 好評発売中!

こんなアートに出会ってほしい――。
ExtrARTは、少々異端派なアートファイルです。

★表紙:サワダモコ

★ひらのにこ

★スミシャ

★夏目羽七海

★美濃瓢吾

★丹羽起史

★山上真智子

◎FEATURE:
幻視者たちが見たリアル

●サワダ モコ《絵画》

少女はデジタルの海の中、
ノイズに侵され
壊れながらも生き続ける

●美濃 瓢吾《絵画》

実在の光景・事物と
妖怪などが入り乱れる
色鮮やかな幻想画

●真珠子《絵画》

おばあちゃん家で体験する
奇妙な夜の出来事を
軽やかに描き出す

●ひらの にこ《絵画》

諦念に憑かれた
少女が併せ持つ
清新さと不穏さ

●椎木 かなえ《絵画》

不安や不条理と
可笑しみが同居した
奇態な幻想世界

●冨岡 想《絵画》

子供部屋という聖域で
ふと起きた
神懸るような瞬間

●夏目 羽七海《人形》

光と闇の分かれ道――
それぞれの宿命を
背負った人形たち

●丹羽 起史《絵画》

やさしげな異形が行き交う
魔術的かつ科学的な
寓話の世界

●スミシャ《絵画》

世間の常識に縛られず
好きなおしゃれをする
意思の強さが目に表象される

●神野 歌音《絵画》

漆黒に浮かぶ光の陰影によって
ドラマチックに
描き出された光景

●横尾 龍彦《絵画》

聖性、霊性を渇望し、
幻想画や瞑想画によって
求め続けた超自己

●山上 真智子《人形》

死や闇を背負いながら
やさしく響かせる
天使の歌声

●Bunkamura Gallery 8/オープニング記念展

独自の美学を追究する
先鋭的な作家たち

表紙＝写真／堀江ケニー、モデル：松永天馬・しらい

All pages designed by ST

CONTENTS

松永天馬インタビュー

毒にも薬にもなるような音楽を創りたい

（アーバンギャルド）

◉取材・文＝沙月樹京

今年3月31日、建て替えによる閉館が間近に迫った中野サンプラザで、アーバンギャルドが、15周年記念公演「アーバンギャルドのディストピア 2023 SOTSUGYOSHIKI」を開催した。

松永天馬が結成したアーバンギャルドは、2007年に松永とのツインヴォーカルとして浜崎容子が加入して本格的な活動を開始し、09年、アルバム「少女は二度死ぬ（特装版）」でインディーズデビュー、11年にはシングル「スカート革命」でメジャーデビューを果たす。現在は2人にキーボードのおおくぼけいを加えた3人体制で活動している。

その音楽は「トラウマテクノポップ」と称され、少女が抱える闇、病、死、性などダークな面をモチーフにしたシニカルな詩を、ポップなサウンドに乗せて歌い上げる。セーラー服少女が血まみれになるなど、エキセントリックなミュージックビデオも初期の頃から注目を集め、15周年記念公演は、そうしたヴィジュアル・センスも駆使した実に刺激的なエンターテイメント・ステージだった。

アーバンギャルドは、文学や映画などを

★写真：堀江ケニー

◎カラー → p.4

多ジャンルのクロスオーバーが出来る表現が音楽だった

——アーバンギャルドは今年で15周年ですね。

◎浜崎容子が入ってからを正史と考えていて、そこから15年。ちょっと短いような長いような15年でしたね。

——アーバンギャルドの活動を始める前は、詩や演劇をされていたんですよね。

◎元々、大学時代に演劇をやったりとか、詩のボクシングという大会に出たりとか、あるいは小説を投稿したりとか、もう、あらゆることをやってました。

　詩のボクシングは、自分で書いた詩を朗読して競い合うイベントで、ちょっとひとり芝居みたいな要素もあり、青年の主張みたいなところもあったんですが、自分の言葉をひとりステージで発するということが、すごく性にあったというか、初めてそこで、自分の言葉が完成したような感じがしましたね。

——詩のボクシングでは何度も優勝されてるんですよね。そこから音楽に進んでいったのは？

◎当時は音楽というものが、一番ひらけたメディアであるように感じたんです。というのも、もちろん歌詞は詩でもあるわけですが、曲のミュージックビデオを作るとなると、映像を手掛けることになるわけで、またはCDやレコードを作るとなると、ジャケットなどのアートワークが必要になる。そして当然、ライブには、パフォーマンスとか演劇の要素も入ってきます。

　文学であるとか、映像であるとか、お芝居であるとか、そういったさまざまな表現を取り入れて、クロスオーバーしやすいジャンルが、当時は音楽だったんですよ。今だったらYouTuberとかお笑いとか、また別の道もあるのかもしれないですけれど、九〇年代からゼロ年代にかけてはみんな、音楽に一番サブカルチャーの可能性を感じていたと思う。

——アーバンギャルドというのは、最初から総合芸術的なものを目指していたんですね。

◎もう、全部の曲でMVを作りたいぐらいな感じでやってたので(笑)。

　しかも自分自身は、そうしたさまざまな、本来なら外注するようなことを、自分でやりたかったんですね。いろんなことに口を出していきたかった。いまはたぶん、そういうアーティストは増えてますよね。自分自身でジャケットのイラストを描いたりとか、自分自身でMVを手がけたりとか。

　でも、アーバンギャルドを始めたときはそのちょうど端緒期で、２００７年ごろかな、YouTubeにMV上げ始めたのは。その頃に自作のMV上げてる人なんか誰もいませんでしたよ。だから結構目立ちましたね。都市夫と呼ばれているキューピーが血まみれになって暴れる、ものすごい低予算のMVだったんですけど(笑)。

★アーバンギャルドの1stアルバム「少女は二度死ぬ」
ジャケットイラストはトレヴァー・ブラウン

引用したり、サブカルやアイドル、原発事故、パンデミックなどの文化・社会事象をシニカルに参照することもしばしばだ。少女の闇も含めて、それらを毒で揶揄するのだが、暗鬱にならずに、軽快に洒落を尽くして吹き飛ばしてみせるのが、アーバンギャルド流だろう。

**　そうした世界を作り上げている中心人物が、松永天馬である。アンダーグラウンドカルチャーの洗礼を受け、音楽を主体にしながらも多様な表現を駆使し、甘美な毒を撒き散らし続けている。その背景を少し垣間見てみようではないか。**

アンダーグラウンドでの先鋭的な表現

——そうしたアンダーグラウンドカルチャーに、学生の頃からどっぷりだった感じですか。例えば詩とか演劇というのも、やはり寺山修司との影響が大きかったりとか？

◎もちろんそれはありますね。ちょうどこの間没後40年で、寺山修司映画祭2023「映画監督◉寺山修司」というのがユーロスペースやってて、見に行ったんですよ。7プログラムあるうちの4プログラムぐらい見たんですが、やはり、あ、懐かしい。この世界だよな、と思いましたね。実験映画とかも、難解というよりは、これノリだけで撮っただろみたいなのもあるんですが(笑)、そうしたものとかも含めて時代の勢いを感じられて。

2018年に「松永天馬殺人事件」という映画を、主演、監督、音楽、脚本、全部自分でやって作ったんですけど、クライマックスで映画の中から役者が飛び出してきて…という終わり方をするんですね。で、それを上映した時に、寺山修司の「ローラ」って映画を見たことある？って、お年を召したシネフィルの方に結構言われたんです。その時は見たことがなかったんですが、この間、その映画祭見てたらたまたまそれが始まって。スクリーンの中から観客に向けて娼婦役が挑発を始めるんですが、すると観客のおじいさんが突然立ち上がって、スクリーンを切り裂いて入っていくっていう(笑)。

★2007年にYouTubeにUPされた
MV「セーラー服を脱がないで」より
アーバンギャルドYouTubeチャンネル @urbangarde

これが自分がやりたいことなんだなって、あらためて発見できましたね。「松永天馬殺人事件」を作った時は、まったくその映画のことは知らなかったんですけど。

——知らないうちに、そういうシンクロをしていたんですね。

◎実験的なことや、ちょっと先鋭的な表現をしようとすると、どうしても先代に行き当たる部分がありますよね。ただ、今それをやる上で、どういうガジェットを使うか、今はネットなどがありますから、そのようなツールをどう使うのか、すごく重要だと思います。中森明夫が、寺山修司が今生きてたらTwitter演劇とかをやってたんじゃないかとか言ってましたけど、そういうこととか。

僕らも2011年の東日本大震災の時にラ

★監督・主演など、すべて自身で手がけた「松永天馬殺人事件」

イブができなくなって、Twitterライブというのをやったんですよ。Twitter上で、当日やる予定だった時刻に、予定していたセットリストの音源であるとか動画を貼っていって、MCはすべてツイートして。そのように、現代のツールを使って何か面白いことはできないか、常に考えてます。

僕は2008年からTwitterやってるんですけど、当初、日本人ほとんどいなかったですね。そもそも英語版しかリリースされてなかったですし。その後SNSがすごく普及しましたけど、それがよかったかというと難しいところもあって、逆にインターネットは貧しくなったと感じる部分もある。検索画面から何処へでも行ける時代から、スマホのアプリで特定のSNSやショッピングサイトしか直通しなくなったというか。たとえ検索しても、広告ページが優先されるんです。なんていうのかな、混沌とした魑魅魍魎さがインターネットの世界からどんどん消えていってるなという印象があるんです。

例えば、SNSからは、コンプライアンス的に厳しそうなものが排除されていくじゃないですか。暴力的なものであったりとか、性的なものとかが。インターネットの初期のころは、すごくアンダーグラウンドカルチャーと結びついてて、いいか悪いかわからないけど、そういうものがさまざまな発信をできる場でもあったと思うんです。しかし、それがどんどん浄化されていって、僕らの遊び場ではなくなってきたという印象はありますよね。

ある意味、アーバンギャルドを始めた00年代って、インターネットがストリートだったと思ってるんですよ。いまはそうじゃなくなってしまって、じゃあ、今のストリートってどこにあるのかな、と考えると、ネットをやらないことが逆に新しいのかなと思ったりすることもあります。

★「リストカット」の歌詞で始まる「いちご黒書」のMV

メンタルヘルス的な毒を拾い、詩に書く

——コンプライアンスの話が出ましたが、アーバンギャルドの歌詞にも結構毒のある表現もあったりしますが、NGになったりはしないんですか。

◎レコード会社によって、ダメな表現とか、伏せ字にしてくれとかいうことはありましたね。

でも、この間、ベストアルバムを久しぶりにユニバーサルミュージックで出してもらえたんですが、そこに入れた新曲が、もう1行目からリストカットって書いてあるんですよ。書いてあるんですよって、自分が書いたんですけど（笑）。それで、昔のユニバだったら、これはちょっとやめてくださいって言ったはずなのに、全くスルーだった（笑）。

それは基準が緩くなったのか、それとも、ある意味メンタルヘルス的なものがもう一般的になったので、いちいち気にかけなくなったのか——昔だったら、精神科とか心療内科に通ってるとかってちょっと言いづらかったのが、今はある種オープンになったのかなとは思いますよね。メンヘラ文化的なものっていうのも、ものすごく一般化しましたし。アイドルとかも、自己肯定感が低い子がなることが多いので、元々そういう素質がある子たちが多い気がします。

——詩を作るとき、そうした社会の風潮みたいなものを結構意識して取り入れたりしているんですか。
◎そもそも、クリエイターはみんな経験してると思うんですけど、ミュージシャンで言うと1枚アルバムを作ったら、もう自分自身の引き出しってほぼなくなるんです。その結果に満足せずに何かをやり続けたいとなると、目減りしていく引き出しにどんどん物を詰め込んでいかなきゃいけないわけで、そのためにはやっぱり、今何が起こっていて、これから何が起ころうとしているかということに対してすごく敏感になりますし、興味を持つようになりますよね。
　だから、意識してたわけでは全くないんですけど、最近なんか、パパ活やってる人の裏アカとかばっかり、おすすめに表示されるんですよ（笑）。ひたすら愚痴をたれてて、それもちょっとメンタルヘルスに近いですけど、世の中に対する憎しみとか怨みとかをつらつら綴ってるんですね。でも、そういうものを見てると、インスピレーションが湧く自分も確かにいるんです。興味津々で読んでしまうから、ますますおすすめに表示されるようになるという（笑）。

経済的な没落や社会的困難の中から文化が生まれる

——そのように時代の変化をキャッチし続けてると。
◎アーバンギャルドがメジャーデビューした2011年くらいの時とかは、きゃりーぱみゅぱみゅが世に出てきて、原宿系というものが花盛りだったんですが、そういう若者文化やサブカルチャーの中心地もどんどん変わってきて、最近は歌舞伎町になっちゃいましたからね。歌舞伎町が若者の文化の中心になるなんて、10年前は誰も思ってなかったですよ。そういう変遷もすごく面白いなと思いますし、まぁ、日本はどんどん経済的に没落していってますけど、それだと生活はちょっと厳しいでしょうが、文化的には、没落していった方が面白くなるんじゃないのかなっていう気もしなくもないです。
　最近できた歌舞伎町タワーも、頽廃感、やばいですよ。1階に歌舞伎hallっていう、夜中じゅうやってる23時間営業の居酒屋があって、その空間がもう完全に昭和のまがい物。出入口に、Chim↑Pomによるゴミでできたオブジェがポンって置いてあって、同じフロアに、最近炎上した誰でもトイレ。昭和懐古趣味と、令和時代の世界水準に合わせなきゃっていうのが、もう無理矢理共存してるんですよね。深夜2時くらいにそこで飲んでたんですが、わざわざ店員さんからICカードをもらわないと誰でもトイレに入れないし、急いで入ったら、どこの個室に入ればいいかわからないし（笑）。世界基準の新しい価値観と昭和の古い価値観が衝突したまま無理やり一カ所に押し込められてる。現代日本、東京の縮図ですよね。

　この混沌、デカダンス。世の中的にはうまくいってるとは言えないのかもしれないですけど、すごく文化の胎動を感じますよね。

　コロナ禍の時とかもそうだったんですよ。世の中的にはものすごい不便になって、僕らもツアーが中止になったりとかしてずっと家にいたんですが、そういう非日常だからこそ、インスピレーションが沸々と湧いてきたりする。だからその年は、年初にアルバム出したのに、もう1枚アルバムができてしまったという（笑）。

　コロナ禍が3年間も続いて、高校1年から3年までをその渦中で過ごした子たちもいるわけじゃないですか。その子たちはたとえば、それまでの若者たちがライブハウスに行くタイミングだったときに、ライブハウスに行けてないんですよ。つまり、ライブというカルチャーを体感しないまま、大学生とか成人になってしまうわけで、でも、そういう子たちが今後どういう形でストリートに出てくるのかっていうことは、怖さも含めて興味深いなって思っているんです。

アーバンギャルドの持つフィクショナルな少女性

——時代や環境によって浴びるカルチャーはさまざまで、そこから出てくるカルチャーも変わってくる、ということですよね。天馬さんの若い頃は、サブカルチャーでいうと、どういったものの洗礼を受けられてきましたか。
◎僕は1982年生まれで、90年代の時に思春期だったんですが、サブカルチャーと言えば、渋谷系の音楽であったりとか、あるいは、村崎百郎とか「危ない1号」とかに代表されるような、今では鬼畜系・悪趣味系と言われるカルチャーですよね。小山田圭吾が東京オリンピックの開会式の件でも炎上しましたけど、ああいう、不道徳スレスレのことをやろうっていうのが当時のサブカルチャーではあって、そこからの影響がすごく強いのかなと思いますね。

あと当時は、情報や知識を取りに行くまでが大変だったじゃないですか。例えばそれが、東京の中野のブロードウェイのタコシェという本屋にしか売ってませんみたいな。または、カビ臭いミニシアターですごくマニアックな映画が上映されるとか。今ではネットで簡単に調べられて、Amazonプライムや U-NEXTでいつでも観れて、という感じですが、そうじゃなかった分、取りに行けた情報に対しての感動、記憶は鮮烈だったと思いますね。

――そうした中からアーバンギャルドのサブカル性が生まれた感じでしょうか。セーラー服だったりとか、水玉だったりとか、これぞアーバンギャルドっていうアイコンは、どのように出来上がったのでしょう。

◎それは全然、初期の頃から出来上がってましたね。水玉のモチーフは、最初は射精であったりとか、そういう意味合いもあったりしたんですけれど、なんて言うんだろうな、少女性っていうものがずっと自分の中にはあって、でもそれは、ロリータコンプレックス的なものというよりは、非常にフィクショナルなものというか、実在しない人間、実在しない存在として、少女というモチーフを使っているような感じですね。自分自身からすると、最も遠い存在であるというところに、意味を見出していたのかなと思います。

それが、浜崎さんが入ったことによって確固たるイメージとして出来上がった感じですね。自分の書いた歌詞を歌ってくれる演じ手として、浜崎さんはまさに適任者でした。

アーバンギャルドの歌詞って、非常にこう、ある意味スキャンダラスなこととか歌ってはいるんですけれども、彼女は比較的無感情に近い声でそれを歌う。フラットな歌い方をしているっていうのが、結構、重要なんじゃないのかなと思うんで

★アーバンギャルドのMV
(右上)「水玉病」
(左上)「傷だらけのマリア」
(下)「少女元年」

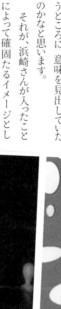

す。ガラスというか、鏡が透き通ってることによって、聞き手の内面を反射できるというか、そういった唯一無二の歌声なんですよね。

アーバンギャルドはツインボーカルですが、僕の立ち位置は、本来のバンドでいうところのリードギターみたいな感じだと思ってます。サウンドに対しての汚しであったりとか、飛び道具的なところがあって、浜崎さんのまわりを漂っていて、時に拮抗し、増幅させる存在だという。

――男性である天馬さんが、女の子の気持ちというか、少女のことを歌詞に書いて、それを浜崎さんに歌わせて、さらにそこに汚しを入れるという……。

◎でも、最近はなんかもう、少女っていう感じでもなくなってきていて、性別とか超えてきてますね。自分が神だと名乗るような歌詞とかも書き始めていて、年齢や性別を超えた存在を描くようになってきているんです。

――ソロのときは、またそれとは別な感じですか。

◎ソロは全然違うんですよ。ソロは自分自身の…今40歳なんですけど、40歳男性のドキュメントであろうとしてる部分があって。つまり、アーバンギャルドはフィクションで、自分のソロはノンフィクションと、結果的にしっかりセパレートされています。アーバンギャルドは、自分自身の心情を物語として一回消化し、編集して書き出す、という感覚なんですけど、ソロの場合はそれを結構素直に吐き出してます。

あとアーバンギャルドでは、自分が演出したり監督したりする側面もありますから、まさにそう、造物主の視点で見ている部分も多分にあります。今年3月に中野サンプラザでやらせていただいた15周年のライブなどは、台本なり演出なりをきちんと考えて、作品を作るような心構えで挑んだんです。10周年の時も中野サンプラザでやったんですが、その時は記念のライブをやろうみたいな気持ちが強かったんですけど、15周年は、映像やパフォーマンスなども含めて、ひとつの作品に仕上げようと。だから、血まみれセーラー服の女の子たちが倒れているところから始まって、最後は再び倒れて終わるという、円環構造にしてみたり。

口当たりの良いお菓子に甘い毒を散りばめる

――血まみれセーラー服というのもアーバンギャルドらしいというか、最初期の「セーラー服を脱がないで」のMVからしてセーラー服が血まみれでした。そうした毒は、どういうさじ加減で盛っていくんですか。

◎毒のさじ加減はもう限りなく、際限なく盛っています(笑)。

僕は、毒にも薬にもなる作品を創っていると思っていて、そもそも毒は、服用の仕方によっては薬になるものもありますし、薬も過剰摂取すれば身体を害する。それをアンダーグラウンドカルチャーに当てはめたら、よりニアイコールであるというか、毒であったり過激なものが、ある受け手には薬になったり、癒しと同意義であったりすると思うんですよね。だから、毒にも薬にもなれるものを創りたいと思っていて、そうした毒や薬を欲している人に聞かれる音楽でありたいと考えているんです。毒にも薬にもならないものではなくね。

悲劇的な映画でヒロインが死んでくれるから、スクリーンの外の観客は生きていける、生きていこうと思う。アンダーグラウンドにはそういった逆説的な毒が散りばめられているんです。

――「今最も気持ち悪い男」という天馬さんのキャッチフレーズも、毒を持つ者としてのアピールだったり?

◎あれはですね、当時のマネージャーにソロのアーティスト写真を見せたら、あ、気持ち悪いですねって言われたんですよ。はっきり言われた(笑)。そして、じゃあキャッチフレーズはそれで行きましょうってことになったんですよね。自分自身は、気持ち悪さの先に気持ちよさがあると思うんですが。

気持ち悪さということで言えば、僕は世の中に馴染めてないという気がしていて、しかも歳を取れば取るほど、どんどんそれは強くなってきてるんですね。ですけど、馴染めていないからこそ、他の馴染めていない人たちに届くかもしれない

★(左頁)中野サンプラザでおこなわれたアーバンギャルド15周年記念公演「アーバンギャルドのディストピア2023 SOTSUGYOSHIKI」より

SOTSU
SHIKI

ものを作れているのかなという自負はあります。まあ、馴染めないのか、馴染みたくないのかわからないですが(笑)、音楽でも映画でも、どうしても、多数派じゃない方をとってしまうんですよね。その方が面白いと感じてしまう。もしかしたら、馴染みたくないという思いが、気持ち悪さとして発揮されてしまうのかもしれない(笑)。

――でも、だからといって、アーバンギャルドは世間と隔絶したことをしているかというと、見た目ポップで、割と受け入れやすい形で毒なり馴染めなさを昇華しているように思います。

◎一見ポップである反面、その裏側にはシニカルさやアイロニカルさを内包しています。柔らかな肌を一枚隔てた向こう側に真っ赤な血が流れているように…まさしく「病的にポップ」。口当たりの良いお菓子の中に甘い毒を散りばめているような感じ。

そこにアーバンギャルドらしさというのがあって、詩や音楽やヴィジュアルも含めて、「これってアーバンギャルドっぽいよね」っていう、それなりのインパクトある爪痕をサブカルシーンの中に残せてこれたかなとは思っています。15周年は終わりましたが、アーバンギャルドは、他の何者でもなくアーバンギャルドとして、これからも暗くて狭い隘路を、あえかな光を頼りに進んでいくでしょう!

――本日はありがとうございました。

★(右上)「URBANGARDE CLASICK～アーバンギャルド15周年オールタイムベスト～」

(右下)「URBANGARDE VIDEOSICK～アーバンギャルド15周年オールタイムベスト・映像篇～」

(左上)ライヴDVD「DANCE! TOKYOPOP2」

★松永天馬LIVE DVD「不惑誘惑」(2023/8/12リリース)

☆「松永天馬生誕ライヴ・四十一歳、不厄厄厄!」2023年8月12日(土)18:00～、渋谷・スターラウンジ

☆「松永天馬脳病院vol.29 バースデースペシャル～朝まで生天馬2023～」
2023年8月12日(土)24:30～、渋谷・LOFT9

詳細はアーバンギャルドHP https://www.urbangarde.net/

「四方山幻影話」のコーナー(p.4)で松永天馬氏のお相手をしていただいた、しらい氏は、モデル・タレントとして活動中。今年5月には、椋本真叶と組んだユニットcherish your bubbleの1stアルバム「cherish your bubble」を発売した(左上の写真)。

★しらい Twitter・Instagramいずれも @she_is_lie

★写真:堀江ケニー

童話の中の少女はなぜ毒を受け取ってしまうのか

◉文＝馬場紀衣（文筆家）

瓶の首には紙のラベルがくくりつけてあって、〈ワタシヲオノミ〉と大きな活字で書いてあったけれど、アリスはお利口な少女なので、瓶に〈毒〉とあったから中身を飲めば、遅かれ早かれひどい目にあうことを知っていた。思いきって味見してみたところ、瓶の中身は「チェリー・タルトとカスタードとパイナップルと、ロースト・ターキーとタフィーと焼きたてのバター・トーストをいっしょくたにしたような」夢のような香りで、アリスはあっというまに瓶の中身を飲みほし、すると体が縮んでしまった。

★ルイス・キャロル『不思議の国のアリス』（ジョン・テニエル画、1869年）／瓶には「DRINK ME（ワタシヲオノミ）」と大きなラベルが。

と、ここまで読んで、わたしはぎょっとしてしまう。『不思議の国のアリス』にかぎったことじゃない。子どもの頃に読んだグリム童話もペロー童話も妖精物語も、可憐な主人公たちは、あきれるほど素直で、無邪気で、拍子抜けするほど簡単に死んだり、眠ったりしてしまう。毒はいつもそばにあった。甘いお菓子と紅茶の並ぶ戸棚に、危険なボトルも並んでいることを、少女たちはまだ知らないのだ。

アリスはヒナギクで冠を作ろうとしているところだ。そこへ兎が現れる。長い耳は、その花に触れるくらいはしただろうか。兎がヒナギクを食べなくてよかった。毒になるかもしれないから。兎が飛びこんだのは生垣の下の巣穴。こちら側とあちら側の境界に植えられた生垣は、甘酸っぱいサンザシかそれともイボタか、あるいは野ばらかもしれない。『眠れる森の美女』なら、少女を外の世界から守る植物は、茨と、とげのある灌木だろう。

そもそも姫が百年の眠りについたのは、「つむ」に手を刺してしまったのが原因だ。つむは魔女の呪いを発動させるためのきっかけだったのかもしれないし、あるいは、つむに毒が仕込まれていたのかもしれない。どちらにしろ、姫は百年ものあいだ目覚めなかった。ただ、心優しい仙女の計らいか、眠りのあいだは楽しい夢を見る喜びを与えられていたという。美しい物語を紡ぐための毒は、やはり甘美な味でなくてはならない。こうして魔法の解かれた姫は王子と結ばれる。

ところで、この物語にはまだつづきがある。王子の母である王妃は人食いで、姫とその子どもを食べようとするのだ。王妃は、ひき蛙とまむしでいっぱいの大桶に姫を突き落とそうとして、みずから落ち、死んでしまう。毒殺の歴史は人類と同じほどに古い。火あぶりや首切りの刑に比べると見せしめとしての効果は薄いけれど、じっくりと苦しみを与えるにはもっとも最適で、もっとも俗悪な手段と言える。

『眠れる森の美女』によく似た物語はヨーロッパ各地にあって、おそらく現存する最古の作品は14世紀の『ペルセフォレ』だろう。17世紀イタリアの詩人で作家バジーレの『太陽と月とターリア』のことも、1697年に童話を書き上げた当時、ペローは知っていたはずだ。ペロー童話やディズニーよりもずっとグロテスクで優雅なこの物語を紹介できないのは残念だけれど、ここでも主人公は、亜麻に混ぜられた棘に刺されて眠る運命にある。

★『眠れる森の美女』(アレクサンダー・ジック画)／姫が「つむ」を手にしようとする場面。

おなじ麻でも、アンデルセン童話『野の白鳥』で少女を痛めつけたのは、イラクサの毒だった。エリサの11人の兄たちは、意地の悪いお妃の魔法で白鳥に姿を変えられてしまう。兄たちを人間にもどすには、イラクサで11枚の「くさりかたびら」を編まなくてはならない。そのうえ、かたびらが完成するまでの間は、なにがあっても口をきいてはならないのだ。エリサはイラクサの茂みに手をつっこみ、裸足でイラクサを踏み、裂き、手や腕に大きな火ぶくれを作り、燃えるような痛みに耐えながら、何年もかたびらを編んだ。イラクサ科の植物は毒性が強いから、体内に入ると数週間も痛みがつづくと聞いたことがある。刺毛が少女の白くて柔らかな皮膚を引っ掻く場面は、目を背けたくなる痛々しさで、一番下の兄の涙が手に落ちて、薬にならなければ、イラクサで上着を編むなんて酔狂な仕事は到底成し遂げられなかっただろう。

童話世界の少女と毒について語るなら、『白雪姫』に触れないわけにはいかない。物語世界の少女たちの周りにはいくつもの毒があるけれど、毒りんごにまさるロマンチックな小道具はそう

★『野の白鳥』(ハリー・クラーク画)

ないと思う。もっとも、妃が白雪姫を殺すために使った道具は、りんごだけではない。妃が最初に持ってきたのは黄と赤と青の絹で編まれた紐だし、その次は毒の櫛だった。そうして、どうにか小人に命を助けられた白雪姫が、最後に口にするのが、毒りんごだ。ここでりんごが登場するのは、りんごが女性の性的欲望のシンボルであること、聖書に代表されるように、古くからりんごが豊饒や知恵のモチーフであったことと無関係ではないだろう。毒殺された美女、というのはなんとも不名誉な称号だけれど、毒りんごの印象はそれほどまでに強く、魔女の手腕は鮮やかだ。

それにしたって、どうして彼女たちは知らない人から差しだされたものをこうも易々と受けとってしまうのだろう、というのは、誰しもが思うところである。白雪姫にいたっては、小人にしっかり怒られたにもかかわらず、りんごを受けとってしまう。しかも、その場で食べさえするのだ。グリム童話『なぞなぞ』でも、旅人の王子が宿の娘に「なにも食べないで、なにも飲まないで」と警告をうけながらも、やはり（というか、案の定）飲みものを受けとる。もちろん、飲みものには毒が入っていて、魔女が調合したものだった。

口に入れるものが毒のこともあれば、

少女は知らない人から易々とものを受け取ってしまう

口から出すものが毒になる場合もある。ペロー童話では不実な娘が仙女によって口からまむしが飛び出るようにされてしまう（『仙女たち』）。「口から出て来るものは、心から出て来るので、これこそ人を汚すのだ」と説いた、イエスの言葉がちらつく。童話の類は残酷である。そして教訓的である。すべて少女の無垢さゆえに招いた不幸かもしれないけれど、それにしたって、これから大人になるというのに、あまりに毒気がなさすぎるのも心配だ。

★『白雪姫』（ウォルター・クレイン画、1882年）／毒りんごに魅了されてしまう白雪姫。

あどけない子どもにひそむ悪と毒
——映画『ドイツ零年』、『カラスの飼育』などにみる父殺しと死への欲動

◉文＝浦野玲子（ライター）

すべてのものは毒であり、毒でないものなど存在しない。その量こそが毒であるか、そうでないかを決めるのだ。
——パラケルスス

善悪の彼岸での父殺し

子どもの毒使いといえば、イギリスのグレアム・ヤングが有名だ。彼は14歳のときタリウムを使って継母を毒殺。１９６０年代から70年代にかけて3人を毒殺し、数十人に毒を盛ったといわれる。

日本でも二十年近く前、彼に心酔した16歳の女子高生が実の母親にタリウムを少量ずつ与え、その経過を観察していたという。彼らは、生まれた時代や生育環境が違えば、優秀な化学者や研究者になっていたかもしれない。

人は自分の生きる時代を選べない。どんな時代も、悲劇や過酷な運命に直面している人々がいる。それが幼い子どもであれば、いっそう悲劇の要素が強くなる。

ネオ・レアリズモの巨匠、ロベルト・ロッセリーニ監督に『ドイツ零年』（1948）がある。舞台は、第二次世界大戦で連合国軍の爆撃を受け、ヒトラーの夢見た第三帝国が崩壊し、焦土と化したベルリン。

イタリア人のロッセリーニは敗戦間もないベルリンに入り、主人公の少年をはじめ、すべて素人を使い、ドキュメンタリータッチの作品に仕上げた。

連合軍の占領下に置かれたベルリンは、飢餓と貧困、病気が蔓延していた。その片隅の焼け残ったアパートにひっそりと暮らす家族がある。主人公は一家の末っ子、12歳のエドムンド。

父は重い病を抱え、「死にたい、死にたい」と繰り返している。兄はナチの兵士であったことが占領軍に発覚することを恐れ、身を潜めている。姉はキャバレーで進駐軍相手に売春まがいの仕事をしている。兄が存在を隠して

★「ドイツ零年」

いるため食糧配給は3人分しか受けられない。しかも家賃が払えないため、アパートの追い立てをくらっている。

食うや食わずの生活を補うため、エドムンドは15歳と歳を偽って墓掘り人夫の作業をしている。だが、年齢を偽っていることがばれ、「大人の仕事を奪うな!」と締め出されてしまう。まだ幼さの残る顔、半ズボンから伸びたひょろひょろの脚をみるとたしかに子どもだ。

なんとか職や食を得たいと焼け跡のベルリンを歩き回るエドムンド。偶然、かつては熱狂的なナチ党員だった小学校の旧師に会い、ヒトラーの演説が録音されたレコードを進駐軍に売る仕事を紹介される。

だが、それもわずかな稼ぎにしかならない。すると、旧師は小児性愛者だったらしく、裕福なペド仲間にエドムンドを斡旋しようとするが、すんでのところで逃げ出す。

なるほど、エドムンドは目鼻立ちの整った金髪の美少年。ロッセリーニと同じイタリアの映画監督、ルキノ・ビスコンティ好みのヘルムート・バーガー(ことし5月に亡くなっていた)やビョルン・アンデレセンにも負けず劣らずの美形だ。

さて、病が悪化した父はなんとか慈善病院に入院することができ、いっとき楽になった。だが、入院費が払えず追い出されてしまい、さらに自暴自棄になる父。

エドムンドは旧師の「弱者は生きる価値がない」という優性思想の残滓のような言葉を思い出し、病院から盗み出した毒薬を父の紅茶に入れる。父はまもなく息絶える。

その後、旧師に父を毒殺したことを報告するが、旧師はそんなことを言った覚えがないという。

それを聞いたエドムンドの困惑と絶望。いったい何が正しくて、何が悪いことなのか? 戦後零年のベルリンでは、食うこと、生き延びることに必死で、正義やモラルなんて屁の足しにもならない。人間の尊厳や道徳観や人道意識なんて一挙に崩れる。善悪の彼岸で、子どもは途方に暮れるばかりだ。

エドムンドは一晩中、荒廃したベルリンの町をさまよう。翌朝、家の前の廃墟ビルから父の柩が運ばれる様子を眺めているが、姉の声を耳にすると、突然、ビルから飛び降りる。

ヒトラーが賛美したアーリア人種の典型のような金髪の少年の死。彼に父殺しの大罪を負わせ、はては自死に追いやったものはいったいなんだったのか?

ママに代わってお仕置きよ!

子どもと毒のかかわりを描いた映画に『カラスの飼育』(1975)がある。ことし2月に亡くなったスペインのカルロス・サウラ監督の代表作だ。

これは、アナという9歳の少女の「父殺し」の物語。主人公のアナを演じるのは、『ミツバチのささやき』(ビクトル・エリセ監督)で強烈な印象を残したアナ・トレント。つぶらな瞳、長いまつげ、ふっくらした頬。まさに天使のような少女だ。

『ミツバチのささやき』から2年後くらいに作られた『カラスの飼育』。名前も同じアナだから、彼女のちょっと成長した姿を見るようだ。

『ミツバチのささやき』はスペイン内戦当時の田舎の出来事。(おそらくフランコ反対派の)脱走兵をかくまった少女の物語だ。いっぽう『カラスの飼育』は、独裁者フランコの統治がいましも終焉をむかえようとしているのだが、数十年続いた独裁政権とファシズムの閉塞感は根強く残っているようだ。

アナは三姉妹の次女。彼女たちが家政婦ロサと交わす会話に、「スペイン内乱が終わったのはいつ?」「1939年よ」なんていうのがある。『ミツバチのささやき』から『カラスの飼育』撮影まで現実には2年くらいしかたっていないのだが、アナの成長期はずっとフランコ政権が続いていたのか…と、時空を飛び越えて錯覚しそうになる。

アナの父親はフランコ政権下の職業軍人。彼はやたら女好きで、だれかれかまわず手を出すようだ。家政婦のロサにさえ下心を持っていたという。ロサは、そんな話を幼いアナに向かって世間話のように語って聞かせる。

いまは亡き母のマリアが父の浮気を責め、言い争う様子を三姉妹はうっすらと知っている。その諍いの様子を「ごっこ遊び」で再現したりしている。

マリア（と成人したアナの二役）を演じるのは、ジェラルディン・チャップリン。第二次大戦中にヒトラーを揶揄した映画『独裁者』を作った喜劇王チャーリー・チャップリンの娘だ。

ガンを患い、死期の迫ったマリアが激痛で苦しむ様子を目の当たりにしたアナ。いつしか父に憎悪の念を抱くようになっていた。

そんなある夜。父が不倫相手とことに及んでいる最中、父は心臓麻痺で腹上死。不倫相手が取り乱して家を飛び出す。その一部始終をアナはじっと見ていた。

その後のアナの行為が奇妙。驚くでもなく、ベッドで死んでいる父の顔をみつめ、髪をなでる。そして父の飲みかけの牛乳のコップを流しで丁寧に洗い、水切りの上に置かれた他のコップと並べ替える。ここが物語の導入部だ。

このコップの入れ替えは、実はアナのアリバイ工作。毒入りコップの証拠隠滅をはかったのだ。わたしは迂闊にも気づかなかった。映画の後半でアナがコップを洗い、並べ替える動作がもう一度行われる。それで、ようやくアナの冷徹で確信的な殺意に気がついた。母を苦しませた父への復讐、お仕置きとして毒殺をはかったのだ。

アナは悪意と殺意のためだけに毒薬を使うのではない。広大な屋敷に同居する祖母は口がきけず、下半身不随の車いす生活を送っている。昔の思い出に浸ることだけをよすがとする彼女に、「もう死んじゃいたい?」とたずねる。そして、毒をあおることを勧める。これは、幼いながらも祖母の無為の余生を思いやる善意の毒だろう。

そして錆びた缶入りの白い粉末を見せるが、祖母はあきれ顔。それもそのはず、缶には「重曹」の文字。ここで、観客は毒薬の正体を知る。

アナは母マリアがかつて「スプーン1杯でゾウも殺せる猛毒よ」というたわいもないウソを信じ込んでしまい、捨てるように言われたにもかかわらず、秘匿していたのだ。

やがて、父母を亡くした三姉妹の親代わりとして母の妹パウリナがやってきた。彼女はフォークとナイフの使い方をはじめ、口うるさく姉妹をしつけようとする。マリアの最期を看取り、三姉妹の面倒を見てきた家政婦ロサにも冷たく当たる。強権的で専横な独裁者のようである。

アナは、パウリナの強権的な態度に反感を抱くようになる。ある夜、母の幻影をみて、夢から覚めると「死にたい、死にたい」と泣きじゃくり、パウリナに向かって「叔母さんなんて、死んじゃえ!」と罵声を浴びせる。

そして、アナの最終兵器である毒を使って、パウリナを亡きものにしようと決意する。長

い夏休みが終わり、明日から新学期という日の夜。アナは牛乳のコップに例の〝毒薬〟を注ぎ、パウリナがそれを飲む様子をじっと見つめる。

明日の朝になれば、父と同様、パウリナも亡くなっているだろうと安堵の眠りにつくアナ……。だが、目覚めると、パウリナはぴんぴん!?

一瞬、怪訝そうな顔をするアナ。だが、朝食をとり、身支度を整えると、三姉妹は高い壁に囲まれた邸宅の小さな通用口から元気よく飛び出していく。そして学校に着くと、学友たちの群れに紛れていく。

これは、フランコ政権という閉鎖的で抑圧的な時代の扉がようやく開き、未来へ飛び立とうとする子どもたちへのエールだったのだろうか。

このラストで流れる歌がある。ジャネットという女性歌手が甘ったるい声で歌う『PORQUE TE VAS』というポップソングだ。

哀愁を帯びつつ、口ずさみやすいメロディ。「あなたが去ってしまうから」という意味の失恋ソングらしいが、劇中でアナがこのレコード盤をかけたり、口ずさんだりする。

本作撮影当時、スペインではフランコ総統が死の床にあり、独裁政権も終わりつつあった。だから、通俗的なラブソングも、父母を亡くしたアナの心境はもちろん、フランコ独裁時代の終焉へのスペイン人の複雑な心境を歌ったりしているのだろうか……?と、いろいろな憶測ができてしまう歌詞だ。

余談だが、わたしは『PORQUE TE VAS』のレコードを持っている。『カラスの飼育』がカンヌ映画祭などで賞をとると、この歌も世界的にヒットしたらしい。中身は1974年プレスのフランス版だが、ジャケットがジャネットの画像から急遽、映画のスチル写真に差し替えられたようだ。

子ども返りの毒殺魔

私事だが、保育園に通っていたころ、わたしは保母に向かって「死にたい、死にたい…」とつぶやいたそうだ。まるで『カラスの飼育』のアナのようではないか(笑)。

わたし自身は全く記憶にないのだが、「死」の意味さえ知らないであろう幼児の言葉とは信じられない。親切な保母は、わたしの母に報告した。そのことを長じて母から聞かされ、我ながら絶句した。

両親たちの解釈は、弟が生まれ、母親の関心が弟中心になったことで、幼いわたしに嫉妬や孤独感が押し寄せたのだろうというもの。小学校にあがると、こんどは原因不明の脚の痛みで歩けなくなった。

通学もできなくなり、半年くらいの間、母が自転車でわたしを送り迎えすることになった。この時間だけは母を独占できる！　いわゆる「子ども返り」だったのだろう。

一般的な子ども返り＝幼児退行は、四、五歳くらいの子どもが赤ちゃんや幼児のように甘えたり、おねしょが再発したりするものといわれる。

このような現象が老人にも起こることがある。これは主に認知症などが原因という。幼児のように聞き分けがなくなったり、甘えたりするようになる。ときには介護者へのセクハラや暴力、暴言などにエスカレートすることもあるという。

老人の子ども返りが、認知症の母とのやりとりを描いた岡野雄一のマンガ『ペコロスの母に会いに行く』や、高野文子の『田辺のつる』で描かれたように、かわいい童女のような言動であればいいのだが、現実は厳しいようだ。

　現実とはほど遠いが、通俗的な意味で子ども返りをしたような、あどけない善意の毒殺魔を描いた映画がある。フランク・キャプラ監督の『毒薬と老嬢』（1944）だ。もとはブロードウェイで大当たりした戯曲という。

　ブルックリンの邸宅に住むアビーとマーサという老姉妹には3人の甥がいる。彼女たちは貸間の広告を見てやってくる身寄りのない

★「毒薬と老嬢」

老人に毒入りワインを飲ませて片っ端から殺害。自分をアメリカ大統領と信じ込んでいる甥に命じて、12人の死体を地下室に埋めている。

　彼女たちはあくまでも善意で孤独な老人たちを安楽死させていると思っている。この老嬢たちの声や仕草や表情のかわいらしいこと！ 彼女たちの行為には一点の曇りもない。信仰（と思い込み）の強さ。

　そこに演劇評論家の甥モーティマー（ケーリー・グラント）が新婚早々の妻とやってきて、毒殺したばかりの死体を発見する。

　さらにもう一人の甥で本物（?）の殺人狂と、その共犯者の整形外科医がやってくる。彼らは殺したばかりの死体を隠すためにやってきたのだ。そこで死体をめぐるスラップスティックなブラックコメディがテンポよく展開される。

　本作には、毒殺や殺人鬼のおどろおどろしさや恐怖は皆無。やがて殺人狂たちは逮捕され、無邪気な老姉妹と大統領と思い込んでいる甥は精神病院に送り込まれる。

　この事態に遭遇し、叔母や他の甥たちのようにサイコパスの遺伝子が自分にも流れているのか…と悲観するモーティーマー。だが、叔母が「あなたはうちのコックの息子で血はつながっていないのよ」と打ち明け、モーティーマーは安心。お預けになっていた新婚旅行に出かけるのでした。めでたし、めでたし。

　こんなノーテンキな殺人狂たちの映画が作られていたのは、第二次世界大戦の真っ最中。世界そのものが〝殺人狂時代〟なのだった。

　本邦にも老女の毒殺魔を描いた映画がある。市川崑監督の『鍵』だ。原作は谷崎潤一郎の小説だが、市川崑は換骨奪胎のブラックコメディに仕立てた。性的倦怠期にある初老の夫婦の淫靡な回春日記という文芸的要素をばっさり切り捨て、異様でとぼけた味わいのミステリー風味を効かせた。

　京都の高名な古美術鑑定家、剣持には美しく豊満な妻、郁子がいる。だが、剣持は老いによって精力が減退し、肝心なモノもすぐ萎えてしまう。その治療に通う大学病院の医師、木村をそのかし、郁子と不倫をしてくれと依頼する。その不倫現場をのぞき見して嫉妬心を燃やし、性的興奮をかきたてようというのだ。ところが、興奮しすぎたのか、剣持は心臓麻痺であっけなく死んでしまう。

★「鍵」

剣持の死後、郁子は娘の敏子の婚約者でもある木村に、同じ家に住み、不倫関係を続けようと持ち掛ける。敏子は郁子と木村の関係を知り、郁子の毒殺にふみきる。母と違い、不細工で色気のない敏子は美意識にうるさい父にも母にも疎まれていると気づき、憎悪を募らせていたのだ。

郁子、木村、敏子が食卓を囲む。敏子が毒を入れた紅茶を口にする郁子。だが、郁子は平然としている。「？？」の敏子。それもつかの間、敏子も木村も郁子さえも倒れていく。

それを平然と眺める婆やのはな。実は、はなは毒薬を入れ替えていた。そして、彼女が食卓の野菜サラダに降りかけたものこそ毒薬だった。「そしてだれもいなくなった」のような一家全滅の顛末は、はなの仕業だったのだ。

上品ぶっているが、性と欲に目がくらみ、欺瞞と偽善に満ちた上流家庭の実態。それに愛想をつかしたはな。目に一丁字もないような老女だが、庶民の正義感覚によって〝天誅〟をはかったのだろうか。ぼけ気味の婆やから冷徹な殺人者まで、はなを演じた北林谷栄の演技は絶品！

はなは自首するが、警察の見解は将来を悲観した家族の無理心中というもの。はなの言葉もぼけ老人の妄想と一蹴され、追い返されてしまう。

弱くて非力な存在にとって毒は護符であり、いざというときの武器だ

★「カラスの飼育」

さて、これまでみてきた子どもや老女たちは、毒や毒殺に魅了されているように思える。それは、彼らが弱くて非力な存在であり、いわば社会の周縁者であることが主な理由だろう。

現実世界では大人や権力者の庇護のもとに文字通り「小さくなって」過ごしているが、想像や妄想の中では勇者となり、モンスターのような大人たちをこてんぱんにやっつけることができる。

そのときの必須アイテムが「毒」なのではないか。毒は彼らの護符であり、いざというときの強力な武器である。

『カラスの飼育』のアナは、「スプーン1杯でゾウも殺せる」ほどの〝毒薬〟を入手したことによって、ある種の全能感をもつことができた。父や叔母や祖母たちの生殺与奪の権を握ったかのように錯覚する。大人と子どもの地位が逆転する。

毒こそ、弱者の必須アイテム。この世を生き延びるための〝こころの糧〟である。

十九世紀英文学とアヘンというパルマコン

◉文＝市川純（英文学研究者）

「飲み過ぎれば、大抵は――規則正しい習慣を重んじる人には殊に気に食わぬ仕儀となる、すなわち死は必定だということである」

（ド・クインシー『阿片常用者の告白』九二頁）

序

メアリー・シェリーは『フランケンシュタイン』（一八一八）を出版した翌年、若い女性マチルダを主人公にした中編小説『マチルダ』（一九五九）を執筆する。マチルダの父は実の娘に禁断の愛情を抱き、その思いに自らも追い詰められ、自殺する。これらを知ったマチルダもまた絶望を極め、友人ウッドヴィルを自殺に誘うのだが、その準備の様子は以下のように描かれる。

アヘンチンキを入手してテーブルの上の二つのグラスに入れておき、部屋を花でいっぱいにし、私の悲劇の最終場面を細心の注意を払って飾り立てた。彼がやってくる時間が近づくにつれ、心が落ち着いて涙が出た。計画をあきらめたのではなく、覚悟を決めても、死を飲み込むには心の葛藤を幾つか乗り越えなければならないのだ。（二二四頁）

★メアリー・シェリー『マチルダ』（彩流社）

引用冒頭にあるアヘンチンキ（原文では「ローダナム」Laudanum）とはアヘンをアルコールに溶かしたもので、この時代には鎮痛剤などに用いられ、薬局で容易に購入できるものであった。十九世紀の英文学を読んでいると、しばしば見かけるものである。マチルダはこの薬品を友人と服用し、服毒自殺を試みようとしているのだ。

いまでこそ国際的に規制されているアヘンであるが、なぜそれ以前、特に十九世紀の英文学にはよく登場するのか。また、それは文学表現といかにつながっているのか。重要作品を幾つか取り上げてその特色を提示し、アヘンと文学の関係の一端を考えてみたい。

★アヘンを吸う者（中央アジア、1860年代）

一、十九世紀イギリスにおける アヘン使用拡大の背景

ヨーロッパにおけるアヘンの認知はギリシア・ローマ時代まで遡るようだが、そこに医薬としての地位が与えられたのは、パラケルススによる（村岡　一四六頁）。パラケルススは十五世紀末にスイスに生まれた医者だが、錬金術師としても知られ、ここでもシェリーと繋がるところが偶然の妙である。フランケンシュタインは大学入学前に、ドイツの隠秘学者コルネリウス・アグリッパの著作と共にパラケルススを読み耽っているのだ。

その後イギリスでアヘンが大々的に使用されるに至ったのは、背景に社会的・政治的変化がある。村岡健次によれば、十九世紀初頭までには市場に自由放任主義が定着し、医薬業の自由な営業も規制されず、患者側も自分の健康は自分で管理する自己医療が既に定着しており、十八、九世紀の一般民衆が内科医にかかることはまずなかったという（一四三—四五頁）。

世界史的な問題としてイギリスとアヘンの関係を考えると、十八世紀後半からイギリスはインド産アヘンを中国に売り込み、やがて悪名高いいわゆるアヘン戦争（一八四〇—四二）へと進んだ問題がよく知られている。しかし、イギリス国内で流通していたアヘンのほとんどはインド産ではなくトルコ産であり、その理由はトルコ産の方が純度に優れ、モルヒネの含有量が多かったためらしい（村岡　一四七頁）。いずれにしても、世界的な経済の覇権と流通手段を確保したイギリスの歴史とアヘン使用増大の問題が連関している。十九世紀に至ると、アヘンは様々に商品化され、薬局のみならず、食料雑貨店や裏町のコーナー・ショップ、靴屋、仕立屋、金物屋、パン屋で容易に購入でき、パブでも酔い覚ましとしてローダナムなどが常備されていたという（村岡　一四六頁）。

また、後に見るように、アヘンは重篤な中毒症状を引き起こす危険性があるものの、当時はむしろその薬理作用の肯定的側面を重視する向きの方が

★オスマン帝国のアヘン売り（フランシス・ウィリアム・トファム画、1850年頃）

★可愛そうな子供の看護師（中央にアヘンの瓶、1849年の風刺画）

多かった。十九世紀ヴィクトリア朝における中産階級の日常生活の実態を探る上で重要な文献の一つに、『ビートン夫人の家政読本』（一八五九―六一）という大著があるのだが、この中にもアヘンやアヘンチンキが様々な病状に対する処方薬として紹介されている。例えば、口腔カンジタの治療薬の一部として「アヘンチンキ十滴」（以下、本書からの引用は筆者訳、五〇八頁）、あるいは百日咳の薬の成分として「アヘンチンキ十五滴」（五一八頁）、蛇に噛まれて吐き気が酷い時に「固形のアヘンを一粒錠剤の形で飲むべき」（五二九頁）などの記述がある。ただし、本書はその毒物としての側面も記載し、具体的な中毒症状とその対処法も述べている。

中毒患者を生み出すことはわかっていたが、薬品や医療技術の限られた当時、やはりその薬効が重んじられたのである。アヘンによる害はアルコールやニコチンによるものよりも深刻とは考えられず、むしろ暴力や発狂にもつながりうるアルコール中毒の方が有害であると考えられていた（後藤五頁）。

二、ロマン主義文学作品の例

英文学作品でアヘンが直に内容と関わるものとして有名なものの一つは、ロマン派詩人サミュエル・テイラー・コウルリッジが著している。彼の夢幻的な詩編のうち、「古老の舟乗り」（一七九八）はメアリー・シェリーにも強い印象を与え、その一節は『フランケンシュタイン』にも引用されているが、ここで紹介するのは「クーブラ・カーンあるいは夢で見た幻想――断章」（一八一六）である。

詩作の経緯が序文に書かれ、それによると、詩人は鎮痛剤を飲んで眠り込み、その直前に読んでいたサミュエル・パーチャスの旅行記の内容と相俟って幻想的な夢を見て、それを基に書いたという。

　ザナドゥにクーブラ・カーンは
　壮麗な歓楽宮の造営を命じた。

そこから聖なる河アルフが、いくつもの
人間には計り知れぬ洞窟をくぐって
　日の当たらぬ海まで流れていた。
（中略）
しかしおお、あの深い謎めいた裂け目は何だ、
杉の山肌を裂いて緑の丘を斜めに走っている！
何という荒れすさんだ所か。鬼気せまること
さながら魔性の恋人に魅せられた女が
三日月の下を忍んできては泣くような場所だ。
（一―五、一二―一六行）

クーブラ・カーン、すなわちモンゴル帝国皇帝クビライによる壮大な建設計画や、異国情緒あふれる周辺風景が迫力に満ちた筆致で幻想的に描写されている。現実的な自然観察だけでは到底辿り着けない幻覚的世界である。二十世紀に至って、コウルリッジの詩集を小脇に抱えたヒッピーたちがいたという逸話もあるようで、彼らはマリファナやLSDによる幻覚作用に通じるものをコウルリッジの詩に見出していたようである（由良　二八頁）。

★ド・クインシー『阿片常用者の告白』（岩波文庫）

「クーブラ・カーン」の文学史的意義やその後の文化的影響力は大きいが、詩人本人は中毒症状に苦しみ、転地療法を行うなど、苦労を強いられた。そして、コウルリッジ以上に中毒症状の苦しみを克明に言語化したのは、後輩の散文家トマス・ド・クインシーである。ド・クインシーの『阿片常用者の告白』（一八二二）は、アヘンに大きく影響された自身の半生を語り、幻想的でありながらも苦痛に満ちた中毒症状を克明に記している。

　ド・クインシーがアヘンを服用したのは大学入学後、歯痛を鎮めようとしたのが始まりであった。当初の鎮痛剤としての効能のみならず、精神に及ぼす作用についても言及し、ド・クインシーはそこに快楽を感じて逃れられなくなる。多い時には八千滴も服用したというから、ビートン夫人が百日咳の症状に対して指示した量と比較すれば、その五百数十倍の量である。

　ド・クインシーは異常な幻覚に苦しめられ、それはピラネージが描く階段だらけの建物に例えられ、その後には水面に様々な表情の無数の人の顔が浮かぶ夢を見たりする。とりわけ恐ろしかったのはワニの夢だったようだ。

　それと見る間に、卓子や安楽椅子などの脚がすべて、生命ある物と化し、鰐の忌まわしい頭と横目で睨め付ける薄気味悪い眼が、一千倍にも数を増し、一様にこちらを見詰めた、私はおぞましさに総身を震わせながらも魅せられて、立ち竦んでいた。（一六四頁）

『阿片常用者の告白』の特に前半は、自身のインテリぶりを披露するような衒学的表現も多いのだが、後半では、次第に落ちぶれていくエリートの姿を見ているような気分になる。

三、ヴィクトリア朝以後の規制

「クーブラ・カーン」も『阿片常用者の告白』も、作者は重篤な中毒症状に苦しんだが、それと引き換えに文学史に名を遺すことになった。また、その後の文学作品におけるアヘン表象においても存在感を持っている。

　コナン・ドイルのシャーロック・ホームズ作品にもアヘンの問題が描かれている。ホームズ自身もコカインを使用している様子が『四つの署名』（一八九〇）の冒頭で描かれ、腕に注射をするホームズを見たワトソンが心配して忠告している。アヘンが話題になる作品といえば「唇のねじれた男」（一八九一）で、アヘン中毒者のアイザ・ホイットニーという男がアヘン窟に入り浸り、帰ってこないという相談が舞い込んでくる。彼が中毒者になったきっかけについては、「アヘンがもたらす夢と感覚の世界を描いたド・クインシーの作品を読んで、彼は自分も同じ興奮を味わってみたくなり、煙草をアヘンチンキにどっぷりとひたして喫んでみた

★コナン・ドイル「唇のねじれた男」よりアヘン窟でじっと火を見る老人（シドニィ・パジェット画）

のである」（二六四頁）と書かれている。『阿片常用者の告白』は後世の読者をアヘン中毒へと誘う可能性を持つものとして位置づけられている。

　アヘンにしてもコカインにしても、この時代において違法ではなかった。もちろん、中毒症状に苦しむ例は多数あり、エピグラフに引用したようにド・クインシーはアヘンを飲み過ぎれば死ぬと言っているし、ワトソンも相棒に副作用が起こらないか心配していたわけである。しかし、法的規制が整うまでには時間を要した。

　右記のホームズ作品が発表される前、既に一八六八年には薬事法が制定されており、アヘンが靴屋やパン屋などの店頭で売られることはなくなったが、薬局と医師に限定した上でなおも自由な流通は可能であった（村岡　一五六―五七頁）。

　その後、徐々にアヘンに対する反対運動や規制が強まっていくが、それはイギリス国内の問題だけでなく、むしろ中国へのアヘン輸出の問題や、それに対する国際的な問題意識の高まりを反映している。アメリカが国際的規制において主導的役割を果たし、二十世紀に入って国際会議が重ねられ、取り決めが進む。さらに第一次大戦を経て、一九二〇年に成立した危険薬物法により、イギリスではアヘンもコカインも所持できなくなるのである。

結び

　アヘン使用が厳しく規制されることで、その幻覚作用に頼った作品は成立し得なくなったわけだが、これを我々はどう捉えるべきであろうか。アヘンチンキが使用できなくなって、コウルリッジやド・クインシーが残したような作品の創作が完全に断たれたと考えると、何やら文化的な損失があるかのように思われるかもしれないが、そのような議論は品を変えて二十世紀以降も続いてきたことである。つまり、ヒッピー文化や一部の表現者における薬物使用のスキャンダルなどが話題になると、表現活動と薬物との関連という問題がしばしば取り上げられる。

　とりあえずここでは、十九世紀イギリスでアヘンの使用が許されていた歴史的状況を時代錯誤して現代に引き寄せ過ぎない方が賢明であることを述べておきたい。鎮痛剤や鎮静剤としてアヘンが果たした役割については、今やより副作用の少ない薬品や医療技術が多年の研究によって開発されている。その意味で、「薬」としてのアヘンの価値は今と昔とでは全く異なる。また、アヘンは「薬」としての効果に価値を認められながらも、同時に「毒」としての作用も大きく、悲惨な人生、さらには死へと繋がる可能性もあった。アヘンとは極端に両義的な、まさにパルマコンだったのである。

●引用文献

Beeton, Isabella. Mrs Beeton's Book of Household Management, edited with an introduction and notes by Nicola Humble. Oxford UP, 2000.

後藤春美『アヘンとイギリス帝国　国際規制の高まり　1906年～43年』山川出版社、二〇〇五年。

コウルリッジ、サミュエル・テイラー『対訳　コウルリッジ詩集――イギリス詩人選（7）』上島建吉編、岩波文庫、岩波書店、二〇〇二年。

シェリー、メアリー『マチルダ』市川純訳、彩流社、二〇一八年。

ドイル、コナン「唇のねじれた男」齊藤重信訳『詳注版シャーロック・ホームズ全集3』ウィリアム・S・ベアリング-グールド編、小池滋監訳、ちくま文庫、筑摩書房、一九九七年。

ド・クインシー、トマス『阿片常用者の告白』野島秀勝訳、岩波文庫、岩波書店、二〇〇七年。

村岡健次「イギリス・アヘン小史」『英国文化の世紀　4　民衆の文化誌』松村昌家・長島伸一・川本静子・村岡健次編、研究社、一九九六年。一三九―一六二頁。

由良君美『椿説泰西浪曼派文学談義』平凡社ライブラリー、平凡社、二〇一二年。

美貌の毒殺魔・ブランヴィリエ侯爵夫人

◉文＝並木誠（アートライター）

澁澤龍彦『世界悪女物語』（河出書房新社）をして、「天才的毒殺常習者」として「どうやら毒殺嗜好者には、告白の衝動がつきものである」と語らしめた、稀代の悪女とも云うべき、美貌の毒殺魔・ブランヴィリエ侯爵夫人。

★ジョン・コリア《実験室》1895年／ロバート・ブラウニングがブランヴィリエ侯爵夫人の事件に喚起されて書いた同名の詩にインスパイアされた作品

太陽王ルイ十四世の治世下、ヴェルサイユ宮殿などに代表されるロココ趣味が栄華を極めた一方で、悪魔礼拝や毒殺事件、媚薬の売買などが跋扈して、中世の暗黒時代のような迷信に世相は彩られていた。世にいう、ブランヴィリエ侯爵夫人の「毒薬事件」もある種の時代精神の顕れであった。彼女の『告白録』には、毒殺の悪事の数々や少女時代の近親相姦や堕胎、口淫などの淫蕩に耽った事実が列記される。マルキ・ド・サド『悪徳の栄え』の背徳を地で行くような恐るべきその行状は、カトリックのキリスト教教義が席巻していた十七世紀当時では死罪相当の大罪である。

マリー・マドレーヌ・ドーブレ、のちのブランヴィリエ侯爵夫人は、パリ法曹界に影響力のある司法官の六人姉弟の長女として生まれる。とても妖艶な魅力に溢れた栗色の長い髪で碧眼の美女であった。二十一歳でアントワヌ・ゴブラン・ド・ブランヴィリエ侯爵と結婚。侯爵は陸軍士官だったが、才気に疎く、女好きで遊び人のお人好し。賭け事に夢中になり、妻の持参金を使い果たすほど、沢山の遊び人の悪友との交流があった。

そうした中で、ブランヴィリエ侯爵夫人は、たちまちゴータン・ド・サント・クロワなる騎兵隊の士官の男と昵懇になる。ゴータンは侯爵とは違い、才気に富んだ美丈夫。侯爵は自らの不倫の愛に熱中するあまり、妻を顧みることがなかった。ゴータンと侯爵夫人は人目も憚らず、二人して劇場や社交場に出入りしていたので、さすがに司法官である父親の知るところとなり、その権限で王の署名入りの勅命拘引状が発せられ、不届き娘の愛人ゴータンはバスティーユ牢獄に六週間投獄させられる。

しかし、ゴータンは投獄中に、やはり毒薬製造の廉で服役中の、かつてスウェーデン王室のクリスチチ女王に仕えていたイタリア人男性のエクジリと知り合う。エクジリは、法王インノセント十世の御世に百五十人以上の人間を毒殺した典型的な悪人であった。ゴータンはエクジリの弟子になり、出獄してからもエクジリを自宅に招いては、毒薬調合の秘術を熱心に学ぶ。自分を投獄したブランヴィリエ侯爵を呪い、その遺産を手中に収めるべく、ゴータンとブランヴィリエ侯爵夫人は侯爵毒殺を企図したのだ。
ゴータンは「グラゼルの粉」という毒薬を調合。すでにその調合の技はプロ級であったが、その毒薬の毒効を試すために、侯爵夫人はパリ市立慈善病院に毒を盛ったお菓子や果物をもって自ら出向き、解剖の際、その毒薬が露見するかを試した。表向きは、慈善と信心のなせる御業と賞賛されもした。そして毒薬の実験対象は夫人の家の小間使いにまで拡大され、すぐりの実のシロップを与えられ、廃人同様にさせられた。

実験が功を奏すると、すぐさま父親に毎日微量の毒を盛っていく。オッフェモンの領地に侯爵夫人と滞在中に父親は原因不明の病気になり、パリに帰ってからも八カ月間苦しみ死亡する。ここでも侯爵夫人は、熱心に父親を看護したその美徳を讃えられたのであった。

目付け役の父親が没すると、侯爵夫人はさらに放埒になり、良人の徒弟ナダイヤック侯爵との間に、不義の子を産む。そして家庭教師として出入りしていたブリアンクールという若い弁護士の情婦になる。ゴータンとの愛人関係も相変わらず継続し、彼との間に二人の子供がいた。父親の遺産もすぐに蕩尽したのだった。

残された遺産を狙い次に犠牲になったのは弟たちであった。ゴータンは彼女の計画に賛同し、五万五千リーブルの報酬を受ける。そしてゴータンの助手のラ・ショッセに弟たちへ毒を盛らせる。司法解剖の結果、毒殺と認定されるが、侯爵夫人は寸前のところで追及を免れた。しかし、侯爵夫人は余りにも軽率に自分の計画を辺り構わず吹聴するなど、悪徳の権化たるゴータンやその弟子ラ・ショッセに万事を託したのが災いし、彼女は常に秘密を元に脅迫され金を巻き上げられていた。

その後、侯爵夫人の毒殺常習は、さらに拍車がかかり、自分の妹と義理の妹をその毒牙にかける。昔の恋人のブリアンクールにも魔手を伸ばすが、未遂に終わる。最後は、自分の良人とゴータンとの男色関係の疑念から、良人の毒殺を決意する。侯爵夫人は、良人の死後、ゴータンとの結婚を期待していたが、当のゴータンはそんな気持ちは微塵もなく、彼女が良人に毒を盛ったと聞くとすぐさま解毒剤を飲ませる。哀れな良人は、細々と命脈を保つこととなる。

この果てない腐れ縁の侯爵夫人とゴータンとの毒殺のチキンレースは、意外な幕引きを迎える。それは一六七二年、ゴータンの突如の病死であった。侯爵夫人にとっても晴天の霹靂で、ゴータンの病死には毒薬は一切関係がなかった。

彼には法定相続人がいないことから、彼の家や財産の一切が封印された。そのなかで彼の家の中からチーク材で出来た奇妙な小箱が見つかる。警察当局は若干の逡巡の後、小箱を開封すると、この小箱の中の一切合切はブランヴィリエ侯爵夫人に帰趨し、万が一箱を開けたものは侯爵夫人に返却すべしと書かれた手紙と共に、夫人からゴータンへの恋文三十六通。砒素、アンモニア、昇汞《しょうこう》、アヘンなどの劇薬が封入されていた。

侯爵夫人は当然、嫌疑がかけられる。事前に察知した夫人は、箱の中身はすべて虚偽であると吹聴させるなど工作したが、ゴータンの助手ラ・ショッセが逮捕され、足枷の拷問によってその罪状の全てを告白、その日のうちに車裂きの刑で処刑されると水泡に帰した。

英国政府から追放令が発せられると、侯爵夫人はオランダに遁れ、ピカルディ、ヴァレンシエンヌ、リエージュと転々とする。最後のリエージュの地では、ある種の治外法権である修道院に身を潜めるが、フランス司法警察の計略に欺かれ、捕縛される。すぐさまパリに護送されると、街道には有名な毒婦見たさの物見高い人々で溢れた。

警察の押収品の中には、夫人の例の『告白録』も含まれ、少女時代からの性的奔放さや歪んだ性癖、毒殺の罪状が明らかになった。牢獄では獄吏を誘惑したりするもそれが無駄と知ると、ガラスの破片やピンを燕下し自殺を企図するも未遂に終わる。

法廷は一六七六年四月二九日から七月一六日まで開廷。夫人は、常に貴婦人然として毅然と振舞い、判事たちと昂然と向き合い恐れられる。彼女を涙ながらに改悛させるべく様々な証人が出廷したが、彼女はせせら笑うばかりであった。特にかつての恋人でもあったブリアンクールは十三時間にわたり懸命に説得するが、夫人は、「あなたったら泣いているの。男のくせに、意気地がないわね!」と悪態をつく始末。いよいよ舞台は火刑法廷に移ることとなった。

火刑法廷とは、十七世紀ルイ王朝の間に、とくに妖術や毒殺など異例に属する審理を担った国王直属の裁判所で、部屋中に黒い布が張りめぐらされ、昼間でも松明が燃やされており、その情景が火刑法廷の名の由来となった。パリのバスティーユ監獄近くの兵器庫に設けられていた。

★ジャン＝バティスト・カリヴァン《火刑法廷の水責めで拷問されるブリンヴィリエ侯爵夫人》1878年

火刑法廷で夫人は、かのジャンヌ・ダルクも受けた革の漏斗で口から大量の水を注入される水責めの拷問を受け、それに耐え切れず、懺悔聴聞僧に悔悟と赦免を求める。しかし彼女は、パリのグレーヴ広場の断頭台で露と消えることとなる。四十六才になる彼女の容貌はさすがに衰えていたが、ソルボンヌ大学神学教授エドモンド・ピロ師に感化され、完全に改悛と悔悟をした彼女の最期は、聖女のように神々しく見えたそうである。

処刑後、遺体は燃え盛る焔のなかに投げこまれたが、翌朝になると熱い灰の中から彼女の遺骨を拾い上げ、魔除けの護符として売る者がいたらしい。

毒殺を快楽として、自らのパラフィリア（性的倒錯）たる性癖と完全にシンクロさせてしまったブランヴィリエ侯爵夫人のデモーニッシュな人生には、感嘆しかない。

◉参考文献／澁澤龍彦『世界悪女物語』（河出書房新社）
中田耕治『ブランヴィリエ侯爵夫人』（白順社）

★死刑判決を受けた直後のブリンヴィリエ侯爵夫人
（チャールズ・ルブラン画、1676年）

毒でも愛する美しき退廃
――ソログープ『毒の園』

●文と絵＝あや野

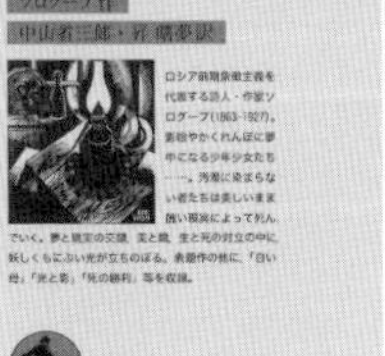

★ソログープ「かくれんぼ・毒の園 他五篇」
（中山省三郎・昇曙夢訳、岩波文庫）

ロシア前期象徴主義を代表する詩人・作家ソログープ(1863-1927)。厭世主義者で「死の吟遊詩人」を自称した彼の作品は、単調でぬるい生活に甘んじている俗世を「絶対的な美」により叩き壊し、「服従せよ!」と圧倒してきます。それらはどれも愛おしく魅惑的ですが、とりわけ「毒の園」は、美しき退廃を愛する乙女小説のような味わいでお気に入りです。

毒のある珍しい植物が数多く植えられた美しい園……その主である高名だが変わり者の植物学者。彼には美しすぎる娘がいて、彼女に恋する青年が登場する(ああ、この文言だけでなんたる甘美!)。陰鬱で幻想的な空気に包まれた二人の出会い……薔薇色のリボンで縛った白い肌の美しい娘……しかし彼女は毒液で養われた残酷な秘密を背負っていた。

香ばしい、疲れを誘うような匂いが、開け放たれた窓から軽い小波のように流れ込む。華尼拉《バニラ》、刺壇、扁桃《アーモンド》の甘いようで辛いような、厳かなようで悲しいような吐息が、歓喜せるお弔いのように……普通の学生生活を送っていた青年も、その強烈な美しき〝毒〟に心身を麻痺させていく。

二人のロマンスは、昼の爽やかな世界とは隔絶されしもの。毒の園の不思議な植物の薄暗い樹蔭で、ふけてゆく月は、哀愁に満ちたその毒と地上の悪い花の毒気とを混ぜ合わせている。彼女の体と華奢な衣服から匂う没薬や、蘆薈《アロエ》、麝《ジャ》香《コウ》の香り。彼女との接吻は〝死〟を意味するのだ……。

「おお私の恋人! もしあなたの接吻のうちに死があるんでしたら、その限りない死を私に飲ませて下さい!

私に寄り添って私に接吻して下さい! 私を愛して下さい!

毒に沁み込んだあなたの呼吸の甘い香りで私を蔽うて下さい!

死のための死を私のからだと私の心に注ぎ込んで、このからだを滅茶滅茶にぶちこわしてください!」

青年の歓喜と慌惚の叫びと共に、蒼白き月光に包まれてゆく。

汚れなき〝美〟のまま散りゆく二人……。

「俗悪な世」からの逃避。

「慰めとしての死」へ陶酔するラストシーン。

短編小説ならではの、淡々とした甘い憂いに脳が痺れます。

青年側の「俗世界」と、毒の園の美女の「別世界」を、黄色のカーテンで揺蕩《たゆた》うように隔つ描き方や、美しい花に何も興味を示さない滑稽な伯爵の死を、「支配階級の滑稽さ」と皮肉を込めたりと、ソログープらしいスパイスが終始散りばめられており、当時のロシア社会の背景と合わせて、もとても楽しめる作品です。

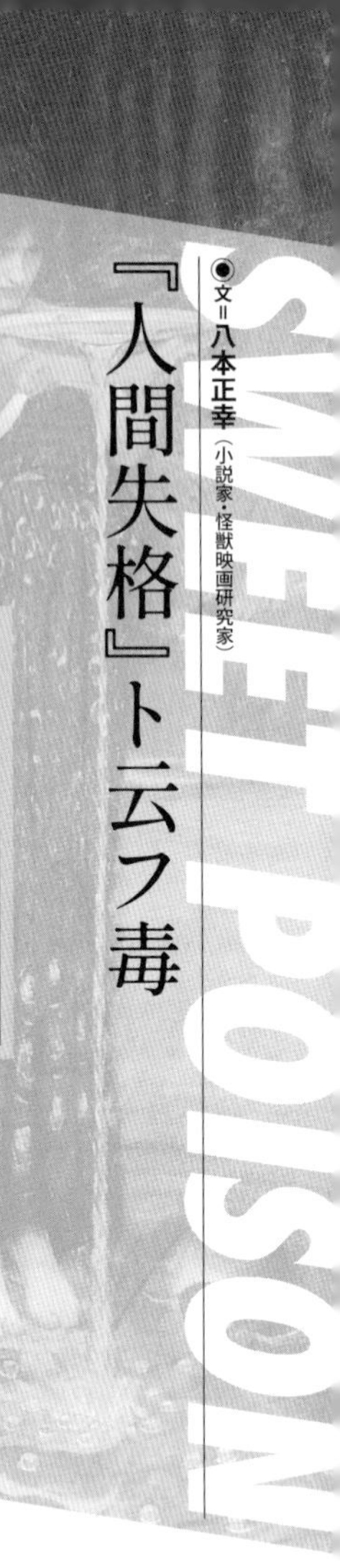

『人間失格』ト云フ毒

●文＝八本正幸（小説家・怪獣映画研究家）

太宰治なんか、大ッ嫌いだ!!

と、まずは言っておく。

こう言うと、たくさんの敵をつくることになるだろうが、もちろん覚悟の上だ。

彼の作品が多くの読者を惹きつけるのは、解らなくもない。特に感受性の鋭い青少年期に出会えば、まるで自分の心の代弁者であるかのように感じて、魅了されるかも知れない。世の中に馴染めず、孤独を感じる者ならなおさらだろう。文学青年が陥りがちな麻疹のようなものと言ってもいいように思う。

だが、麻疹は一過性のものだけれど、太宰は一生まとわりついて来る。

僕の高校時代の現代国語の教師がそうだった。当時たぶん四〇代くらいだったと推定されるその教師は、太宰の話題になると熱が入り、時に涙ぐみつつ語る姿に感銘を受けつつ、どこか違和感も感じた。大の大人をこれほどメロメロにしてしまう太宰という作家に、ある種の警戒心を持ったのである。

今風に言えば「人たらし」ということになるだろうが、彼の作品にはどこか「この人はほっとけない」と思わせるような巧みな仕掛けが施されているように思われる。

作品と作者とは分けて考えるべきだろうが、こと太宰治に関しては、その生涯とともに作品が語られ、あるいは混同されることが他の作家よりもはるかに多く見受けられる。

いわゆる破滅型の作家である。

残された写真を見ると、特別美男子というほどではないけれど、どこか女心をくすぐるような甘さをたたえている。これも今風の言い方をするなら、典型的な「ダメンズ」と言えるだろう。こういう人の特徴は、とにかく人に甘えるのが巧いということにある。相手を「私が何とかしてあげなくては」という気分にさせてしまうことが、悪魔的に巧いのだ。そしてそのための手練手管も日々磨き上げられて行く。

太宰が生きた歳月よりもずっと長く社会人として生き、一般企業で文字通り汗水垂らして働き、世間を渡り歩いて来た今、彼の作品を読み直すと、金持ちの坊っちゃんの戯れ言としか読めなくなっている自分がいる。

三島由紀夫が太宰を嫌ったことは有名な話だけれど、「道化」を自らのパフォーマンスとした太宰と、『仮面の告白』を書いた三島とは、どこか同じ穴の狢のような匂いがする。どちらも最終的には一人では死ねなかったところも似ている。ただし、これは「混ぜるな危険」という気配もするので、ここでは深く追求しないことにする。

こうしてすっかり太宰嫌いになってしまった僕だけれど、ただひとつ、『人間失格』という作品だけは長い間心にひっかかっているのだ。

この作品を名作とか傑作とか言うつもりはない。だけど、これにはあらがいがたい魅力、というよりは「魔力」があることを認めないわけには行かない。

『人間失格』は、太宰が女性とともに入水自殺する直前に書き上げられ、遺稿ではないものの、実質的な遺作である。死を覚悟して書かれたものであることは明白であり、そこには異様な迫力がある。

主人公は、作者自身の分身ともいうべき大庭葉蔵という男で、彼の手記というかたちでその半生が語られる。

葉蔵は幼い頃より「人間」との関わりが不得手であり、その対応策として「道化」という手法を編み出すのだ。

「そこで考え出したのは、道化でした。

それは、自分の、人間に対する最後の求愛でした。自分は、人間を極度に恐れていながら、それでいて、人間を、どうしても思い切れなかったらしいのです。そうして自分は、この道化の一線でわずかに人間につながる事が出来たのでした。おもてでは、絶えず笑顔をつくりながらも、内心では必死の、それこそ千番に一番の兼ね合いとでもいうべき危機一髪の、油汗流してのサーヴィスでした」（『人間失格』「第一の手記」より）

★太宰治（1944年）

太宰が生涯をかけて仕掛けた文学というかたちの猛毒

誰にでも対応が困難な局面に遭遇した時、作り笑いを浮かべることでしか状況を乗り切れなかった体験は少なからずあるだろう。あるいは、他人には重要なことでも自分には特に関心のないことに対して、愛想笑いでやり過ごしたことも……。

そうした人間社会とのつきあい方が、いささか露悪的に描かれることによって、読者はそれがあたかも自分自身のことを言い当てられたような気分になって来る。あとは雪崩れるように転落の人生が描かれて行く。

裕福な実家からは勘当され、愛してもいない女との心中には失敗し、社会主義運動にも、かろうじて得た漫画家という仕事にも身が入らず、あげくの果てにはやっと心惹かれてめとった妻を眼の前で犯され、薬物に溺れ、廃人と化して行く。その描写は、太宰本人の実人生とも重ねられて、鬼気迫るものがある。

幼い頃の主人公の道化に自分自身を重ねた読者は、最悪の結末を見せつけられる。しかし、人間は自分を「悲劇の主人公」に見立てたがる不思議な習性がある。主人公をおのれの分身のように見てきた読者は、そこに堕落の果ての甘い陶酔すら感じるのだ。

そしてだめ押しのように「あとがき」では、主人公をよく知る女性に「神様みたいにいい子でした」と語らせる。

道化と堕落と絶望の人生を肯定するように終わるこの一冊は、太宰が生涯をかけて仕掛けた文学というかたちの猛毒である。

それを好むのも、嫌うのも、それ相応の覚悟が要る。太宰が嫌いということはつまり、そういうことだ。

KCNはアーモンドの香り
——ふたつの『白い家の少女』

◉文＝宮野由梨香（評論家・人類史研究家）

高校生の時に、ジョディ・フォスター主演の映画『白い家の少女』(一九七七年日本公開／ニコラス・ジェスネル監督)を観た。

少女リンは海辺にある白い家に住んでいる。紅茶とクッキーで客をもてなす。その紅茶にはKCN＝青酸カリ[1]が溶かし込まれている。

「このお茶、アーモンドの味がするね」と客は言う。「アーモンド・クッキーのせいだと思うわ」[2]と少女は応じる。

この紅茶が異様に美味しそうに見える[3]のは、何故なのだろうか？

既にその時、私にとって「紅茶といえば青酸カリ」だった。

萩尾望都『トーマの心臓』にこんなシーンがある。

寄宿舎で同室になったエーリクに、ユリスモールが「お茶のむ？　パックだけど」と尋ねる。「そりゃどうも」と応じたエーリクは、小壺に貼られた「KCN」の文字に「青酸カリ…？」と戸惑う。

「それはオスカーのお遊びだよ　ちゃんと砂糖がはいっている」とユリスモールは説明する[4]。

これを読んだのは、中学生の時だった。青酸カリが危険な毒薬だと知っていたし、Kがカリウム、Cが炭素、Nが窒素ということも理科で教わっていた。しかし、青酸カリがKCNだという認識はなかった。

★(右)DVD『白い家の少女』(発売：ソニー・ピクチャーズエンタテインメント)※白い家の中で、リンはいつも裸足だ。
(左)レアード・コーニグ『白い家の少女』加島祥造訳(新潮社)※リンは髪の美しい少女。

驚いた私は、居間に走った。

「お父さん、青酸カリって、KCNなの？」

冬の夜だった。毒物劇物取扱責任者の資格を持つ父は、こたつでミカンを食べていた。

「ああ、そうだよ。シアン化カリウムだ」

「でも、KもCもNも、割とどこにでもあるよね？」

「ああ、どこにでもある。このミカンの中にもたっぷり入っている」

「危なくないの？」

「それを危ないと言うのは、砂漠の真ん中で水を欲しがる人に『水はH_2Oだよ。水素も酸素も目の前の空気中に沢山あるよ』と言うようなものだ」

「……」

翌日、私は角砂糖の入れ物に「KCN」のラベルを貼った。塩の入れ物ではいけないのだろうと、漠然と考えた。毒は甘くなくてはならない。狂言『附子《ぶす》』だって、毒物の正体は砂糖だったではないか。

○

映画『白い家の少女』（原題『The little girl who lives down the lane』）はミステリーである。レアード・コーニグが一九七四年に発表した同名の小説を原作としている。

本稿を書くにあたって約五十年ぶりに映画をDVDで見直した。そして、原作の小説を読んで驚いた。映画版と小説版ではヒロインの性格も結末も異なる。映画版のリンは、誰も「毒殺しよう」としていない。高校生の時の私は、そのことに全く気がつかなかった。

ミステリーの結末を明かすことは本来ルール違反であろうが、この作品のことを思い出したり興味を持ったりして戴けたらと思い、敢えて書く次第である。

舞台はアメリカのロングアイランド[5]である。十三歳の少女リン・ジェイコブスの住む白い家は、通りから外れた場所にある一軒家だ。そこにたった一人で住んでいる。

もともとはロンドンに住んでいた。リンの父は詩人だった。母から虐待されて痣だらけのリンを見て離婚し[6]、男手ひとつでリンを育て上げた。

自分がガンで死期が近いことを知った父は、リンと旅に出る。そして、海辺にある白い貸家を見つける。ここでなら、ひっそりと無事に暮らせるかもしれない。

この家を借りる契約をして三年分の家賃を前払いした後に、父は姿を消す。どうやら投身自殺したらしい。死体が発見されることがないように海流を研究した跡が残されていた。

父は、財産目当ての虐待母の手の内にリンが落ちることを恐れたのだった。その遺志を受けて、リンは自分が一人暮らしであることを隠し続ける。タバコの匂いを立たせて父の存在を偽装したり、父は仕事中で絶対に邪魔をしてはいけないと指示されていると説明したり、出版社の人と食事をするために外出中だと言ったりする。その努力もむなしく、姿を見せない父や、一人で銀行に行くリンを不審に思う大人が周囲に増えていく。

白い家の大家はこの町の名士だった。一家には成人している息子がいたが、彼は少女を狙う変質者だった。警察をも牛耳る一家の権勢によって、彼が起こしたわいせつ事件はもみ消されていた。どうやら一人暮らしであるらしい美少女リンに、彼は目をつける。何か事が起きない内にと、大家はリンを追い出そうとするが、リンは出て行くわけにいかなかった。白い家の地下室には、既に訪ねてきた虐待母の死体が隠してあったからだ。

リンの供するアーモンドの香りがする紅茶を飲んで、彼女は死んだ。

映画版では、白い薬をリンに与えて、虐待母が来たら飲ませて「おとなしく」させるように指示したのは父だった。それが青酸カリであることをリンは知らなかった。飲ませた後の症状で知ったのだ。

小説版では、父はただ「生き抜け」としか指示していない。青酸カリの使用はリンが自ら判断して行っている。青酸カリは、白い家の前の住人が置いていった写真用の薬品の中にあった。

父の指示と成り行き任せで行動している映画版のリンに対して、小説版のリンは怜悧かつ意志的である。ジョディ・フォスター演ずる映画版のリンも魅力的だが、小説版のリンの方がより象徴性の高い存在として描かれている。その鋭い刃物のような美しさは読む者を圧倒する。

○

「あらゆる物質は毒である。毒になるか薬になるかは、容量によるのだ」[7]パラケルススの有名な言葉である。すべてのものが「毒」になり得る。生存に欠かせない酸素でさえ、濃度が濃すぎると毒になる。一方、たいていの毒草は少量なら薬として使える。例えばトリカブトだって少量なら強心薬や鎮痛剤になる。

「毒」という絶対的な物質があるのではない。「毒性」という相対的な性質として作用するところに現れるものを、我々が「毒」と名付けているにすぎない。

容量というのは相対的なものだ。相手の感受性によっても働きかけは異なってくる白雪姫の王妃や、『三銃士』のミレディーなど、毒薬使いの女と言えば美女と相場が決まっている。リンも美少女であるが、美女の欲望が世俗にまみれているのに対して、この美少女は世俗に押し潰されかけている自らの実存を守るために毒薬を使う。原題"The little girl who lives down the lane"も世俗からの逸脱を示しているし、邦題中の「白」も世俗に染まることを拒んでいるリンの実存の象徴であろう。

我々は自分が既に「白」ではないことを知っている。

リンのふるまう紅茶とクッキーが美味しそうに感じられるのは、そのせいなのだろうか。

世俗の中で生きる者にとって『白い家の少女』は甘やかな毒である。そして、それは世俗の毒を中和する薬ともなり得る。

リンは学校に通っていない。「学校って、人間を無能にするわ」(8)と、彼女は言う。たった一人でも美味しい料理を作り、床を磨く。清潔にした床の上で、裸足で過ごす。ヘブライ語の勉強をし、詩を暗唱し、レコードに聴き入る。

「あんた、十三歳でしょ?」「どうして学校に行かないの?」

白い家の大家の女性は、自分は教育委員会の議長だと言い、「子供はみんな学校に行かねばならないのよ」(9)と、リンを責め、父親との面会を要求する。リンの将来を思ってのことではない。変質者の息子が面倒を起こす前に、リンをこの町から追い出してしまいたいだけだ。

この女性も白い家の中で死ぬ。映画版では事故であるが、小説版では意図的な殺人である。

どちらのリンも、遺体と彼女が乗ってきた車を持てあます。

小説版でのリンは、ガソリンスタンドに電話をかけて、「父の車」の駅までの移動を依頼する。「別に機械にくわしい人でなくってもいいの。運転さえできればいいんです」(10)という要請を受けて自転車に乗って現れたのは、ガソリンスタンドの息子である少年だった。彼は車が大家の女性のものであることを一目で見抜く。

映画版では、リンが自ら車を動かそうとしているところに、たまたまその少年が通りかかったという設定になっている。

少年に懇願するのは、どちらのリンも同じだ。

「お願い」「あたし、あなたに助けてもらいたいの」(11)

少年は自身の判断で、車を駅ではなく大家の女性の事務所に戻し、「白い家」に引き返す。

改めてリンの美しさに目を見はる少年(12)に、リンは食事をふるまう。ラム・チョップの焼肉・バターをつけたブロッコリー・パセリをあえたジャガイモ。食べた少年は「君、料理がうまいんだなあ」と感嘆の声をあげる(13)。かくて彼は遺体の処分にも手を貸すことになる。

雨の中での穴掘りと死体の移動という重労働の後、勧められるままに入浴した彼は、そのままリンと関係する。二人とも初体験だ。体力を使い果たした彼は風邪をこじらせ肺炎になる。たぶん、死ぬことになるだろうが、それはリンの意図したことではない。

「色仕掛けと手料理で、少年をたらし込もう」などという意識はリンにはない。そして、心から彼のことを「愛してるわ」(14)と言うようになっていく。

死にかけている少年を前に、映画版のリンはつぶやく。

「父が決めたの。生き方も行動も。でも、もうダメ」

これに対して、小説版のリンは自分がやったことを父親のせいにはしない。それだけに、愛する少年が死に瀕していることに対する責任を自覚している。そして、「助ける方法」(15)を持たない自分の無力に絶望する。

どちらのリンもハロウィンの日に生まれた(16)。まるでキラー因子を持つゾウリムシのように関わる者の命を奪っていく魔的な存在だ。この時、少女はそう気づいた。

それまでのリンが知っていたのは、「白い家」で裸足で過ごしている自分にとって、土足で押しかけてくる「世俗」は「毒」だということだけだった。世俗に埋没して生きる人々にとって、自分の存在そのものが「毒」なのかもしれないということは、考えてもみなかったのだろう。

○

大家の息子は、母の行方不明をリンの仕業と察し、リンを脅迫する。彼は、リンの可愛がっていた白ネズミのゴードン(17)にタバコの火を擦り付け、暖炉の中に投げ込むという蛮行に出る。弱いものに対して力をふるうのが大好きという点で、彼と母親は全く同じである。それは「世俗」のある一面を示している。

物語の最後において、リンの淹れる紅茶を飲むのは彼である。

★『白い家の少女』映画パンフレット
※ラストで、リンはかすかに涙ぐんでいる。

リンを信用していない彼は、紅茶に口をつける前に、自分のカップとリンのカップを交換することを要求した。リンはそれに応じ、かつ、先に飲むことを求められて、それにも応じた。

映画において、リンは紅茶を用意しながら自分のカップにだけ青酸カリを入れた。

高校生の時の私は、リンは交換を求められることを見越していたのだろうと思った。

今の私は、リンは自分が死んでもいいと思っていたのだと判断している。

自らが「毒」であることに深く絶望した少女

映画は、紅茶を飲み終えた男を見つめるリンを大きく映し出して、幕を閉じる。

……どうしてこうなってしまうの?

自らが「毒」であることに深く絶望した少女の姿がそこにある。

小説版では、最後にお茶を淹れる場面で、毒薬を入れたかどうかについて何も書かれていない。

「このお茶、アーモンドの味がするね」と彼は言う。

「アーモンド・クッキーのせいだと思うわ」とリンは答える。

物語は、ここで幕を閉じる。

彼が死んだか、リンが死んだか、両方とも死んだか、それとも、本当にアーモンドの味はクッキーのせいだったのか? その判断は読者に任されている(18)。

○

白い家の少女のふるまう紅茶とクッキーは美味しそうである。毒が入っているにもかかわらず、ではない。入っているからこそ、美味しいのだ。

それは、我々が世俗の中でしか生きられない身でありながら、そこから脱することを心の奥底で望んでいるからなのかもしれない。

◉注

(1)青酸カリからアーモンドの香りがするというのは不正確な情報であるらしい。青酸カリを盛られた被害者からアーモンドの花のような香りがするというのはアリのようである。

(2)レアード・コーニグ『白い家の少女』加島祥造訳(新潮社)一九八頁。以下、引用は同書による。

(3)青酸カリ入りの紅茶は実際は苦くて美味しくないらしいが、この物語において「毒入り紅茶」というのは象徴と考えて然るべきものだろう。

(4)萩尾望都『トーマの心臓』(小学館プレミアム版)二〇二頁

(5)二二七頁

(6)映画版では、離婚していない。母は家出したという設定になっている。

(7)特別展「毒」図録(国立科学博物館)一二一頁

(8)七五頁

(9)三〇頁

(10)七〇頁

(11)七七頁

(12)七九頁

(13)八一頁

(14)一七三頁

(15)一七三頁

(16)この物語は、ハロウィンの晩に誕生祝いをするリンを描くところから始まっている。

(17)映画版では白ネズミではなく、茶色いハムスターである。ゴードンという名前からはダニエル・キース『アルジャーノンに花束を』の主人公の名前が連想される。利発すぎるが故に集団から浮いてしまうリンの仲間にふさわしい名前だ。また、白という色はリンと深く結びついている。ここはやはり白ネズミでなければならないところだろう。

(18)交換を要求されたリンが「カップが小さく音を立てるのを懸命に押えた」(一九七頁)とある箇所からはリンが飲んだ方にKCNが入っていると思えるが、先に紅茶に手をつけたリンには何も起こらないし、アーモンド味の指摘をするのは、男の方である。

◉文＝阿澄森羅（小説家・シナリオライター）

まさかの時の猛毒豆知識
——有名毒物の科学と雑学

この原稿のために、自宅の毒関連本（小説や脚本の資料として大量にある）を読み返しつつ、自分が「致命的な毒」を意識したのはどこからか考えてみたら、一休さんのトンチ話「和尚さんの水飴」ではないか、との解答が弾き出された。有名なので詳しい説明は省くが、水飴を「大人には薬だけど子供には猛毒」と説明するのが物語のキモだ。原型は鎌倉時代に成立した仏教説話集『沙石集』の一編『児の飴食ひたる事』で、狂言の演目『附子』も同じ話を元にしている。こちらは砂糖を「附子の毒」と偽ることが中心になるのだが、附子とは何かと言えばトリカブトの根である。

【トリカブト】*Aconitum*

キンポウゲ科トリカブト属の総称で、舞楽の装束として頭にかぶる「鳥兜」に花の形が似ているのが名前の由来。全草が有毒だが塊根は特に毒性が強く、アコニチンを主成分に致死性の高い毒を複数含む。摂取すると痛みを伴う痺れが全身に生じ、嘔吐・痙攣・不整脈・呼吸困難などが引き起こされ、場合によっては心室細動で死に至る。アコニチンの致死量はソースで数値に幅があるが、2～6㎎としているものが多い。

★ホソバトリカブト
（Wikipediaより）

清水藤太郎『日本薬学史』によれば、日本初の本格的法典『大宝律令』の改訂版『養老律令』(757年施行)では鴆毒《ちんどく》・冶葛《やかつ》・烏頭・附子が致死性の毒として挙げられ、使用と販売は死罪、不法所持でも流罪と記されているという。これらの内、附子は前述の通りトリカブトの根（子根）で、烏頭もまた根の別部位（母根）になる。鴆毒は伝説の鳥「鴆」の羽根に含まれるとされるが、実は砒素化合物だった説が有力だ。冶葛は諸説あったが、現在では東南アジア原産のゲルセミウム・エレガンスと判明している。中国では断腸草の名で知られる猛毒植物で、有毒成分であるゲルセミンの致死量は3～5㎎。

そんな歴史あるトリカブト、近年では誤食による中毒は時々起こるものの、毒殺事件での登場は殆どない。例外的に有名なのは『トリカブト保険金殺人事件』ぐらいだろう。

86年5月、沖縄を旅行中の新婚夫婦の妻（以下A）が急死。司法解剖では心筋梗塞と診断されるが、マスコミは夫の神谷力に疑惑の目を向けた。Aが死の一ヶ月前に支払い額が二億円近い死亡保険に入っていたり、三度結婚した神谷の妻が全員三十代で亡くなっていて、死因が三人とも心臓疾患だったりと、状況証拠が真っ黒だったのが主な理由だ。翌年には保管されていたAの血液の再検査が行われ、アコニチンなどが検出されて物的証拠までが揃い、警察の捜査も本格化した。しかし、神谷は逮捕を免れ続ける。

アコニチンは即効性で、摂取後すぐに中毒症状が現れる。カプセル錠で飲ませても、効果の遅延は数十分が限度だ。事件当日、神谷は途中から別行動を取っていて、Aの発症は別れてから一時間四十分も後になる。なので神谷には毒殺が不可能、とのアリバイが成立していたのだ。しかし、疑惑を残して未解決で終わるかと思われた事件は、発生から五年後に急展開を迎える。

巨額の横領容疑で逮捕された神谷は、拘留中にAの殺人容疑で再逮捕される。捜査の中で、大量のクサフグを購入していたことが判明し、これが神谷のアリバイを崩すことになる。アコニチンとフグ毒のテトロドトキシンは、同時に服用すると毒を打ち消し合う拮抗作用が起こり、症状の発生を遅らせるのが可能となるのだ。

その後、無期懲役の判決が下され、神谷は服役中の12年に病死する。

神谷は冤罪を訴え続け、逮捕後に二冊の本を出している。一冊目の『被疑者 トリカブト殺人事件』(かや書房・95年)は、弁明が無理筋すぎて読むほどに疑惑が深まる奇書なので、機会があれば一読をオススメしたい。

★河鍋暁斎「狂斎百図／小坊主に天狗八人 ふぐハ喰いたし命はおしい』

【フグ】*Tetraodontidae*

フグ目フグ科の生物の総称（若干の例外もある）で、殆どの種が神経毒のテトロドトキシン（TTX）を有するのが最大の特徴。中毒症状としては、まず摂取の数十分から数時間後に指先・唇・舌など痺れが生じ、眩暈で歩行が困難な状態に。更に悪化すると体の各部で麻痺が進行し、同時に知覚異常や言語障害や血圧降下なども発生。麻痺の影響が呼吸筋まで及ぶと呼吸困難に陥り、それが原因での呼吸停止によって死亡する。

TTXはフグの体内で生成されていると考えられていたが、近年では有毒な生物を餌にすることで生物濃縮が起こり、TTXが蓄積されるとの説が有力だ。事実、無害な餌で育てた無毒フグの養殖にも成功している。ちなみに、フグと同じルートでTTXを蓄積している生物は他にも確認されていて、面白ネーミングで有名なスベスベマンジュウガニもその一つ。迂闊に触ると死ぬタコとして悪名高いヒョウモンダコも同じ毒を持つが、こちらはTTXの獲得経路が不明となっている。

現状では、テトロドトキシン中毒の治療法や解毒剤は存在しない。唯一の有効な救命手段は、毒が体内で代謝されるまで人工呼吸を続けることだ。TTXは高熱で調理しても分解されず、経口致死量は1～2㎎。主に内臓に多く含まれるが、フグの種類によって危険な部位が異なり、同種でも季節によって毒性が変化するなど、厄介極まりない性質となっている。なのに何故わざわざフグを食うのかと言えば、偏に「美味だから」に尽きる。

フグは石器時代から食用にされていたようで、各地の貝塚から骨が発見されている。当然ながら毒性も知られており、古代中国の地誌『山海経』には「肺魚（長江で獲れるフグ）これを食えば人を殺す」との記載がある。16世紀末、文禄の役に従軍するために集まった兵が、フグを知らずに食べて中毒する事故が続出し、秀吉が「フグ食うべからず」の禁札を出したエピソードも有名だ——けれど、これは出典が不明で信憑性が疑わしい。

特に毒性が強い部位は肝臓と卵巣だが、この卵巣を材料にした郷土料理が北陸の各地に存在する。石川県の「フグの卵巣の糠漬け」と佐渡島や福井県の「フグの卵巣の粕漬け」だ。どちらも数年の塩漬けの後、水洗いしてからまた数年米糠や酒粕に漬ける。すると毒が消えて安全な珍味へと変貌するのだという。そこまでして危険物を食う執念も恐ろしいが、毒が消えるメカニズムが未だに不明なのがまた奇々怪々だ。

【青酸カリ】*Potassium cyanide*

世間でイメージされる猛毒を代表するのは、やはり青酸化合物だろう。おそらく過去の創作で毒殺された人物の半数以上は青酸で死んでいる。ミステリーやサスペンスでの描写から僅かな量で即死すると思われがちだが、実際の経口致死量は200～300㎎と結構な余裕がある。

青酸カリや青酸ナトリウムが体内に入ると、胃酸と反応して青酸ガス（シアン化水素）を発生させる。有名な「アーモンド臭」はこの臭いだ。血中に取り込まれた青酸は、細胞呼吸を阻害して機能不全に陥らせ、脳や臓器に深刻な損傷を与える。中毒症状は頭痛や眩暈、呼吸や脈拍の増加から始まり、重症化すると昏睡・痙攣・呼吸停止などを起こし、急速に死へと向かう。

危険な毒ではあるが、救命法は存在する。摂取量が少なく、まだ意識が残っている場合は胃洗浄が有効。解毒法としては、気化した亜硝酸アミルを吸入させて、血液中の青酸を無毒化させるのが現在の主流だ。絶対にやってはいけないのは、マウストゥマウスの人工呼吸。これをやると、治療者が患者の体内に残る青酸を吸入するハメになる。

1935年（昭和10年）11月、浅草の喫茶店で何者かと同席していた小学校校長が、青酸カリの混入された紅茶を飲んで死亡し、所持していた大金（教職員の給料）を奪われたのが、日本初の青酸殺人とされている。小学校の出入り業者だった犯人は当日中に逮捕され、事件は即時に解決したものの、報道で青酸カリの強力さと入手の容易さが周知され、日本中で青酸自殺が大流行してしまう。

この件で一躍メジャーになった青酸は、終戦直後の48年に発生し11名の犠牲者を出した『帝銀事件』から、黒川博行の『後妻業』を髣髴とさせる冷酷な犯行で世間を騒がせた14年の『関西青酸連続死事件』まで、様々な事件で活用されている。

第一次大戦で毒ガスとして投入されたこともあったが、強い臭いで簡単に察知されるのと、拡散が早すぎて濃度を保ち難いせいで、兵器としては役立たずだったそうだ。だが、そんな青酸は第二次大戦中に膨大な人数を殺戮する。ホロコーストで使用された『チクロンB』の主成分として。

【砒素】*arsenic*

創作で最も使われたのが青酸なら、現実の毒殺で最も使われたのは砒素（亜砒酸・三酸化二砒素）だろう。ほぼ無味無臭で、投与する量によって症状の調節が可能なので、急性中毒での突然死から慢性中毒での衰弱死まで、各種状況を演出できる。毒殺を試みる側にしてみれば、亜砒酸はどこまでも使い勝手がいい代物だ。

ボルジア家が駆使したとされる伝説の毒『カンタレラ』の主成分も、亜砒酸であった可能性が高い。製法は失われているが、18世紀の神聖ローマ皇帝カール6世の侍医ガレッリは「殺した豚の内臓に亜砒酸を塗し、その腐敗汁を精製したもの」と推測している。

人の体内に入った砒素は、細胞内の酵素と結合して細胞のエネルギー生産を阻害する。代謝しきれない多量の砒素を摂取してしまうと、細胞の破壊が進行して様々な臓器に機能障害を起こしたり、癌が発生したりと、致命的な状況を招くこととなる。

急性中毒では、嘔吐・下痢・痙攣・胃痛・腹痛・意識障害・多臓器不全などの症状があり、慢性中毒では胃腸障害・皮膚障害・肝機能障害・血液の異変・脱毛・顔面浮腫などが現れる。純粋な砒素の半数致死量は50g前後だが、亜砒酸になると100～300㎎と比べ物にならない猛毒と化す。治療薬には重金属中毒の解毒に用いるジメルカプロール、ジメルカプトコハク酸（サクシマー）などがあるが、急性中毒にしか効果はない。

やがてこの便利な毒は、あらゆる場所で使われるようになっていく。欧州での銀食器の流行や、中華料理が大皿から銀の箸で取り分けるのは、亜砒酸での毒殺を警戒したのが主な理由とされる。亜砒酸は主に硫砒鉄鉱を焼いて作成したので、成分中に残った硫黄が銀と反応し黒くなれば毒が盛られている、と判断したらしい。この手法は検死にも用いられ、宋代の法医学書『洗冤集録』では、毒殺が疑われる死体の喉や肛門に銀の簪を挿入し、変色の有無を確かめる検査法が紹介されている。

そこまで警戒されても、効果の強烈さから亜砒酸は使われ続ける。17世紀のイタリアで人気を博した化粧水『トファナ水』、江戸時代後期の日本で殺鼠剤として売られた『石見銀山』など、多量の亜砒酸を含んだ商品が流通し、入手が容易だったのもある。しかし、1836年に開発された新式の検出法によって、亜砒酸を取り巻く事情は一変する。高精度の検査が可能になったことで、亜砒酸は毒殺の証拠を被害者の体内に残す「愚者の毒」と呼ばれるまでに地位を転落させた。

とはいえ、汚染された工業用添加物を使い、一万人を超える中毒患者（死者130人）を出した『森永砒素ミルク中毒事件』や、町内会の夏祭りで提供されたカレーに亜砒酸が混入され、67人の中毒患者（死者4人）を出した『和歌山毒カレー事件』など、どんな愚者が使おうとも多大な被害を巻き起こす毒性に変化はない。

【万物】*anything and everything*

ここまで猛毒の代名詞と言える四種を紹介してきたが、これらは人体に有害なだけの物質ではなく、使い方でどうとでも変化するものだ。医学者でもあり、化学者でもあった錬金術師パラケルススも「あらゆる物質は毒であり、それが毒のままか薬になるかは用量が決める（大意）」という言葉を残している。

トリカブトは附子も烏頭も漢方の重要な生薬で、附子は八味地黄丸（ハルンケア）にも配合されている。フグ毒は習慣性のない鎮痛剤として、中国では末期癌患者に投与されている。青酸化合物は単体では医療に使われないが、薬品の合成・金の精錬・金属メッキなどで幅広く利用。砒素は過去には梅毒治療薬『サルバルサン』や虫歯の神経破壊に用いられ、現在では急性前骨髄球性白血病の治療に高い効果を発揮している。

ともあれ「和尚さんの水飴」は存在しない――というオチで終わろうとしたが、似ているものを思い出した。古代から甘味料や薬品として使用され、現在では各種効能が認められて健康食となった蜂蜜だ。蜂蜜は低確率でボツリヌス菌を含んでいるが、これは芽胞と呼ばれる休眠状態なので毒素は出さず、通常は摂取しても問題なく体外に排出される。しかし、一歳未満の乳児は内臓の環境が整っておらず、菌が活動を開始して中毒症状を起こしかねない。その毒であるボツリヌストキシンは、1gで百万人の致死量となる、自然界最悪クラスの毒性。「まさか」の危険は、意外な場所に潜んでいるのだ。

●主要参考文献
『図説　毒と毒殺の歴史』ベン・ハバード／原書房／2020
『世界毒草百科図鑑』エリザベス・A・ダウンシー、ソニー・ラーション／原書房／2018
『毒　青酸カリからギンナンまで』船山信次／PHP／2012
『事件からみた毒　トリカブトからサリンまで』杜祖健／化学同人／2001
『歴史を変えた毒』山崎幹夫／角川書店／2000
『フグはなぜ毒をもつのか　海洋生物の不思議』野口玉雄／NHKブックス／1996
『毒物犯罪カタログ』国民自衛研究会／データハウス／1995
『毒薬の誕生』山崎幹夫／角川書店／1995

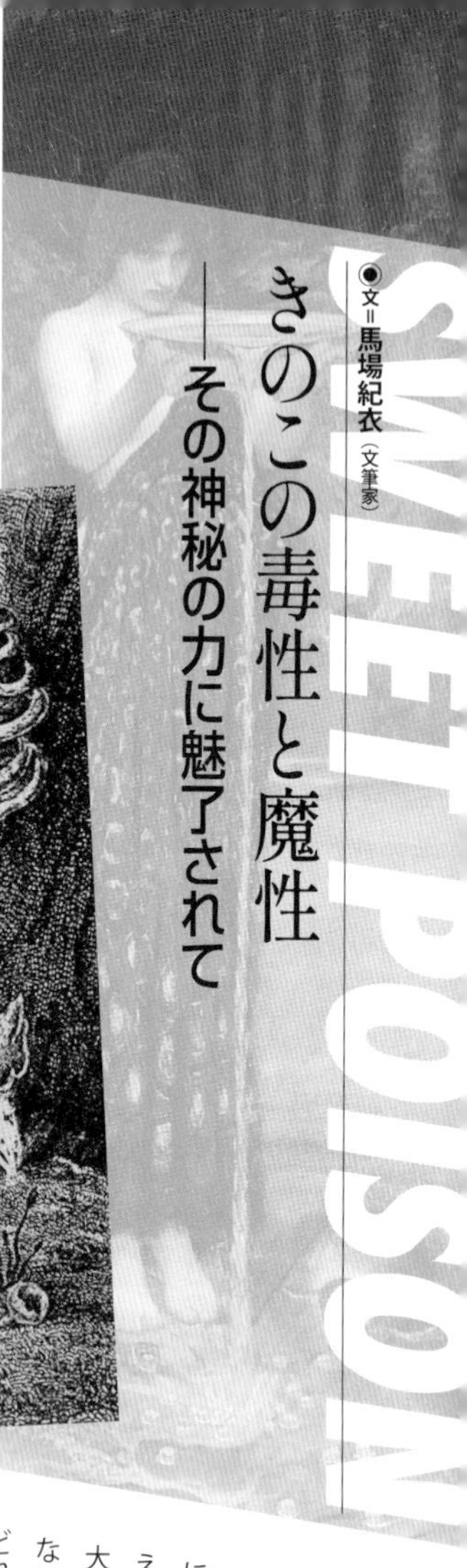

きのこの毒性と魔性
——その神秘の力に魅了されて

◉文＝馬場紀衣（文筆家）

Mycologyとは、菌類学のこと。マイコ（Myco）というのは、古代ギリシャ語のミュケースからきているらしい。それがどのような見た目をしているのか、どこに群生しているのか、わたしはさっぱり知らないのだけれど、食べられるきのこである、ということだけは知っている。

英語では菌のことをファンジャイfungiという。これはラテン語のフングスfungusが由来。もとをたどると、ギリシャ語のスフォンギスからでたもので、これは地中海で採れる「スポンジによく似たトリュフ」のことなのだと、きのこ学の第一人者、小川真先生が書いていらした。

きのこの世界は広大だ。地上にあるきのこの種類をすべて数えるのは、おそらく無理だろう。大半は顕微鏡で見なくてはならないほど小さいし、未発見の種がどれほどあるかは専門家の間でも意見が分かれているのだ。ノルウェーでは、四万四千種のきのこが確認されているけれど、これはきのこ全種のおよそ20％にすぎない。そのうえ、森で見かけるきのこは全有機体のほんの一部なのだと、文化人類学者のロン・リット・ウーンは、自著のなかで驚きと神秘に満ちたきのこの世界を綴っている。

きのこの話題はつきない。とにかく、古今東西、みんなきのこに夢中なのだから。美味しいから、という理由だけではない。おそらく、きのこのもつ神秘性、その毒性と魔性に皆、魅了されているのだ。

『今昔物語集』のきのこ

平安時代の『今昔物語集』は、本それ自体が多くの謎と伝承を秘めて

いる。ここには、きのこを巡る話が5つある。いくつか紹介しよう。

今は昔、金峯山の別当をしていた老僧がいた。「あいつが死ねばわしが次の別当になれるのに」と、ひがんだ次席の僧は、仏の道の者とは思えない行動にでる。食べれば中毒で死んでしまう「わたり」というきのこを平茸と偽り、老僧に食べさせたのである。しかし老僧は平然としていて、死ぬ気配がない。実はこの老僧「わたり」ばかり食べていて、一度も毒にあたったことがないらしい。これは『金峯山の別当、毒茸を食いて酔わざる話』を簡単にまとめたもの。

きのこの説話をもうひとつ。今は昔、木こりたちが山へ出かけて道に迷ってしまった。すると山の奥から、尼さんたちが踊りながら姿を現した。木こりは恐る恐る、舞っている理由を訊ねた。話によれば、花を摘みにきて道に迷い、空腹からきのこを採って食べたところ、心ならず舞いだしたという。空腹だった木こりたちも、飢え死にするよりはと尼たちが食べ残したきのこを食べた。すると案の定、尼も木こりも舞いながら、笑いだした。しばらくすると酔いが醒めたようになって、めいめい帰路についたという。以来、このきのこのことを「舞いたけ」と呼ぶようになった。

これは『尼ども、山に入り茸を食いて舞う』という話で、何度読んでも、なんてまぬけな人たちだろうと思う。でも、みんな一緒に額に汗して、腹を抱えて、笑い転げている狂乱の場面を想像すると、滑稽で、陽気で、背筋の凍る恐ろしさがある。わたしには幽霊なんかより、こっちのほうがよっぽど怖い。

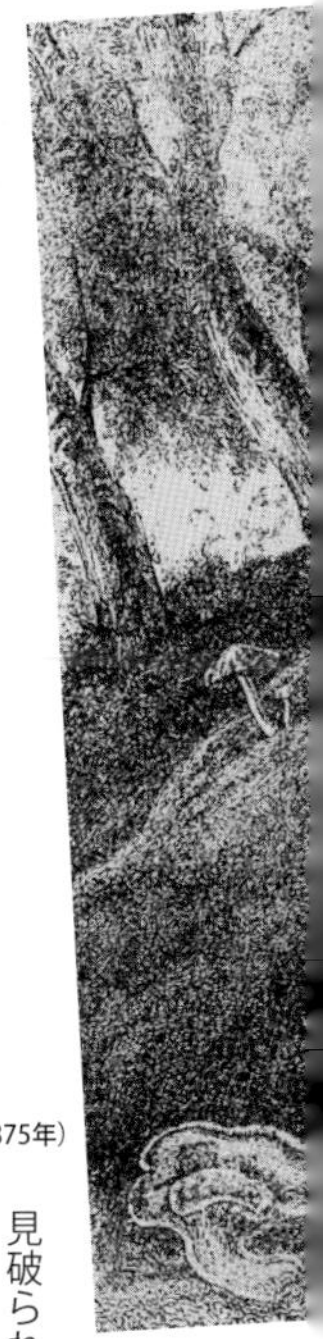
★毒キノコたち（作者不詳、1875年）

きのこの神秘の力

きのこの毒がそれほど効くなら、と悪いことを考える人間はどこの国にもいるもので、時のローマ皇帝ティベリウス＝クラウディウスの妻は、息子を皇帝の位につけようとして、毒キノコを入れた料理を作らせてきのこ好きの皇帝に食べさせた。毒に侵されて死んだり、殺したり、殺しそこねたり、きのこのまわりは不吉な話ばかりだ。

そういえば、狂言『くさびら』にも、きのこが登場する。天狗の術で、人間を圧倒する大量のきのこが発生して、山伏に茸退治の祈祷を頼むも失敗してしまうという場面。鎌倉時代の『宇治拾遺物語』にも、きのこの神出鬼没を描いたものがあるし、『利根昔話集』や室町期の貞成親王の日記『看聞日記』にも、きのこの呪力が目をひく話がある。話がすこしそれてしまうけど、日記によると、翁に化けていた狸が犬によって正体を見破られてしまい、そのとき狸が手に持っていたのが平茸だった。この場合、おそらく、きのこの種類はあまり関係ない。重要なのは、きのこには、生と死を運ぶ道具としての役割があるということ。そして、不思議を引き起こす劇性もある、ということだ。

こんなのは古い物語から発した迷信にすぎないのかもしれない。わたしは格別きのこ好きというわけではないけれど（でも、おいしいですよね）、きのこに関する記述を集めるうちに、その神秘的な力を信じないわけにはいかなくなってしまった。わたしの考えでは、きのこは、生と死の境界に立つ者なのだ。そして、古の人びとがきのこの呪力、とでも呼ぶような、不思議な力を信じたのは、おそらくきのこの毒性が理由にちがいない、と半ば本気で思っている。

不死をもたらすのはきのこ？

クラーク・ハインリックは、きのこによって、宗教史に新たな視点を提示した。彼が著した『神々の果実』によると、古代インドの聖典『リグ・ヴェーダ』には、神酒（ソーマ）によって、神と交信し、時間と空間をこえて旅をするという奇妙な話がでてくるという。それが

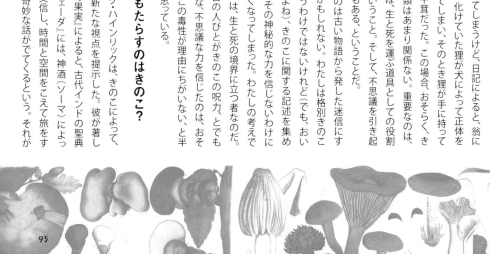

きのこが毒を持つからこそ、古の人びとはその呪力を信じた

どのような代物なのか、二千年以上ものあいだ謎だった。ところで、後のタントラの儀礼では、パンチャムリタ（五つのアムリタ）という飲料が用いられる。アムリタは飲む者に不死をもたらすとされ、その一つが、ソーマなのだ。

こうなると、ソーマの正体が気になる。これに答えたのが、きのこの民俗学で名高いR・ゴードン・ワッソンだ。ワッソンは、ソーマとはベニテングタケというきのこのことではないかと推測し、論文まで書いている。

もしあなたが森を歩いていて、ベニテングダケを見つけたなら、一度は足を止め、伸ばしかけた手を止め、長く見入ってしまうにちがいない。世界中でもっともよく知られたこのきのこは、その形と鮮やかな色と、なにより毒性のために、有史以前から人々の話題の中心だった。アマニタ・ムスカリアという立派な学名までついている。

★アムリタの壺を持つヴィシュヌ神の女性の化身モヒニ（Wikipediaより）

ベニテングダケは、しばしば、反幻覚剤のような作用をもたらすことがある。これこそ『リグ・ヴェーダ』の詩人たちが描写している、個人的な光と喜びの宗教体験の正体かもしれない、というのがハインリックの議論のはじまりなのだけど、おそらく、これはユダヤ・キリスト教の人びとにもあてはまる。

ソーマの作りかた

せっかく【毒】がテーマなのだし、もうすこしベニテングダケの毒性について説明したい。ベニテングダケは、水のなかに有効成分を溶出する。ただ、食べものとの相性はあまりよくない。口にするのはあまりおすすめしないけれど、読者のなかには好奇心の強い人もいるだろうから、ハインリックの言葉をそのまま引用したい。

「ベニテングダケを摂取すると、魂と神との合一の喜びに極めて近い所まで行くことができるが、完全にそこに到達するわけではない。十分な量の茸を食べ、その際に十分な量の水を飲むと、排尿の際に、その色が文字通り変化しているのに気づく。その尿は、火のような明るい橙色に変わっているのである。そして通常の不快な臭いもなくなり、淡い芳香に変わる。この時点でその味をみると（まあみないだろうが）、その味は正直な話、全く不愉

快というようなものではない。そしてもしその燃えるような尿を全て容器に集め、これを飲んでみると（まあ飲まないだろうが）、即座に聖なる結婚の祝宴の真っ只中に到達できるだろう」

もしかしたらその奇跡は……

たとえば、こんなシナリオはどうだろう。導師、あるいは祭官でもいい。こっそり、ベニテングダケを食べるか、ソーマ酒にして飲んだ偉い人がいたとする。時間をおいて、排出された「それ」をなにも知らない弟子に差しだして、飲むように命じる。弟子はもちろん断らない。断るどころか、排出物ですら人間を天国へと連れていくことのできる導師に感嘆するかもしれない。

★ベニテングダケ
（アンナ・マリア・ハッセイ画）

あるいは、こんなシナリオもあったかもしれない。かつてイエスはヤコブの井戸で、サマリア人の女に「生ける水」を与えた。それがどのような水なのかは知る由もないが、まあ、想像とおりのものだったとして、この水を飲むものは「永遠に命に至る水がわき出る」ために、二度と「義に渇く」ことがない。そして、時にはテレパシーのような能力、というか、幻覚作用、というようなものを発揮する。ところでイエスはなにも食べていなかったのに、弟子が食事を持ってきたとき、それを拒否した。このとき、イエスはおそらく、ほんとうにお腹が空いていなかったのだ。「生ける水」が想像とおりのものだったとするなら、ベニテングダケには、食欲を抑制する作用があるのだから。

★ヨーゼフ・フォン・ヘンペル「キリストとサマリアの女」（1823年）

ちなみに中世の西ヨーロッパに活躍したバイキングは、ベニテングダケを戦いの前に食べて勇猛心をかきたてていた。ベニテングダケには興奮作用もあるそうだから、恐怖心を打ち消したのだろう。いささか突飛にも思えるけれど、神秘思想を研究していた学生時代から、この「きのこ説」をわたしは真剣に推している。

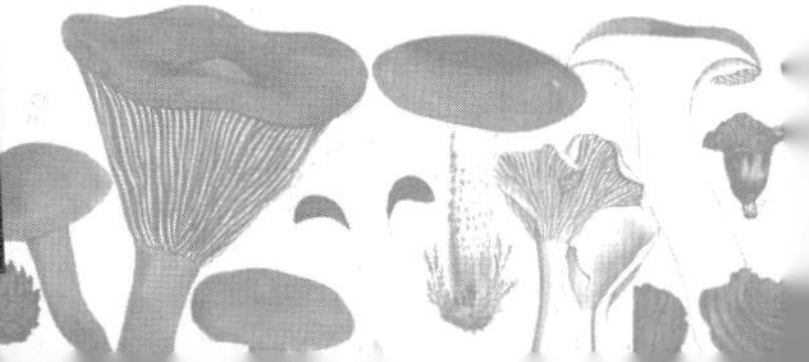

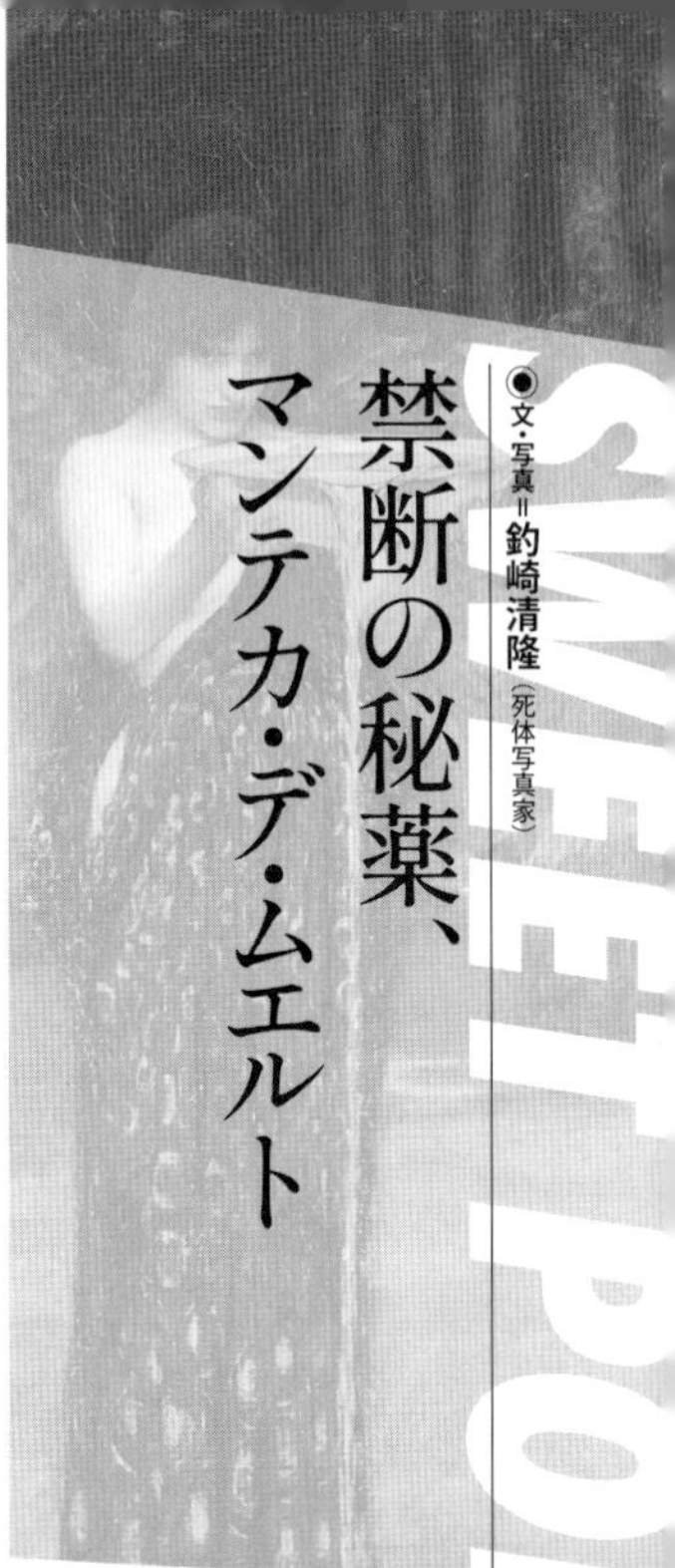

禁断の秘薬、マンテカ・デ・ムエルト

◉文・写真＝釣崎清隆（死体写真家）

マンテカ・デ・ムエルト。

スペイン語で「死体の脂」。世界有数の危険地帯である南米コロンビアでは現在でも、人間の死体からとった脂肪が万病に効く薬として使用されている。

流血の歴史を刻んできたこの国では、呪術や民間療法に人間の死体のパワーを利用する独自の文化が秘かに育まれていた。

しかしいかにコロンビアといえども、人間の死体の脂肪を売買することが法的に許されているわけではない。それはあくまで、ヤミで秘かに売買されている代物だ。

例えば美容整形が盛んなコロンビアにあっては、肥満女性から吸引された脂肪の方が手軽に手に入るかもしれないが、それでは意味がない。あくまで死体のそれでないと意味がない。人間の死体のそれでないと意味がない。呪術たる所以である。

かつて首都サンタフェデボゴタのセントロ（旧市街）とスル（南地区）の境界。カラカス通りの南側に位置する一帯は、法医学鑑定所を中心とする葬儀屋街にして、麻薬中毒者の一大ゲットー、麻薬のみならず銃器取引、臓器売買、売春などあらゆる非合法ビジネスの拠点、世界一危険な国の中でも最も危険な場所であった。

二十八年前、筆者はその場所カルトゥーチョでエンバーマー（死体防腐処理者）のフロイラン・オロスコと出会い、彼の壮絶な生きざまに魅了されて、三年に渡る潜入取材を敢行し、『死化粧師オロスコ』（一九九九年）というドキュメンタリー映画を撮った。

筆者にとってカルトゥーチョは単なる〝世界一危険な場所〟を超えた幻想の天地だった。筆者はここほど死と暴力のイマジネーションを喚起させる場所をほかに知らない。コロンビアを比喩的に形容する悲劇や皮肉のすべてが、現実に、あまりにも簡単にそこに転がっている。

実にここでマンテカ・デ・ムエルトは売っていた。

カルトゥーチョはあらゆる死のビジネスの拠点だ。一流の殺し屋が雇え、どんな武器も手に入る。葬儀の手続きも格安でやってくれる。死体も買える。

マンテカ・デ・ムエルトの供給者はエンバーマーである。エンバーミングの作業の最中に腹の脂肪を抽出するなど簡単なことだ。

★オロスコ

人の死体の脂肪が薬としてヤミで取引される

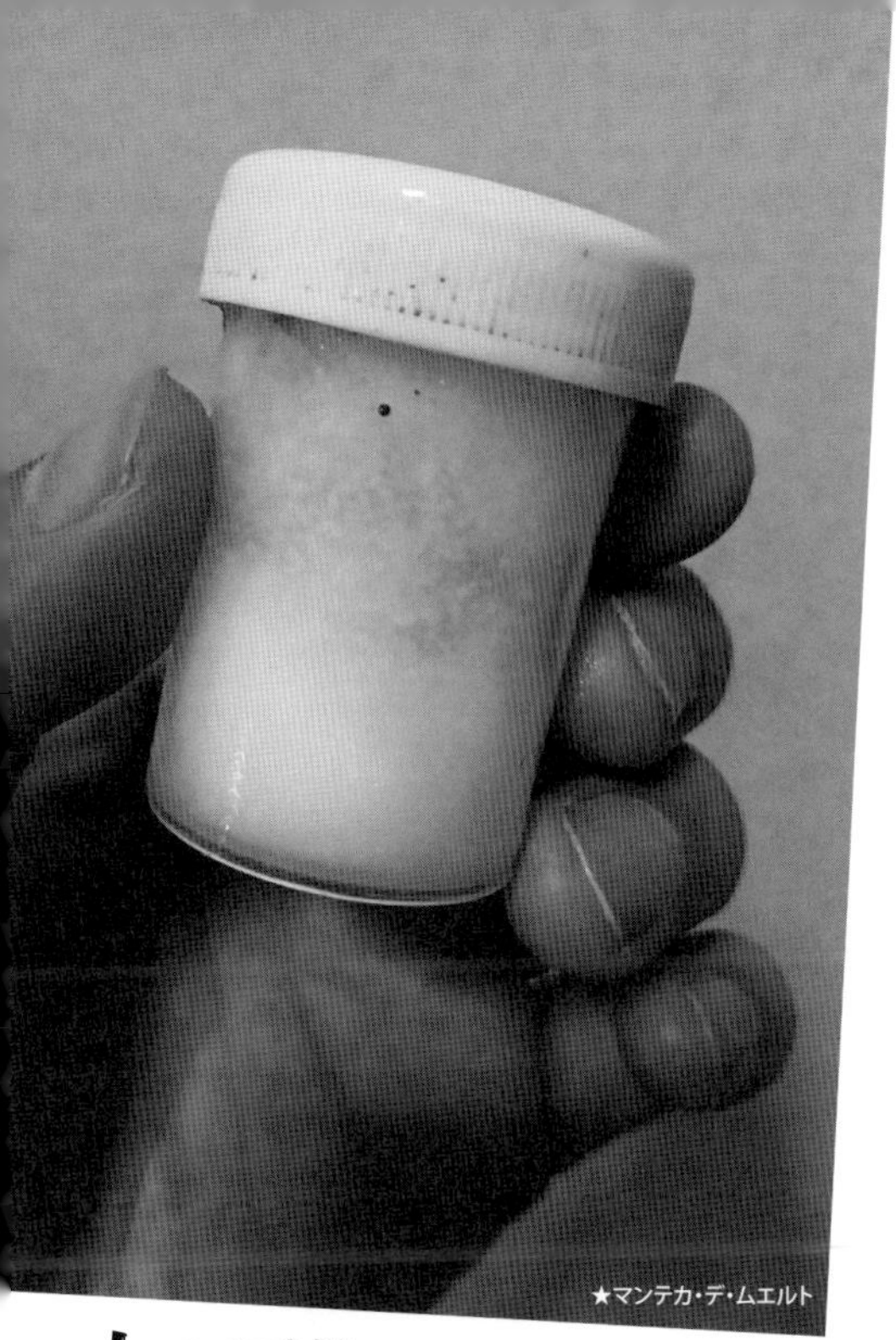
★マンテカ・デ・ムエルト

マンテカ・デ・ムエルトの作り方はいたって簡単。死体の腹を裂いて取り出した脂肪をそのまま熱すると、どろどろの黒い液体になる。その上澄みをすくったもの、それがマンテカ・デ・ムエルトだ。液は冷めて固まると白みがかってきて、まさに豚のラードのようになる。

　カルトゥーチョのエンバーマーはマンテカ・デ・ムエルトを近所のマッサージ店に供給していた。マンテカ・デ・ムエルトは外用薬で、患部に塗ってオイル・マッサージを施すことで効果を生むとされる。

　筆者はカルトゥーチョを初めて訪れた当初、葬儀屋街の中にマッサージ屋が立っているのを不思議に思ったものだ。こんなに治安の悪い場所でマッサージ店の商売が成立するのだろうかとも思われたが、葬儀屋、エンバーマーは重労働だから需要はあるだろうな、となんとなく納得していた。しかし実はマンテカ・デ・ムエルトが鍵なのだった。

　サッカーなどのプロスポーツ選手にはマンテカ・デ・ムエルトのマッサージのファンが多く、選手自らがお忍びでこの地を訪れることもあれば、店で出張も受け付けているという。

　筆者はカルトゥーチョのメインストリート、カジェ9で人込みに紛れ、路上の売人からマンテカ・デ・ムエルトを買ってみた。

　マンテカ・デ・ムエルトはフィルムケースみたいな容器に入って売られていた。一瓶三万ペソ（約一五〇〇円）。一見して無味無臭でいわゆる豚のラードと何も変わるところがない。

　否、ラードとは違う。血液などの不純物の除去が不十分であるため、色は死体の腹を裂いたときに見られる脂肪の黄みがかっており、温めるとすっぱい臭いがする。

　とはいうものの呪術的にはこの脂の〝不純物〟こそが重要なのかもしれない。このロマンチックな薬を、エンバーマーが遺族に秘密でこさえて小銭を稼いでいるのだという事実はマジック・リアリズムそのものである。

　現在、カルトゥーチョは変貌してかつての威容はもはや存在しない。コロンビア当局は威信にかけて国家的恥部であるこの地の大部分を破壊し、その地に広大な公園を造成した。二〇〇四年に完成したこの公園はコロンビアを象徴する悪徳の巣窟としての忌まわしい記憶を清算するかのように、祈りを込めて「テルセル・ミレニオ（第三千年紀）公園」と名付けた。

　とはいえ、かつての葬儀屋街の中心にそそり立っていた法医学鑑定所と隣接するサンタ・イネス小学校などの公共施設、占有権を主張する少数の住民が居座る一角は残存しており、いまだボゴタ屈指の危険地帯として知られている。

　なお、マンテカ・デ・ムエルトは、カルトゥーチョから追い出されてコロンビア各地に散らばった葬儀屋、マッサージ店で今でも取引されている。

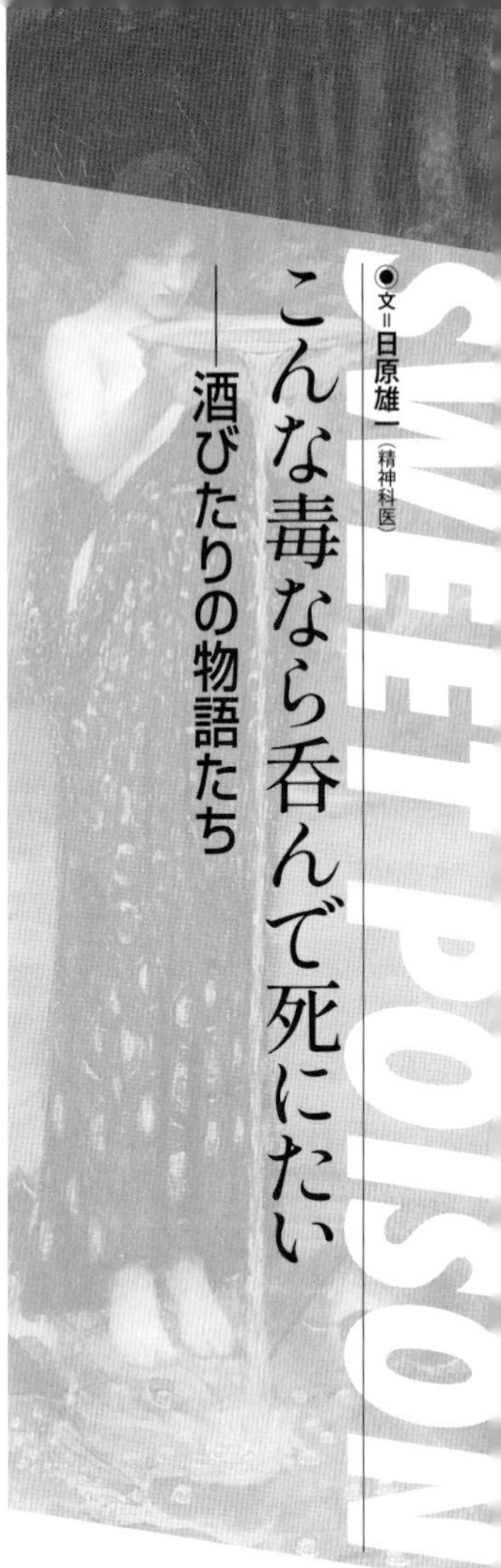

こんな毒なら呑んで死にたい

——酒びたりの物語たち

●文＝日原雄一（精神科医）

さいきんフツカヨイにならない。ふつか酔いにならぬよう、アルコール呑んだあとは水や百均のビタミン剤をガバ飲みしてるせいもあるでしょう。ふつか酔いのあの頭痛、めまい、もろもろの苦難をおもいだすと、あれこそまさに毒物を飲んだあとの心地だろうとおもう。そして呑んでいる最中の、あの心地よさもまさに甘美なる毒薬であればこそとおもう。

酒で死んだひとはおおぜいいる。さいきんなら落語家の桂文字助、藤子不二雄A、急死の坪内祐三、すこし前では中島らもか。もう十年以上まえですよ。さいしょに知ったのはヤフーニュースだ。酔って階段から落ちて怪我を、と聞いたときには、まさかこんな事態になってるとはおもわなかった。うちのジイさんも酔って階段から落ちて、血まみれで病院に運ばれて、でもそのときには死ななくて八十二まで長生きしました。

実家の本郷から坂を下って、湯島の岩田屋って呑み屋で毎晩のように呑んでいた。ジイさん、もとは教師をやってたから、鈴本演芸場帰りの三代目三遊亭圓歌と仲良くなって「先生」って呼ばれてたそうだ。晩年、たいていの高座は漫談『中沢家の人々』だったが、時おりは演った新作落語『我孫子宿』には、こんなフレーズもあった。「こんな結構なお酒を毒だなんておっしゃるかたもいるけど、こんな結構な毒なら呑んで死にたいね」。今のパワハラの圓歌の師匠にあたる。

あの時代の中学教師だ。うちのジイさん、パワハラみたいなことやってたんじゃないかと言われたら否定の証拠はないが、家ではずっとバアさんから叱られてたから、まあ教壇でもそんなふうに物静かな地理の先生だったのかなあとおもう。むしろジイさんがパワハラしてたら面白がってここで書きたいが、娘婿のおじさんとおだやかに碁を打ってた姿しかおぼえてないから困ったもんで。

だから私のパワハラの話を書きますが。精神科医の後輩の、K先生はたいへんな優秀な先生で、私がずいぶんさそってこっちの科に来てくれたひとだ。けれど、そのK先生の友人にOという馬鹿な医者がいて。あちこちの科で入局を断られて、うちの溝口病院精神科に来た。或るとき雑談をしていて、「依存っていえば、中島らもなんかアル中だから。どうしようもない」と言いやがった。

てめえこのやろう。中島らもくらいの作家なら、アル中でもヤク中でもいいじゃねえか！と啖呵を切りましたね。いま東京武蔵野病院にいて、だから風野春樹先生の部下なはずです。たぶんめちゃめちゃ迷惑かけてるんだろうが、それ言い出すと私もひとのことは言えないんだ。

新宿ロフトプラスワン、呑みながらのトークショー『らもはだ』隔月でやってたのに、けっきょく一回も行けなかったのは私の一生の不覚である。らもさんのロックバンドのライブには行こうと思ってたけれど、いつも会場は大阪だ、東京の高校生じゃ行けなかった。中島らもは『今夜、すべてのバーで』ってアルコール依存での入院体験をえがいた傑作もありますが、けっきょくは晩年『せんべろ探偵が行く』って、千円でべろべろになれる店の探訪連載をはじめて、ちょっと心配

★中島らも・小堀純「せんべろ探偵が行く」（集英社文庫）

はしてたんだ。あの謎雑誌『酒とつまみ』の創刊号でもインタビューされていたが、かく言う私もいま酔っているので、部屋から見つかりやしないのだ。ナニ、「わたしがさがせばかならずない」、山本夏彦の書くとおり、ふだんだって見つからないのです。

徳川夢声は『あなたも酒がやめられる』で、「私は酒のため今日までに七回入院している」と書く。アルコールがもとでの腎臓炎・糖尿病・胃潰瘍、お酒と眠剤あわせのみでの異常酩酊など。アルコールと眠剤を一緒にやる重症者は、徳川夢声・田中英光・星新一・落語立川流家元の談志、五代目三遊亭圓楽など。私もいまソレしながら書いてるから、われながらヒドイ精神科医だ。アノネ、日原さん、アルコール依存症専門のクリニックでもはたらいてるのですよ。もちろん自分の患者さんにも、アルコール依存症・アルコール使用障害の患者さんは多くいらっしゃる。それでもこのていたらくだから、われながら偉いなあと感心するんだ。

呑むなら好きなひとと

フツカヨイにまで至らないのは、コロナ禍でひとり呑みが多く、飲み会でおおぜいで呑んで、という機会が少ないのもある。好きなひとと呑む酒はつい呑みすぎる。ため『呑むならお前らとこんな時』は、ほんのりＢＬ感もただよう、サラリーマン男子たちがわちゃわちゃするいいマンガである。さいしょはハルくんとマオさんだけだったのが、仕事の都合でじょじょにかしわちゃんやドンちゃんとか人数がふえてくのもリーマン飲み会感がある。イケメン天ちゃんとショタなかしわくんと、スパダリなマオくんと天然のハルちゃんとのカップルの仲が徐々に深まってくのもおもしろい。

なぜか一巻しかでてませんが、ルーツ作品ではいちばん好きな『ルーツビア』も、はたらく女子たちのいい笑顔がみれる。アル中なすずちゃん、幼馴染のミナちゃん、後輩のユキちゃんとの、百合がふかまってく前に終わっちゃったのがとってもくやしいのだ。可愛い顔して「やっぱチェーン安定！」って私らとおなじ結論に至ってるツワモノである。チェーンでも高級店、叙々苑とまではいかずとも、鳥貴族やすしざんまいでずいぶん高い酒を呑んだ気になる。このコロナ禍の三年で、家呑みの安さに慣れちゃってるんである。

★ルーツ「ルーツビア」（アース・スターコミックス）

私んちの家訓は「宵越しの銭はもたない」だ。加太こうじ『酒と人生』によると、「職人で江戸っ子を気取る者は、日当をもらうと、食物では使いきれないから酒で使った」んだそうだ。「本郷もかねやすまでは江戸のうち」。ギリで入れてもらってるくせに、江戸っ子気どりの私もお酒でつかいたいが、酒そのものというわけではない。コミュ障な私は一緒に呑む相手がいないし、どうせなら美少年がいいから、いわゆる「ウリセン」の美少年を予約して、一緒に居酒屋で呑んでもらっている。いわゆる「ゲイバー」なんて陽キャの店に繰り出す勇気はないから、こんなめんどくさいことしてる。新久千映『ワカコ酒』のように、ひとり呑みのために小料理屋をめぐることはしない。アルコール分が摂取できれば、私は何つまんだっていいひとなのである。ひとり家で呑むときは、トップバリュのストロング缶だ。

24時間、酒中にあり

ストロングゼロ文学、として話題になったのが、金原ひとみ『Strong Zero』だ（短篇集『アンソーシャル・ディスタンス』所収）。うつ病の彼氏持ちの女性編集者は、朝まず二本決めて職場に行き、昼休みにコンビニでまた摂取しながら仕事とタタカウ。その量がどんどん増えて、ついにはア

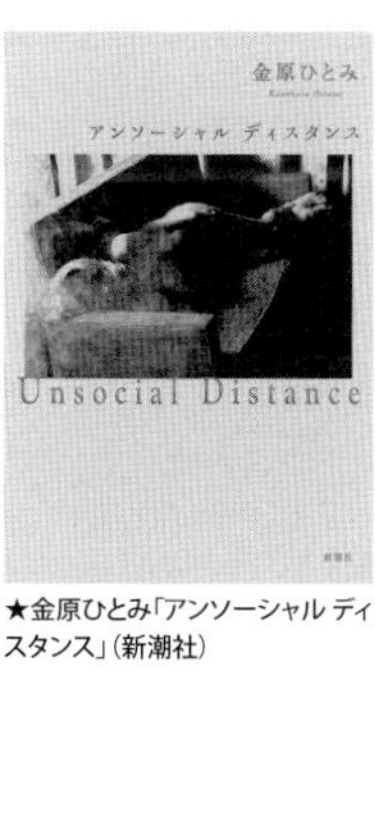

★金原ひとみ「アンソーシャル ディスタンス」（新潮社）

イスコーヒー用の氷入りカップにストゼロ入れて、仕事中もいちにちじゅう呑んでいる。

朝から呑むのはアサヒビール。三本目からはサントリー。お昼になると顔がほころんでエビスビール。いつまで呑んでもきりがないキリンビール。夜になったらハイネケン。ときどき呑みすぎてバドワイザー……という、ビール党のイエス玉川がよくいうフレーズがあった。遠野遥のデビュー作『改良』、当時ひさしぶりに文藝賞受賞作を買いましたが、遠野さんがその後芥川賞をとって、我がことのように嬉しかったのをおぼえている。あの『改良』のラストはすごかった。お酒を買いに行く道中、道端でナンパ男にからまれて、暴力ふるわれ血みどろになる。

呑んでる最中の心地よさはまさに甘美な毒薬

坪内祐三が筑摩書房の松田哲夫と呑んでいて、チンピラにからまれて腹部を刺され、緊急手術室に入るというのが『文学界』での連載『文学を探せ』の最終回だった。内藤誠監督の映画『酒中日記』は、同題の坪内氏の日記をもとにしているが、と言い出せばもともとは『小説現代』の人気コーナーで、号ごとに著者を変えての飲酒日記でしたね。そっちはそっちで講談社の本で、今は中公文庫で読めるけど。坪内氏もホントにいちにちじゅう、アルコールびたりである。このセチガライ、セチガライ世のなか。アルコールがないとやりきれないのである。

だまされつつ呑む酒

筒井康隆『あるいは酒でいっぱいの海』では。大発明のすえ、ついには男は酒になってしまうが。できれば自分が酒になるよりか、相手を酒にして呑みたい。逆に言うと酒になってたって目をそむけたいやつもいるが、そのクダマキはいったん措いときましょうか。

西村賢太のデビュー単行本『暗渠の宿』は、当時東京堂書店でサイン本を買った。いま、サインなくても一万円ばかりになっている。署名入りならもうちょっと高いだろうから、ヤフオクで転売したいとおもっても、例によって例のごとく「わたしがさがせばかならずない」。高田文夫とのトークイベントを八重洲ブックセンターで定期的にやっていたが、こっちもすぐ満員になっちゃって行けてない。いまや西村賢太も八重洲ブックセンター本店もなくなっちゃって、高田先生だけが元気だ。

★西村賢太「暗渠の宿」（新潮文庫）

同書収録の『けがれなき酒のへど』では、風俗店の女性に支払う料金を苦心して工面して、果たして思いを寄せてた女性に大枚とられてだまされて、まずい酒を呑む。とられた大金は、椎名麟三、葛西善蔵や朝山蜻一の本を売りはらった金である。

西村賢太の本は死後ずいぶん高くなってるけど、あいにく数冊しか手元にない。でも、美少年に可愛くだまされつつ呑む酒は美味しいのです。美少年を傍らに呑むお酒のおいしさといったら、このまま死にたいくらいである。埴谷雄高は『酒と戦後派』で、「酒をのむということは何かを傍らによりそわせてのむことである」という。「痴愚から悲哀に至るあいだの長い暗い列がつねに酒のみの傍らによりそっている」。痴愚とともに酒のへどをのみこんで床につくと、フツカヨイの夢を見る。じっさいにフツカヨイでめざめても、かたわらに美少年の寝顔があるとハッとさめる。美少年も甘美な毒のひとつなのです。

どくどく by eat
ぐちゃ
上野
こうの
ヒッ
ヒッ
ミナミ酒店
ひい
焼酎一瓶
あー
へへ
井ノ上の旦那らっしゃい！
いつもの焼酎っすね！
43銭
本格芋焼
じゅ
わあああ
毒で手ぶくろが溶けた！！
じゅわ
じゅわ
ガタタ
いやぁ！
アンタぁ！！

成人してから
というもの
私は毒を
身にまとって
生きている
ミナミ
ぎゃあああ
たすけてェあ
多くを
傷つけてきた
戻ったぞ
おかえり
なさい
コウジさん
たた
釣りだ
う
じゅ
ありがとう…
ございます…
妻も
その内の
一人だ
月夜
くい

ジン
ジン
ドロォ
ごく
ごく
ドロ
ドロ
ぷはぁー
月夜
みよ子
さっきはすまない
かん
気分は悪くないか?
!
心配いりませんわ
ありがとうございます
すまない
本当に…
あ
ドロ…

酒が一時的に私の毒を解毒してくれていたが
最近効果が薄れている…
毒仲間に相談したところ
「自分はこれで」と
Veneno
veneno
タバコを勧めてくれた
はぁー
効果はあった
吸い続けているとずっと人間の姿でいられた
だけどタバコを禁止する所は多く…
COFFE
妻も煙で気分を悪くする事があって
すぐ止めてしまった
どうすればいいのだろう…
こんなに努力しているのに
私の毒は一向に治まらない

そして
ついに病院で
診てもらう
事にした
——…が
薬を沢山出される
だけで
他に治療法は無い
と言われてしまった
仕方なく
飲むが…
眠くなるだけで
効果があるとは
思えない
……
まぁ人を
傷つける
より
寝ている
方がずっと
マシか…
すっ
みよ子…
最近
食がすすんで
いない様なので
コウジさんの
好みばかりを
作ってみました
お口に
合えばいい
のですが…

……
もう私に近よるな
これ以上君を傷つけたくない
君とは…
もう…
ドロ…
!
はりっ
ん…く
何をしている!?
私 あなたの毒を少しづつもらって
免疫ができてきましたの
この間お医者様に相談しましたら
私を通してあなたの治療薬が作れるかもしれないんですって
なのであなたの毒を
もう少し私に分けてみてくださらない？

ぼろ
ぼろ
ぼろ
一緒に乗り越えましょう
じゅ
コウジさん
うう…
うっうっ
ドロ…
カチャ…

免疫ができた
なんて
言ってしまったわ
ペロ…
本当は
私も毒になりつつ
あるだけなのに
でもなぜか
気分は爽快で
夫にも怯えなく
なっているので
もっと毒に犯されて
みたいとさえ思い…
あなたの毒を
もう少し私に…!
ふふ
eat「DARK ALICE-Heart Disease《ハート・ディジーズ》-」好評発売中!

母が娘に与えていたものとは？

アニーシュ・チャガンティ監督
「RUN」
●絵と文＝さえ

不整脈、血色素症、喘息、糖尿病、下肢の麻痺…慢性的な病気を抱えた女子学生・クロエ。車椅子生活を余儀なくされていた彼女は、母・ダイアンに介助してもらいながらも、憧れの大学生活を目指して自宅で勉学に励んでいた。

ある日、クロエが母の買い物袋から好物のチョコレートをこっそり取っていると、見慣れない薬瓶を見つける。緑色のカプセル錠が入った瓶に貼り付けられていたのは、母の名前が書かれた処方箋だった。しかし、就寝前の飲み薬として母が渡してきた薬にはあの緑色のカプセル錠が入っており、母の名前が書かれていたことを聞いてもはぐらかされてしまう。

「私は一体なんの薬を飲まされているのか」。これまで飲んできた薬も何だったのか、クロエは母に不信感を抱き始める――。

毒によって蝕まれた体は時間をかければ徐々に回復へ向かうが、母の、愛情という名の狂気の毒に晒された心はどうなってしまうのか。

クロエの選択をスカっとしたハッピーエンドと見るか、モヤモヤが残るバッドエンドと見るかは分かれそうな気がする。

薬も愛情も適量でありたいもの。用法容量を守らないと毒になってしまうからね。

★シモン・ヴーエ「毒入り聖杯を受け取るソフォニスバ」(1623年頃)

REVIEW

転生した連続毒殺魔が目論んだこととは

★編集者のエドワード・スティーヴンスが作家ゴータン・クロスの新作、自分の妻（マリー）と瓜二つの連続毒殺魔をテーマにした原稿を受け取る。一方、友人のマークの伯父マイルスの急死に

ジョン・ディクスン・カー
火刑法廷

加賀山卓朗訳、ハヤカワ・ミステリ文庫、980円

毒殺の疑いがもたれるが、使用人の証言は、肖像画のブランヴィリエ侯爵夫人に似た衣装の女性の目撃とその女性が部屋から消えたように見えたなど不可解なものであった。折しも仮面舞踏会のパーティでブランヴィリエ侯爵夫人に扮していたマークの妻ルーシーと身近な看護師等に嫌疑が。しかしこの事件は、ブランヴィリエ侯爵夫人の系譜の不死者マリーと敵対者デプレに由縁のあるデスパード家への復讐劇でもあった。そのうえ、事件解決の鍵となる人物ゴータンもまた、マリーのかつての愛人の転生であったのだ。

火刑法廷とは、十七世紀フランスの、魔女や毒殺など異端に関する法廷。そこで裁かれ、拷問の後、断頭台で処刑、火炙りにされた毒殺常習者ブランヴィリエ侯爵夫人と、その生まれ変わりの女性マリーを伏線とした毒殺事件を描いた、オカルト色が濃厚な幻惑的ミステリー小説。（並木誠）

残酷非道な毒殺犯のエピソードの数々

毒薬の手帖

澁澤龍彦

河出文庫、800円

★有史以来、毒はつねに人類にとって大きな関心事であり続けてきた。

　ローマの伝説的な初代の王であるロムルスは紀元前七〇〇年の時点ですでに、毒に関する法律を制定している。中世にいたるまで、毒はときに魔術や妖術と結びつけられ、トリカブトなどの毒が使用されることがあったほか妖術師（と目された人物）が毒殺犯として仕立て上げられることもしばしばあった。しかしやがて毒のもつ性質が広く明らかになり、誰もがそれを用いて他者を暗殺できる時代が訪れると、ルネサンス期のイタリアやフランスを主な舞台に血みどろの権謀術数が繰り広げられていくことになる。そんな毒の歴史を残酷非道な毒殺犯のエピソードを中心として通史的に描き出してみせたのが、澁澤龍彦『毒薬の手帖』だ。

　まずは古代から。ローマで毒に纏わる最初の法律を制定したのが初代王ロムルスであることは先に触れたが、その後も「十二銅板法」（前四五四年）、「コルネリア法」（前八二年）と新しい法律が出るたびに毒物の所持や使用に関する罰則は強化されていった。それだけ毒を悪用する輩が民衆の中に後を絶たなかったということなのだろう。だが毒を政治上の武器として用いたのは歴代の皇帝たちも同じことで、ティベリウスは甥のゲルマニクスを毒で殺したというし、その後を継いだカリグラもまた剣闘士を毒殺した疑いがある。特に凄惨を極めたのはネロの代で、彼は野心家の母と共謀して敵や邪魔者たちを次々と毒牙にかけていった。毒キノコによって先代のクラウディウス帝が葬られたことを知ったとき、ネロは大いに満足して「キノコは神々の供御である」と宣言したという（「血みどろのローマ宮廷」）。

　「中世には毒の大衆化というべき現象が起こった」というミシュレの論に、著者は必ずしも賛同していないようだけれど、この時代から毒が民間の医学や薬学と結びつけて考えられるようになったことは確かなようだ。いっぽうで一角獣やマンドラゴラといった伝説上の生き物が解毒剤の素材としてその名を残しているのは、魔術師時代の名残だろうか。ともあれ中世から近代へと時代が進むにつれて、毒をめぐる議論は急速に非ロマンティックなものになっていく。

　著者は一九世紀に起こった砒素を使った幾つかの殺人についても記述を割いているが、チェザーレ・ボルジアやブランヴィリエ侯爵夫人について単独で取り上げた章ほどには筆が乗っていない印象である。

　さて現代において、人々の毒への恐怖は克服されたのか。必ずしもそうではあるまい。二〇一一年の三月には「ラジウムや、ウラニウムや、放射能塵の怖ろしい毒性となると、今後どのような悲惨なケースがあらわれることか」と著者が憂慮した通りの事態が日本国内で引き起こされたし、回転寿司で悪戯をする動画が瞬く間に拡散し店舗側が対応を迫られたのも、知らぬ間に他人に〝毒〟を盛られることに対する潜在的な不安があったからだろう。この本を読んで毒についての理解を深めることは、〝毒〟への恐怖を克服するための有効な手段にもなるはずだ。（梟木）

思春期という〝毒〟に侵された少年と少女の闇

押見修造
惡の華

講談社少年マガジンKC（全11巻）

★思春期とはなにか。

比喩的に言うならば、それは〝毒〟を自意識の内側に抱え始めると同時に、自ら積極的に〝毒〟に対する免疫を獲得していくための期間といえる。承認欲求という〝毒〟。自己愛という〝毒〟……。ひとによって症状や効果の度合いはさまざまだが、今日の管理社会においてそれらが（自分や他人の）生命の維持に支障をきたすほどの危険物として扱われてきたことは間違いない。押見修造の漫画『惡の華』は、思春期という〝毒〟に侵された（あるいは魅入られた）少年と少女が自らの内側に巣食う闇とどのように向き合い、決着をつけていくかが大きな見どころとなる。

山に囲まれた地方都市。中学二年生の春日高男はボードレールの詩集『悪の華』を拠り所に、鬱屈した日常をなんとかやり過ごしていた。ある放課後、誰もいない教室で憧れのクラスメートである佐伯奈々子の体操着を見つけた彼は、衝動的にそれをその場から持ち去ってしまう。ところが春日の犯行の一部始終は、クラス一の問題児として知られる少女・仲村佐和に見られていた。秘密を守ることと引き換えに主従関係のような「契約」を仲村との間に結ぶこととなった春日は、彼女からの変態的な命令に従ううちに、自らの内に宿る「悪の華」を開花させていくことになるのだが……。

本作の着想に大きな影響を与えた作品として、作者は一九七〇年の映画『小さな悪の華』を挙げている。思春期に突入したふたりの少女が悪の限りを尽くして自分たちだけの王国を築こうとするも、最後は大人たちに追い詰められて壇上で焼死する……といういかがわしくも退廃的な美しさをもったフランス映画で、両作を比較すると、ボードレールの魔的な魅力が時代を超えて引き継がれていく過程が明白になる。ボードレールの詩がもつ毒としての魅力は、残念ながらここでは言い尽くせないけれど、思春期に自分の世界をまるごと破壊してしまうような衝撃的な作品と出会って人生を狂わされた経験は、恐らく誰もが持っているだろう。押見修造の『惡の華』やジョエル・セリアの『小さな悪の華』に登場する自意識過剰な若者たちは、もしかしたらかつての「私」であり、あなただったかもしれない。

『小さな悪の華』の少女たちが二人だけの王国を作ろうとしたように、春日と仲村もまた、思いつく限りの悪を実行するうちに「向こう側」という考えに取り憑かれていく。キリスト教のカトリックのような強固な道徳的基盤の存在しない日本において、それがどれだけ西洋の（善悪を超えた）「彼岸」的な観念に近接するかは定かではないけれど、小さなコミュニティの中で退屈な日常を送る若者たちが手に入れようと願ったものは、いつの時代も同じだったろう。ボードレールは精神的彷徨の果てに「向こう側」へと辿り着いた。春日と仲村は、自分たちだけの「向こう側」を見つけることができただろうか。（梟木）

REVIEW

愛し愛され、泥沼に沈んでいく過程すら心地いい

★親友である。恋に似た感情もいだいた相手である。けれども彼は死んだはずである。その死体も実際にみた。夏の嵐の夜だった。男子高校生の辻中よしきは、家族の制止も聞かずむりやり出て行き、山中で忌堂光の死体を見つけた。

そこから先は記憶がなくて。

モクモクれん
光が死んだ夏

角川コミックス・エース、640円

病院でよしきがめざめたら、死んだはずの相手が笑っていた。

その彼を見ると、老婆は絶叫をあげる。「『ノウヌキ様』が下りてきとるやないかぁあ～～』」。唾を飛ばしながら、「ヒイィ！来るなァ！去ねぇえ～」とさけぶ。その老婆・松浦家のバアさんは、翌朝、自分の手をむりやり喉に詰めて死んでるところを見つかる。

或る日、よしきは「通りがかりの主婦」に声をかけられる。「人よりちょっと見えるだけ」という主婦は、禁足地・クビタチの山にいた「本当にあかんモン」が、今「あんたのそばに居るんやね」、「なんとなく分かるやろ このまま一緒に居ったらあかんって」とはっきり告げる。

そうだ。ずっと気づいてたし、本人も認める。でも「初めてヒトとして生きたんや」、「学校も友達もアイスも全部初めてで楽しかった…」と涙を流す「ヒカル」を前に。「どちらにせよ光はもうおらんのや…」、「ニセモンでもそばにいてほしい…」とよしきは思ってしまった。

そばにいるだけで済むわけでなかったことが、その後だんだんわかってくる。徐々に感じてきたところに、その主婦に会った。「ここら一帯に『歪み』の様なモンができて…不審な事件も増えとるし」、「町や村が徐々に狂いだしてる」。そして、

その「ヒカル」をどうにかしに、田中さんが来る。グラサンヒゲ面の、ヤンキーぽい兄ちゃんだ。『あいつら』汚ねえ格好のほうが寄ってくるからさ」と笑う。

町にも村にも、自分自身にも害毒になってる「ヒカル」から、よしきは離れられない。「ヒカル」自身は、自分が街に毒な存在だとわかってないし、よしきが恋した「光」と姿かたち、そっくりそのままだから。

けれどもちがう点はある。この「ヒカル」は生前とちがって、自分のことを「好きや」、「めっちゃ好き」と言ってくれる。

あー、これは抜けられないわ。自分自身のこともかえりみて思う。毒沼だとわかっていても、どんどん沈んで行ってしまうし、沈んでいく過程すら心地いい。

そして最新の三巻。よしきと「ヒカル」は、「ヒカル」自身も自分が何者かわかっていないから、それを調べに行こうとする。そんなところで、たぶん半年後くらい発売の第四巻に続くのだ。

現在も『ヤングエースUP』連載中。だから最新話はネットで読める。ヒカル、「おれがその『ノウヌキ様』なんかな？」って、やっぱり自覚すらなかった。彼がいた山はクビタチ＝「首断」だ。首を断つ場所の、脳を抜くもの。しかも様づけだ。自分が毒だとわかってない神を愛し愛された少年よしきとの、ふたりの関係性がマジで気になって、完結まで死ねないなとおもう。（日原雄一）

REVIEW

証言から浮かび上がるサリンが放置された朝の光景

村上春樹
アンダーグラウンド

講談社文庫、1200円

★一九九五年といえば、日本に住む人々に大きな衝撃を与えたふたつの出来事によって記憶される年である。

まずひとつは兵庫県を震源地とする大地震の発生により甚大な被害を齎した、一月一七日の阪神・淡路大震災。そしてもうひとつが三月二〇日の朝に発生し、カルト教団による化学兵器を用いた無差別テロという過去に例のない凶悪な事件性によって世界中の人々を震撼させた地下鉄サリン事件だ。

ところでこの事件に興味を示した作家として、意外な人物がいる。村上春樹だ。事件後しばらくして、たまたま雑誌の投書欄でサリン事件被害者の「声」を目にした村上は「どうしてこんなことが起きたのだろう?」と深く考えるようになった。それから村上は一年の時間をかけて、約六十人の事件被害者を対象に聞き取り調査を開始。その成果を一冊の本に収めたのが『アンダーグラウンド』(一九九七年)だ。

じつを言うと筆者は村上春樹のファンでありながら、本作のことをまともに読まずにきた。貴重な事件の被害者とはいえ一般人へのインタビューだけで七〇〇頁以上という構成もさることながら、なぜ村上春樹がそんな仕事をする必要があるのか、まったくわからなかったからだ。けれども実際に精読してみると、この作品が決して作者の小説家としてのキャリアをステップアップさせるために書かれたのではなく、ルポルタージュ本来の骨太な厚みをもった作品であったことが明らかになる。事件当日、たまたま同じ車両に乗り合わせた人々の証言が重ね合わされていくことによって、サリンを包む不審物が放置されたその日の朝の光景がありありと浮かび上がってくるのだ。

乗客たちの証言には、幾つか共通する特徴がある。車内で「変なにおい」を感じても、ほとんどの乗客が移動しようとしなかったこと。においの原因が不審物であると特定されても、杜撰に扱われ、あるいはかなり長い時間放置されたこと。被害の情報が出ているにも関わらず、列車の運行を止めなかったこと……。もちろんこんなことは事件が起きた後だからこそ言えることで、必ずしも当時の日本人が「平和ボケ」していたとはいえない。けれどもこの事件の前と後で、日本人のテロや宗教に対する意識がまっぷたつに分断されてしまったことは確かである。

事件の首謀者であるオウムの異常性は何年も前から知られていたにも関わらず、メディアも警察もどこか他人事のような態度でまともに取り合おうとはしてこなかった。だが裏を返せば、異常な(「あちら側」にいる)宗教団体であるはずのオウムに対する敵愾心の欠如こそが、当時の日本人にとって彼らが決して「他人事」ではなかったことの証拠だろう。世紀末の日本に漂う「終末」の空気感をどこかで共有しながら、オウムは最終戦争的なヴィジョンに身を投じていくことがどこまでも悲惨で無意味なものであることを示してみせた。サリンは一部の日本人が抱いていた「世紀末の夢」を、静かに終わらせたのだ。(梟木)

奇想天外な罠の数々に紛れた底意地の悪い毒の罠

グリムトゥースのトラップブック あらゆるロールプレイングゲームで使える101の罠

ポール・オコナー編集

安田均・柘植めぐみ訳、グループSNE発行、書苑新社発売、1800円

★過酷な戦いで生き残るためには手段を選ばない――毒の使用にはそんなダーティなイメージがつきまとうのが常であるが、世界で二番目に古いRPG『トンネルズ&トロールズ』(T&T)は、一九七五年発行の初版の段階から、当たり前のようにキャラクターが使用可能な毒がリスト化されていた。植物由来のクラーレ毒、錬金術で調合されたヘルファイア・ジュース、武器のダメージをなんと四倍にもするドラゴンの毒。日本語版があるものでは文庫で広く普及した第五版には相手を麻痺させるスパイダー・ベノム、最新バージョン(『T&T完全版』)ではウミヘビの毒やヤドクガエルの毒までが選択肢に加えられていた。

T&Tの特徴は自由度の高さにある。ゲームマスターは、シンプルだが暴れ馬のように奔放なルールを使いこなす過程でアレンジを加え、自分ならではのゲーム世界を作り上げていくことになる。そのためのヒントとして、T&Tのオリジナル・デザイナー陣は、街や荒野、宝物のデータ等に関するたくさんの設定資料集を刊行してきた。これらは特定のルールに依存しない汎用設定集で、独立した読み物としても楽しめる。なかでも本書『グリムトゥースのトラップブック』は、罠に特化したカタログ本。原著の初刊は一九八一年で、知る人ぞ知る一冊として長年語り継がれてきた。トラップシルバニアという人を食ったネーミングの領地を持つトロール、グリムトゥースが集めた一〇一個もの罠が紹介されているが、どれも王道に見せかけて一捻りも二捻りも加えられた強烈な代物ばかりである。

毒に関しても、プレイヤーの視点とはまた違うものが出てくる。故リック・ルーミスがデザインした収録作「毒の扉」は、扉の内部が空洞になっており、取っ手を回すことでそこに充満した毒ガスを解放してしまうという、底意地の悪い罠。対処法はシンプルで、取っ手を使わずに押し開ければいいのだ――毒ガスは部屋のなかに溜まっているわけではないのだから! あるいはバリエーションとして、毒ガスの代わりにメタンを充満させておき、迷宮探検家がたいまつやランタンで明かりをつけた途端に爆発する、というタイプのバリエーションも紹介されている。探検家の行動のどう裏をかくは本書のこだわりのようで、T&T関係の本の編集を多数手掛けているスティーブ・クロンプトンは、足で扉を蹴り開けるお行儀が悪い探検家に向けた罠までデザインしているのだ。

いずれも例外なく奇想天外、単調さとは無縁である。おまけに毒に関して言えば、最後に紹介される一〇一個目の罠にも深く関わるもので、そちらはご自分の目でご確認を。本書の好評を受けて続編『グリムトゥースのトラップブックⅡ』も翻訳刊行されているし、『T&Tビギナーズバンドル 魔術師の島』(ともに新紀元社)に収められたラリー・ディティリオのシナリオの毒や罠もなかなかに凶悪なので、それらの恐怖をぜひ体験していただきたい。(岡和田晃)

ダークサイド通信 no.11

致死量の独白

最合のぼる 文・写真

もし

もし　それが草花だったら
ニオイスミレの首飾り
揺れるスカートの懐中電灯
放課後になったら体育館の裏
もしくは雑草の生い茂る空き地
知らぬが仏の種と根茎
夢中になった花摘みが命取り
食べれるものなら食べてごらん
痙攣するように踊りましょう
ほらほら涎を振りまいて
アルカロイドの夢を見ながら
やがて訪れる穏やかな
天使のラッパが響く時
心臓麻痺の予感も素敵
最期くらいはメルヘンチックに
どうか嘔吐して

その子の首には小さな花のタトゥーが入っていてね。
花の名前なんて知らないさ。

もし

もし　それが猛毒だったら
攻撃のためのヴェノム
武装集団の嘆きが聞こえる
捕獲するのは守備の一環
熱砂の果て
息を殺してじっと見る
唐揚げなんかにされてたまるか
やがて訪れる呼吸困難
美しきチアノーゼに見惚れたら
軽やかな痙攣
ワン・ツー・スリー、ワン・ツー・スリー
全てを委ねるまでは暴れても
リズミカルなalpha toxin
遺言は箇条書きでお願いします
極東の果て
所詮、無理な憧れだった

もし

ファット・テールと呼ばれた男がいたのさ。
名前負けしたケチなチンピラさ。

もし

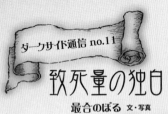

だったら
だったら
だったら
だったら
も　し　それが劇薬だったら
飲んだらポイズン
悪意のシアン化カリウム
清純を装った白が眩しい
呼吸は浅く、脈拍は早く
イニシャルはKとCとNでした
阻害された意識の行き着く先で
まろやかな昏睡が誘う淫靡
血圧低下のエクスタシー

だったら

中枢神経をもっと突いて
赤血球がトロトロに溶け出すまで
細胞内低酸素が招く組織の壊死
ヘム鉄が手をつないだら
静脈は鮮やかなピンク色
時間切れまで15分
カップ麺より緩やかに

どうやって手に入れたかなんて知りたくもないね。
ともかく飛び切りいい女だったぜ。

だったら

　も　し　それが○○だったら
黄昏にひとり
寂しさの憂さ晴らし
「ここに行くにはどうしたら良いでしょう」
揮発性は当たり前
明滅に群がる蛾のように
冷めていった
束の間、騒音に耳を澄ます
静謐な悲鳴が
夜明け間近の暗幕を絡め取る
人知れず

だったら

死にきれず
指折り数えたゴミ回収車の日々
だけど虚しい不在票
ならばいっそ
もっと馬鹿になれば良かった
もし　それが
もし　それが

あんた、一体なんの話をしているんだい？

もし　それが
も　し　それが
も　し　それが

悪戯をされた少女は仕返しをしたのさ。弱いチンピラは憧れをシンボルにしたのさ。捨てられた女は暗殺を企てたのさ。

どうしてこうなったのか／よくわかりません／最初は少し気持ち悪いなってくらいで／トイレに駆け込んで／何度か戻して／そしたらザーッと汗が流れて／ぽたぽた床に垂れました／次に息苦しさと動機がして／目の前が真っ白になって／もしかしたら死ぬのかなって／別に死んでも良かったんですけど／命拾いしましたけどね

ほんとバカなガキだったから／掴んだ瞬間／痛いっていうより熱いって感じ／どんどん腫れちゃって／腐ったタラコみたいな色って言うんすかね／そしたらさ／勝手に動くのよ、身体が／痙攣なんてしたことなかったし／ヤベーと思ったけど／ちょっと面白くなっちゃって／バカだから／でもコレだって、思ったんすよ

嫌な予感がしましてね／シンクに流したんです／床に少し飛び跳ねたんでしょうね／舐めた途端にくるっと跳ねて／泡って本当に吹くんですよ／泡って何ですかね／苦しむ間もなかったと思いますよ／少しだけ痙攣して／目も開いていましたし／可愛そうなことしましたけど／まさかそこまでするとはね

背中合わせの
甘美な危険

魅入られた者たちは
ひっそりと隠し持つ
理由なんて言い訳

されど微量

駆け巡る不穏
待ちぼうけの解毒
迫る来る

生まれ変わるとしたら
生まれ変わるとしたら
生まれ変わるとしたら
生まれ変わるとしたら
生まれ変わるとしたら
生まれ変わるとしたら
生まれ変わるとしたら

ようこそ

END

暗黒メルヘン絵本シリーズ参加画家が結集したファイナル本＊アトリエサードより大好評発売中!!

『暗黒メルヘン絵本シリーズ ZERO 王女様とメルヘン泥棒』

最合のぼる（文・写真・構成）　黒木こずゑ、たま、鳥居椿、須川まきこ、深瀬優子（絵）

明治初期の毒婦ブームを追う

——人々はそこに何を求めたのか

●文＝水波流（作家・舞台制作者・FT新聞編集長）

★月岡芳年「浅瀬で夏目四郎三朗を殺す鬼神のお松」明治19（1886）年

古くより洋の東西を問わず、傾国の美女や妖婦と呼ばれる女性は数多く存在した。クレオパトラや楊貴妃は言うまでもなく、日本でも小野小町や常盤御前、高尾太夫など枚挙に暇がない。しかし単に美しさや憧れを表す呼称でなく、「毒婦」と毒の字を用い始めたのはいつからなのだろうか。亀井秀雄による『明治文学史』にはこのように記載されている。『「毒婦」というのは江戸時代に始まった言葉で、性的な魅力で男をだまし、悪事を働く女を指します』。

江戸から現代に至るまで「毒婦」はなぜ人々を惹きつけるのだろう。なにもわざわざ毒があるものに手を出さなくても……と思う向きもあるが、敢えて毒のあるフグを食する日本人の嗜好を考えると、毒があるからこそ旨いというのも存外納得がいく気もする。

さてその毒婦が、物語からはじまり、やがて現実に飛び出して来るようなブームになった時代があった。それが明治10年〜20年代のことである。その時代に何があったのか？　その前にまずは毒婦の成り立ちから考察してみたい。

「江戸時代に始まった毒婦」とは、歌舞伎や講談などで語られたり、戯作などの読み物の所謂「毒婦物（別名・悪婆物）」と言われるジャンルの事である。代表的な毒婦としては「鬼神のお松（笠松峠《かさまつとうげ》鬼神《きじんの》敵討《あだうち》、新《しん》板越白浪《ばんこしのしらなみ》）」「妲己（妲妃）のお百（秋田杉直物語《あきたすぎなおしものがたり》、善《ぜん》悪両面児《あくりょうめんこの》手柏《てがしわ》）」「土手のお六（於染久松《おそめひさまつ》色《うきなの》読販《よみうり》）」「切られお富（處女《むすめごの》翫《み》浮名横櫛《うきなのよこぐし》）」などが上げられる。

しかしこれらは全て創作物の登場人物、つまりフィクションとしての毒婦である。また内容も、女だてらに丁々発止の活躍をする女傑や女盗賊ものが多く、いわば男性主人公の女版の役割として楽しまれていたようだ。ところが明治10年代からブームとなる毒婦物は「実在」が大きなポイントとなる。

明治というのは日本が近代化へと進み出す丁度

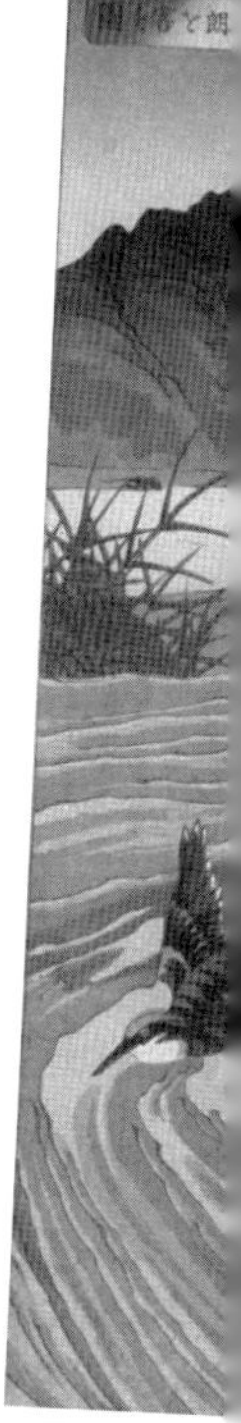

ターニングポイントになる時代である。幕末から明治維新を経て、文明開化の名の下に西洋化が進められた結果、人々の意識も江戸時代とは大きく変化を遂げはじめる。そのような時代背景の中、人々が求める娯楽もまた完全なる創作から、事実を交えたものに興味の矛先が転じた。

明治3年に新聞が創刊されると人々はこぞって文章を読むようになる。すると娯楽もこれまでの歌舞伎や人形浄瑠璃などの舞台鑑賞から読み物に主体が移り、明治10年代には毒婦の「実録小説」が空前のブームを生む事となる。そのブームは新聞の雑報欄、いまでいう社会面の三面記事に掲載された事件報道を元にした連載小説「つづき物」として始まった。

明治初期の新聞は、紙面内容によって2種類に分かれていた。主に知識層向けに漢文調で政治論や海外事情などを掲載した「大新聞《おおしんぶん》」と、大衆向けにふりがな付きの口語調で事件報道や娯楽記事を掲載した「小新《こしん》聞《ぶん》」で、大新聞の代表は『横浜毎日新聞』『東京日日新聞』『郵便報知新聞』など、小新聞は『読売新聞』『東京絵入新聞』『仮名読新聞』などであった。記者も大新聞は学者や政論家である一方、小新聞は戯作者などの作家や投書を通じて記者になる者も多かったようだ。この辺りは現代における雑誌やWEB記事の書き手に通ずる雰囲気が漂う。

★仮名読新聞（月岡芳年・画）、明治12（1879）年

『仮名読新聞』は、江戸末期から明治初期に活躍した戯作者・仮名垣魯文によって明治8年に創刊された。その仮名読新聞で「つづき物」として人気を博したのが「鳥追お松」である。明治10年2月に狂死したとされる毒婦・お松を主人公に据えた痛快無比なストーリーで、このお松、実在の人物かの裏付けは残されていないものの、当時はその存在が信じられており、実録小説として読まれていたようだ。

明治10年12月～翌年1月にかけて、まずはつづき物として『鳥追《とりおい》お松《まつ》の伝《はなし》』が久保田彦作によって仮名読新聞に掲載され、同月のうちにすぐさま草双紙合巻『鳥追《とりおい》阿松《おまつ》海上新話《かいじょうしんわ》』として出版、翌年には歌舞伎『廿四時《にじゅうよじ》改正新話《かいせいしんわ》』として舞台化される。このようにつづき物で人気を博し、書籍化、舞台化していく流れは、現代の連載漫画や小説投稿サイトの人気作メディアミックス展開を思わせる。

鳥追お松の人気を受けて、明治5年に処刑された実在の毒殺犯・原田きぬをモデルにした「夜嵐お絹」もつづき物として書き下ろされる。こちらも明治11年5月より、東京さきがけ新聞に『毒婦《どくふ》阿衣《おきぬ》の伝《はなし》』として連載が始まるや否や、同年6月～11月にかけて岡本起泉による『夜嵐《よあらし》阿衣《おきぬ》花《はな》廼《の》仇夢《あだゆめ》』として合巻が出版されている。実話の体裁を取ってはいたものの、実際の原田きぬのエピソードに大幅な脚色や創作が加わり、面白おかしく仕上げられている。

このように初期の毒婦物は、実在の人物そのもの以上に、空想上で「毒婦」たるイメージを広げたものが多かったようだ。江戸時代の瓦版には娯楽読物として荒唐無稽な活劇物や怪談・奇談なども掲載され

★久保田彦作（楊洲周延・画）「鳥追阿松海上新話」明治11（1878）年
（東京大学法学部附属明治新聞雑誌文庫所蔵）

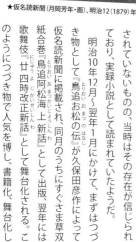

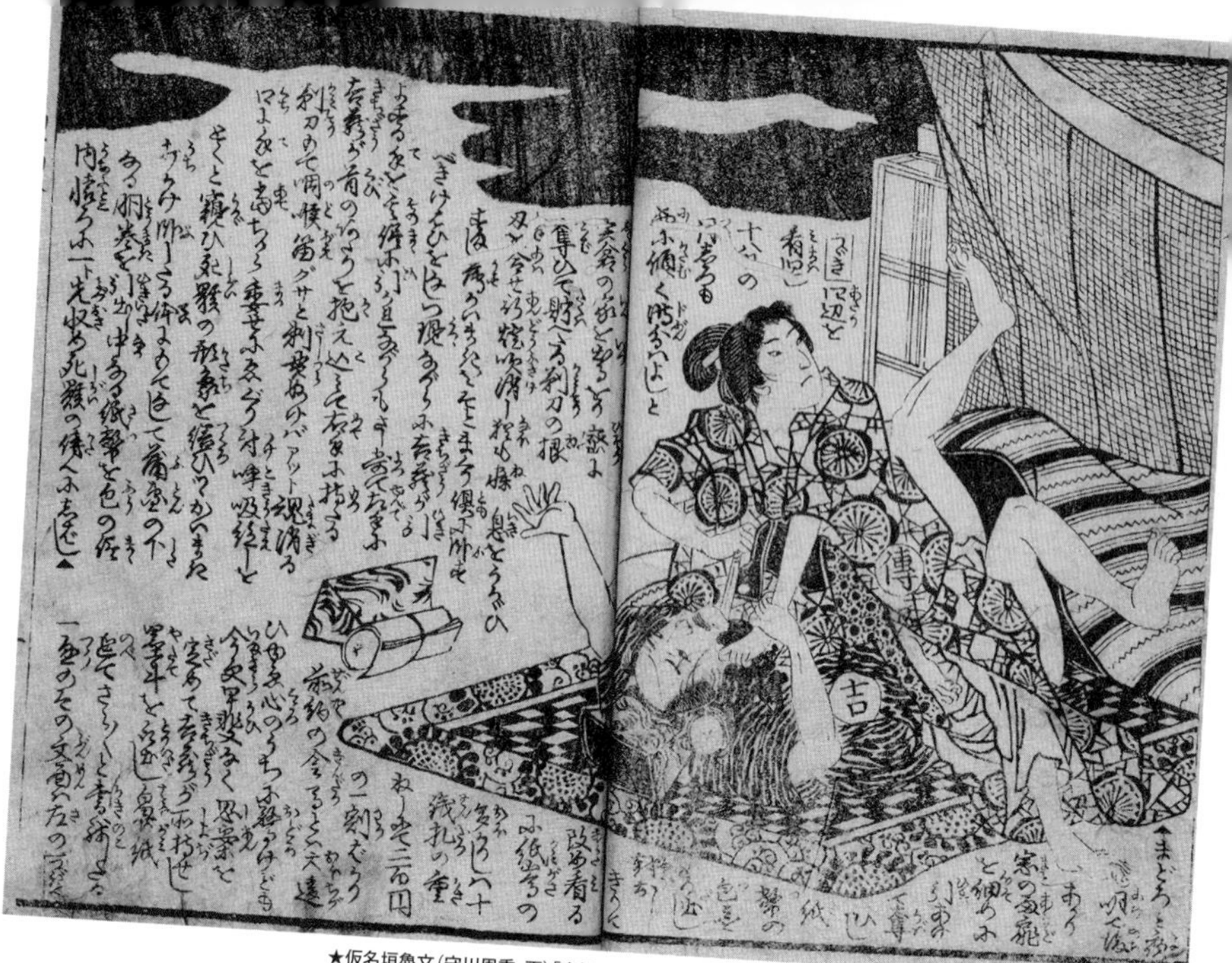

★仮名垣魯文(守川周重・画)「高橋阿伝夜刃譚」明治42(1909)年(東京大学法学部附属明治新聞雑誌文庫所蔵)

ていたが、近代化こそを良しとした明治時代の新聞にはそのようなものは無論、似つかわしくない。そこで物語ではあるものの、事実を元にした報道という新時代のメディアならではの作風が持て囃された。当時の大衆は厳密な真偽よりもむしろ、噂に尾ひれがついてフィクション化した内容にこそ面白みを見出していたようだ。しかし時代が下ると徐々に内容にも変化が加わってくる。

明治12年に絞首刑より重いとされた斬首刑に処された、高橋お伝。明治の毒婦の代名詞とも言われる存在だが、彼女の登場はまさに毒婦ブームの最高潮とも言えた。お伝の記事が新聞に掲載されたのは、明治9年8月29日に彼女が殺人容疑で逮捕された直後からである。その後、取り調べの記事やお伝本人の供述、また事件の背景などが継続的に新聞に掲載される。そして明治12年1月31日に処刑が執行されると、その翌日から新聞各社がこぞって、つづき物の連載を開始する。

夜嵐お絹で人気を博した東京さきがけ新聞、改め東京新聞では岡本起泉が『東京奇聞：其名も高橋毒婦の小伝』を執筆。鳥追お松を連載した仮名読新聞では『毒婦おでんの話し』を掲載するが、余りの話題性の高さゆえ、他紙を先んずるべく連載を2日で早々に取りやめ、絵入りの活版刷り単行本での刊行に切替える。現代でいえば中断した連載の残りを書き下ろし単行本で急いで売り出すようなものだろうか。

その仮名垣魯文による『高橋《たかはし》阿伝《おでん》夜刃《やしゃ》譚《ものがたり》』は寝る間も惜しみ急いで刊行する余り、誤りも多数あるあまり良い出来とは言えない内容だったようだが、飛ぶように売れた。物語の途中に「記者曰く」ともっともらしい註釈が入ることで、より実録小説としての迫真性を増すのに一役買っていた。この辺りは、随分後年の例示になるが劇画原作者である梶原一騎が、空手家・大山倍達の伝記的劇画『空手バカ一代』の作中で、信じがたいエピソードが登場する度に「大山倍達・談」と挿入し、当時の読者にフィクションと史実の境目を目くらましさせ、より物語を楽しませた事を彷彿とさせる。

明治以前の毒婦物は女傑や女賊の活躍を描いた活劇的な娯楽が主流だったと前段で触れたが、明治の毒婦ブームに載せられて江戸時代の女賊を再発掘することも初期は多かった。雷《かみなり》お新《おしん》、茨木《いばらぎ》お滝《おたき》、雲霧《くもぎり》の《の》お《お》辰《たつ》などである。ブームが進むとそういった古典的な毒婦物に変わって、上州無宿のならず者にかどわかされた蠱惑的な少女お竹の逃避行を描く『幻《まぼろし》阿竹《おたけ》噂《うわさ》廼《の》聞書《ききがき》』や、男が涎を垂らして次々と言い寄ってくる斑《はん》猫《みょう》お初《おはつ》『艶娘毒蛇淵《いろむすめどくじゃのふち》』、夫の仇討ちのために武芸者に身を任せ貞女か悪女かを問われた布施いと『今常《いまと》磐《きわ》布《ふ》施《せ》譚《ものがたり》』など、翻弄される女を描いた実録物としての作品が多くなってくる。そして明治20年に逮捕された「花井お梅」ともなると、躁鬱を病んだ美人芸妓の異常な執着と行動に、裁判ではそのヒステリックな精神病理が取り沙汰されるという、まさに現代でいうヤンデレ・メンヘラ女子の実話報道に等しい内容に変化を遂げている（これら毒婦たちの個々の作品詳細については綿谷雪『近世悪女奇聞』に詳しい）。

こうした江戸時代からの内容の変化は明治初期という時代背景も大きく影響しているだろう。封建制社会の厳しい身分制度が終わり、努力次第で「立身出世」が望める新時代が到来した。しかしそれはあくまで男性の話。家父長制や男尊女卑の社会通念の中、女性には当然のように「良妻賢母」が求められた。そんな時代にあって男性の従属物ではなく、女であることを武器に破天荒な活躍をする毒婦の存在は、時代が求めた貞婦や孝女の対極として異彩を放つ女性像だったに違いない。

また当時の読み物の人気の元はそうした内容も然る事ながらまず挿画だった。それは現代で漫画やアニメがまずビジュアルありきであることと似ている。月岡芳年、河鍋暁斎、楊洲周延、守川周重、歌川芳虎（永島孟斎）をはじめとする錚々たる明治浮世絵師たちが手がけた錦絵は文字以上に物語を盛り上げる要因となった。しかし時代が下ってゆくと、新聞の紙面は錦絵から写真に姿を変えていく。毒婦たちの素顔も、絵師の主観混じりで悪辣な表情に描かれる事の多かった肖像画から、事実を伝える肖影写真へと変化を遂げた。それに伴い、読者の求める毒婦物の内容も、より写実的に変遷して行ったように思える。そうして明治20年代になるとつづき物は新聞小説にその座を奪われる。それは実に、近代日本文学に坪内逍遥や二葉亭四迷などによって写実主義が登場する流れにも繋がっていくものであった。

明治初期における毒婦物ブームとは、日本的な幽玄から西洋的な事実至上主義へ大衆意識が移りゆく時代の徒花だったのかも知れない。谷崎潤一郎が『陰翳礼讃』で語ったように、西洋文化は光ある事が正しいとされ、物事の白黒、真偽をはっきりさせる事が良しとされた。しかし近代化以前の日本文化では、むしろ闇の中に浮び上がる薄明かりこそが美徳であり、その境目である陰影を大事にしてきた。光と影が存在すること、黄昏の片隅にふと朧気な何かが佇んでいること……あやふやだからこそ、より真実味が見え隠れする、面白みがあると感じるのはいかにも日本人的風情では無かろうか。

ここまで論じてきたように、大衆が「毒婦＝毒」のどこに面白みを見出していたかは、時代とともに少しずつ変化している。江戸時代の実在の定かでは無い「架空の毒婦」の巷談から、明治になると日刊の新聞連載という新鮮さや新規性こそが重要な媒体に娯楽の中心が移り変わる。事実を元にした読物は現代の週刊誌のゴシップ記事のごとく消費された。そうして現代に至ると、1日1回どころでは事足りず、日に何度も更新されていくWEBメディアに大衆の関心は移って行く。毒婦の取り上げ方は完全に実話報道となり、人々の興味は噂の真偽や隠された真実、本人の背景情報に掘り進んでゆく。

毒というものは恐いもの見たさで少し舐めるだけで人を虜にする。そして人の欲望には際限がない。毒とわかりつつも舌鼓を打ち、もう1口、あと1口と気づいた時には、皿まで喰らわんとばかりに貪欲な飢餓感によって、餌食になった題材をしゃぶり尽くしていく。そうして陰影の境目を匂わせる明治の毒婦物は、風情のかけらもなく限りない追求の手を伸ばし続ける現代の実話・実録事件物に成り下がった。まさに毒を食らわば皿までの末路ではなかろうか。草葉の陰から食い物にされた毒婦たちが、それ見たことかとにやにや笑いを浮かべながら眺めているのが見えるようだ。

■参考文献
亀井秀雄『明治文学史』（岩波書店 2000/3/17）
朝倉喬司『毒婦の誕生――悪い女と性欲の由来』（洋泉社 2002/2/1）
板垣俊一『女性死刑囚の物語――明治の毒婦小説と高橋お伝』（新典社 2022/1/31）
綿谷雪『近世悪女奇聞』（中央公論新社 2010/4/1）
風間賢二『怪異猟奇ミステリー全史』（新潮社 2022/1/26）
木下直之・吉見俊哉『ニュースの誕生――かわら版と新聞錦絵の情報世界』（東京大学総合研究博物館 1999/1/1）
千葉市美術館『文明開化の錦絵新聞――東京日々新聞・郵便報知新聞全作品』（国書刊行会 2008/1/1）

横溝正史と毒

——語らず語る探偵小説ごころ

◉文＝高槻真樹（SF評論・映画研究者）

毒といえば横溝正史のミステリ、とつい口をついて出る。おどろおどろしく因習的な世界を舞台に、突如血を吹いて次々と倒れる被害者たちの、凄惨な光景が目に焼き付いて離れない。金田一耕助ものを中心とする怪奇趣味に満ちた謎解きにおいて、毒は欠かせない小道具だ。少なくとも自分はそう思っていた。

意外に少ない毒殺事件

しかし今回、毒の描写に注意しながら個々の作品を読み返してみると、印象が一変した。『八つ墓村』、『悪魔の手毬唄』、『女王蜂』、『悪魔が来りて笛を吹く』（すべて角川文庫刊）など、毒は代表作の多くで、印象的な形で登場するが、全体に占める割合はごく小さい。

『悪魔の手毬唄』では、序盤の「お庄屋ごろし」のみが毒殺で、少女たちが毬つき歌の歌詞に見立てて殺害されるメインの三件は、よく読んでみると死因は小さく「絞殺」や「撲殺」であると書かれている。帝銀事件をモデルにした『悪魔が来りて笛を吹く』では、序盤と終幕に印象的な形で青酸カリが使われているものの、次々と殺されていく犠牲者たちの死因は毒殺ではない。

横溝ミステリ＝毒殺を印象付けたのは、やはり『八つ墓村』だろう。ある日突然、旧家の相続人であると告げられ、祖父を名乗る見知らぬ老人と対面するが、その瞬間、相手はいきなり血を吹いて倒れる。

「辰弥……　水を……　水を……」

それが直接、祖父が私にむかって口をきいた、最初であると同時に最後でもあったのだ。

「お祖父さん、どうしたのです。気分でも悪いのですか」

私はあわてて例の手紙をポケットにねじこむと、デスクのうえにあった土瓶をとりあげたが、その時、祖父をおそった激しい苦悶の痙攣とともに、絹糸のような血の一筋が、祖父の唇のはしから流れ出すのを見て、私は思わず悲鳴をあげて人を呼んだ。

実にインパクトのある開幕である。その後「八つ墓村」へとやって来た主人公の周囲では、かつてこの地で起きた落ち武者狩りの因縁であるかのように、次から次へと殺人が起き、その大半が凄惨な毒殺の形をとっていた。誠におどろおどろしい、横溝美学の真骨頂というべき展開だ。

だが、この作品もまた、改めて見返してみると、どこか妙な点がある。第一の殺人の直後の描写を見てみよう。

死体はすぐに県立病院へうつされ、そこで警察の嘱託医によって慎重に解剖されたが、その結果、ある激烈な毒による中毒死ということが判明するに及んで、私の立場は俄かにむずかしくなって来た。

つまり凶器は毒なのだが、結末に至ってもその正体は伏せられたままで、入手経路は明かされない。ミステリでありながら、毒は謎解きにまったく関与しないのである。いったいこれはどういうことなのだろうか。

横溝家の秘密

手がかりを求めて、先行研究に手を伸ばした。横溝正史は、江戸川乱歩とともに、もっとも作品・作家研究が進んだミステリ作家の一人と言ってもよいのではないかと思われる。特に二松学舎大に収められた横溝正史旧蔵資料からは、戦時中発表されたまま忘れられていた家族小説『雪割草』の草稿など、次々と新たな発見が報じられている。研究誌『横溝正史研究』全六巻(戎光社)は、一般のファンも手に取ることができる書籍として発売された。

中でも注目すべきは、巻末連載の形で、研究者の成果を結集してまとめられた「横溝正史年譜事典」だろう。土台のひとつとなったのは、新保博久が発掘し編んだ『横溝正史自伝的随筆集』(角川書店)収録の回想エッセイ「続・書かでもの記」。雑誌「幻影城」に連載されていたが、残念ながら読者の反響をあまり呼ばず中絶、忘れられていた。新保自身、その内容の重大性を、連載当時に気付かなかったことを悔いている。

いったいどういうことか。対立する二つの旧家、そこで許されざる禁断の恋を経て駆け落ちの末に複雑な家族を築いてしまう男女、入り乱れる愛憎関係……横溝ミステリではおなじみの世界だが、これまで本人が語ってきたような岡山での疎開中に見聞した出来事というわけではない。実は横溝の生い立ちそのものが、こうした複雑な環境の中にあったのである。父親が離別や死別で三度結婚しており、そのたびに連れ子の何人かが引き取られ、ひとつ屋根の下で密かな対立と恋慕が育まれた。

もはや研究者の間では常識のようだが、ファンに広く知られた事実とは言い難い。作品世界に大きな影響を与えているにもかかわらず、私も含めて、なぜか横溝ファンの多くは、著者の生い立ちにほとんど関心を示さなかったのである。

だが、横溝のエッセイは数多く、ひとたび関心を持って読み進めれば、そこから得られる情報は驚くほど多い。石坂実夏子「『八つ墓村』に見る都会と地方」(富大比較文学第九集)では、八つ墓村の主人公寺田辰弥と横溝正史自身の生い立ちが非常によく似ていることを指摘している。中川右京による評伝『江戸川乱歩と横溝正史』(集英社文庫)では、横溝の証言をもとに家系図が描かれているが、中川は『悪魔の手毬唄』の人物相関図と似ている、としている。

毒を知り尽くし避けた男

ならば先輩研究者らにならい、『自伝的随筆集』をはじめとする横溝自身の証言をさらってみよう。あっけなく分かったことは、毒の知識に乏しいどころか、薬物を生業とする経歴を持っていたことだった。神戸にあった横溝の生家は、母が営む生薬屋で、自身も大阪薬学専門学校(現在阪大薬学部)の出身。卒業後は一時、春秋堂なる薬局を営んでいた。『探偵小説五十年』(講談社)では、近隣の薬局に「大いにファイトをもやしていた」というから、かなり商売熱心だったようだ。この本の初版ではゆかりの人々の寄稿も含まれており、大阪薬専の同窓だった平吉廣州の「大阪薬専時代の横溝」によれば、「殆ど勉強らしい事もしない様なのに、試験は楽々と涼しい顔で罷り通った」という。

ところが著作を見渡してみても、毒に関する蘊蓄を語る場面はほとんど見当たらない。数少ない例外が、『悪魔の手毬唄』の「お庄屋ごろし」の場面であろう。

草庵にのこっていた汚物を県の鑑識課にお

★1917年ごろの新開地

くりとどけて、調査を依頼しておいたところが、その結果報告が十三日の夕方ごろまでにとどいたのである。それによると汚物のなかからロベリン($C_{22}H_{27}NO_3$)なる猛毒アルカロ

横溝は、新開地で薬物を生業としていたがその詳細について語ることはなかった

イドが発見されており、このロベリンなるアルカロイドは沢桔梗というキキョウ科の植物の全草中に含有されているという。

沢桔梗。——

すなわちこのへんではお庄屋ごろしとよばれている植物で、げんに人食い沼の周辺にもあちこちに群生している。

必ずしも必須とはいえない化学式まで書き込むところに、プロ意識が感じられる。横溝が生涯に残したエッセイは、日下三蔵編『横溝正史エッセイコレクション』全三巻(柏書房)に、ほとんど収められているが、毒自体を論じた文章が皆無に近い。見立て殺人や密室殺人のように、毒殺について思い入れを語ることはなかった。

小林信彦が横溝へのロングインタビューをまとめた『横溝正史読本』(角川文庫)をみてみよう。横溝は一九歳ごろ、神戸二中を卒業したあと第一銀行に就職、しかし翌年に処女作「恐ろしき四月馬鹿」を発表し、大阪医学専門学校に入学。小林は「驚いた」と評し、その不自然な行動の理由を尋ねた。

ちょっとそこのところ言いたくないんだけどね、家庭の複雑な事情があったもんだから、一応社会人になって、それで複雑な問題解決されたもんだから、改めて家業を継ごうってンで、薬専へ入ったの。

サービス精神旺盛に自身を語っている横溝が、証言を拒否したのはこの一カ所だけだ。『自伝的随筆集』などに書かれた当時の思い出と突き合わせてみたところ、確かに複雑な家庭ではあるが結構楽しそうで、解決しなければならないような問題は見当たらない。

だが、このとき語られざる何かがあったのだ。

一九一六〜一七年ごろ、旧制中学生だった横溝は、継母から家計について相談を受けている。もうちょっとで一日一〇円の売り上げになる。「そしたらうちの暮らしもよっぽど楽になるんやけどなあ」(『自伝的随筆集』)というのだ。週刊朝日編『値段の風俗史』(朝日文庫)によれば、この時代の米は一〇キロで三円八十六銭。一〇円はそれなりの額といえる。

店があった「夜の新開地の通りは、文字通り押すな押すなの盛況で、歩くにしても一寸刻みにしか歩けなかった」ほど活気があった。別の個所では、当時の薬専卒業生の地位について「前途洋々のはずである。他の友人たちも当時は薬剤師払底時代だったから、いまみたいな就職難ということは絶対にない」とも証言している。

金が出来ると、人は変わる。横溝の小説にもある通りだ。生薬屋を誰が継ぐかを巡って家族内で諍いがあったのではないだろうか。少年期を振り返る文面からは、継母を含め家族の全員を愛した横溝の温かい人柄が伝わってくる。それだけに、親しい人々がいがみ合う姿に耐えられず、いったんは身を引いて銀行に就職、しかし争いは収まらず「正史なら」ということで決着したのではないだろうか。

だとしたら、薬局店主の座を数年で放り出して、雑誌「新青年」の編集者になってしまったことは、家族の分断を招き、後ろめたい記憶となったことだろう。横溝の東京の新居には、なぜか父と次弟が同居した。

生粋の神戸っ子として少年時代を過ごした横溝なのに、自作の舞台として神戸をほとんど用いることがなかった。この時代と密接に結びついた薬学もまた、語りづらく距離を取りづらい世界になったのではないだろうか。

「毒」を語る困難

その一方で、専門知識があるほどに、毒を題材としたミステリを扱うことが難しくなるというのも、また確かなようである。化学者の山崎昶が書いた『ミステリーの毒を科学する』(講談社ブルーバックス)では、多くの古典的名作が俎上に上げられ、辛口の論評を受ける。入手経路から足がつきやすいし、精製途中で自分が被害を受けるリスクもある。致死量をしっかり把握しておかねば失敗するし、望まない相手を殺すことになるかもしれない。毒について知れば知るほど、凶器としての毒の頼りなさが浮き彫りとなる。

そんな中にあって「自然科学系の素養の豊かな」作家の数少ない例外として、横溝正史の作品は絶賛されている。人形佐七捕物帳のひとつ「たぬき汁」が挙げられ、犯人がトリカブトの知識を得た経緯を含め、きちんと書かれている設定は、「あざやか」と評される。しかしこれは時代物であるから成立する話であって、「現代人の目をあざむくのは、並たいていのことではできない」ともしている。

おそらく、横溝の見解も、山崎とほぼ一致していたのではないだろうか。だがそれでも、横溝は自作の中に毒を取り込むことを選んだ。その一方で、薬専時代や薬局店主時代の苦い記憶に触れざるを得ないからか、エッセイや評論では、毒について頑なに口をつぐんだ。

実は、毒を主題とした横溝のエッセイは、一本だけ確認できた。『探偵小説昔話』(講談社)収録の「金硫黄奇談」だ。だがこれが、実に人を喰った内容なのである。

海外のミステリでは、ディクスン・カーの『火刑法廷』(ハヤカワ・ミステリ文庫)をはじめ「いかに多くの毒殺が扱われているか」を指摘する書き出しなのだが、では日本ではどうかとなると、江戸期のお家騒動から義太夫狂言「朝顔日記」の分析へと向かってしまう。さらには、作家仲間の渡辺温と飲みすぎて嘔吐しながら金硫黄という毒物について蘊蓄を披露し合うという展開になだれこみ、しれっとこう書いて稿を終える。

> だから、私は昔からそういう薬があることを知っていたのである。しかし、あちらの某作家のような佳作は書けなかった。問題は探偵小説ごころにあるのだろう。トリックが使い果たされたなどと悲観することはない。

初出は「推理文学」一九七四年五月号。横溝は「あちらの某作家のような」形ではないが、毒殺を扱った傑作をいくつも書いていた。そこにあったのが、毒を語らずして語る叙述トリックだった。悶絶する被害者のおどろおどろしい描写は、読者の目をくらますレトリックだ。

破綻に気づかせず、語りの魔術で読み手を自在に操る。叙述に自信があったからこそ、わざと支離滅裂なエッセイを書いてみせたのではないか。ここに秘密があるという、メタ的なほのめかし。これぞ横溝にとっての「探偵小説ごころ」だったのかもしれない。

毒薬とミステリー
——変格作家、小酒井不木

◉文＝志賀信夫（批評家・編集者）

小酒井不木とは？

小《こ》酒《さか》井《い》不《ふ》木《ぼく》という作家を知っているだろうか。雑誌『新青年』（一九二〇～五〇年、博文館）などで活躍したミステリー作家である。『新青年』というとまず江戸川乱歩、横溝正史、そして夢野久作、小栗虫太郎、久生十蘭、後の幻想文学として評価される異端的な作家など、多様な作家たちが執筆したことで知られる。小酒井不木は、『新青年』を始め、SFの先駆けといわれる作品、子ども用のミステリーも含めて多くの作品を発表している。そして小酒井は、同時に医学者であった。海外の研究誌にも論文が掲載され、審査委員をつとめるなど、生理学・血清学の世界的研究者であり、息子の小酒井望も順天堂大学教授である。

小酒井はその知識と経験を生かして、犯罪学研究を行った。そして特に注目したのが毒薬である。ミステリーには殺人がつきものだが、その方法の一つとして広く知られるのが毒殺。ミステリーのみならず、世界の文学や歴史では毒薬と毒殺が多々登場することは、例えばシェイクスピアをみてもわかるだろう。ミステリーのみならず作家には医師も多いが、それを生かして毒薬と犯罪学を研究した人物は、日本では小酒井不木くらいだろう。では、小酒井不木とはどういう人物だろうか。

★『新青年』

本名、小酒井光次は一八九〇年十月八日に、愛知県海東郡新蟹江村（現・海部郡蟹江町）で村長や地方議員を務めた地主の家に生まれる。早くから学問に関心を抱き、小学校も二年飛び級で入学するなど、小さいころから頭角を現し、第三高等学校（京都大学）を経て、一九一一（明治四十四）年に東京帝国大学医科大学（現・東京大学医学部）に入学する。一方、その年、『京都日出新聞』に処女小説『あら浪』を連載。学業は大学でも首席、大学院で生理学・血清学を専攻。師事した生理学教授の三田定則は犯罪学の権威だった。

一九一五（大正四）年には、『生命神秘論』を発表。一七年には、二十七歳で東北帝国大学医学部衛生学助教授。文部省から衛生学研究のため留学し、アメリカの有名なジョンズ・ホプキンス大学、コーネル大学に学び、イギリスに渡り研究を続け、パリではパストゥール研究所に席を置くが、その間に、肺炎、喀血などで苦しむ。帰国後、二〇年に東北帝国大学医学部衛生学教授の辞令を受けるが、病気のため名古屋で静養。二一年に『東京日日新聞』に『学者気質』を連載したことで、『新青年』の編集長森下雨村の目にとまり、寄稿するようになる。

名古屋には同じく医師、愛知医科大学皮膚科学教授でミステリー作家の木下杢太郎がおり、交流する。小酒井は、『犯罪学雑誌』の創刊に尽力し、医学研究とともに、随筆の執筆や海外探偵小説の翻訳などを行う。二二年には、『毒及毒殺の研究』を連載。翌年から、文筆に専念する。数多くのミステリー小説や研究、翻訳を発表、雑誌『子供の科学』に少年探偵小説『紅色ダイヤ』を連載する。自らの病気の『闘病術』はベストセラーになり、それまでなかった「闘病」という言葉が広まる。また、「少年科学探偵」シリーズもロングセラーとして多くの読者を獲得する。

　だが、医学研究の道も捨てず、一九二七(昭和二)年には研究室を建てて血清学の研究を始める。さらに、『龍門党異聞』が帝国劇場などで上演され、また不木の提唱により「耽綺社」を江戸川乱歩、長谷川伸、国枝史郎らと結成し、作家六人による連作小説など、意欲的に活動する。だが、二年後の一九二九年に、三十九歳で急性肺炎のため死去する。

乱歩と不木

　江戸川乱歩が『二銭銅貨』を『新青年』の森下雨村に送ったときに、雨村は不木に翻案かどうかの判定を求めると、不木が創作として絶賛したことで「探偵作家江戸川乱歩」が誕生したとされる。そのため、乱歩は不木を「精神的支柱」としていたと横溝正史は証言している。

　小酒井不木の作品には、残酷描写も多く、また、SFの先駆けとされる作品『人工心臓』などもある。現在、トリック中心の小説を「本格推理」というが、一九二六年に甲賀三郎が名づけたもの。それに対して江戸川乱歩、小酒井不木、横溝正史などは、精神病理、変態心理などを探求するため、当時「不健全派」「変格派作家」と呼ばれた。だが、死後すぐに改造社から刊行された『小酒井不木全集』は全十七巻もあり、当時の不木の人気の高さがわかる。

　実際に小酒井不木の作品を読むとわかるが、非常に明解である。文章が平易で奇をてらったところ、技巧的なところがなく、読みやすい。それでいて、物語に入りやすく、発想、内容ともに面白い。

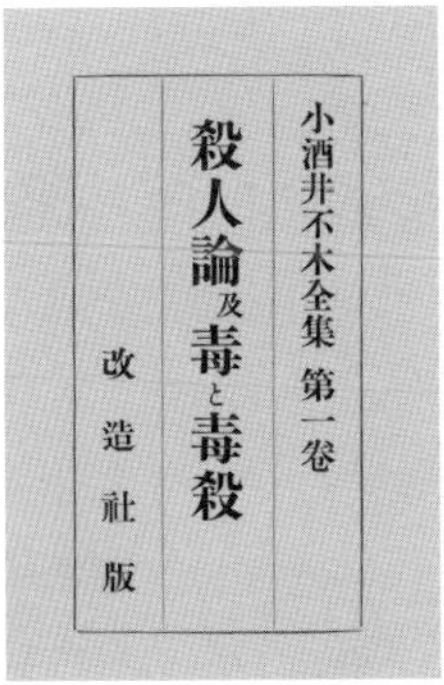

★『小酒井不木全集』第一巻中扉

毒と迷信

　まず、小酒井の研究について述べよう。その一つは『毒と迷信』(一九二九)である。これは、彼の研究・評論の成果の一つだろう。その内容は、「一　原始人類と毒、二　植物性毒と迷信、三　鉱物性毒と迷信、四　動物性毒と迷信(毒蛇)」という四章からなる。

　このなかでは、ダーウィンの進化論から、ギリシャ、ローマの神話、インド、アジア、アフリカの伝説、ホメロス、シェイクスピア、漱石など文学も渉猟して、その博覧強記に圧倒される。これは、一九六三年に『毒薬の手帖』を発表した澁澤龍彥のまさに先達でもあるといえるだろう。ここでは、澁澤もたびたび紹介したマンドラゴラについて記した、小酒井の文章を紹介しよう。

　マンドラゴラは英語でマンドレークと称する。この植物は馬鈴薯類に属するもので其の有効成分マンドラゴリンは、わが国に産する「きちがひなすび」の毒成分「アトロピン」と同じ作用を有するのであつて、往時人々は麻酔剤として用ひ、ことに屡々外科手術の際に応用した。たゞこの植物の形が丁度支那の人参と等しく人間の形をして居るために(即ち根が叉をなして人の脚の形をして居る故ゆゑ)之に色々な奇怪な迷信が附せられるやうになつたのである。其の迷信の一つはこれに男性と女性があると信ぜられ、日本に於ける蠑《ゐもり》の黒焼と等しく所謂「惚れ薬」として盛んに使用せられたことであり、その二は之を地より抜く際、物凄い叫び声を発し、其の声を聞いた者は皆気が狂ふといふ迷信である。従つて之を地から抜き取る際には、昔から犬を連れて来て犬に縛り附けて置いて、人々は耳を蔽つて遠くに居り、然る後犬を走らしめたのである。かくてマンドレークが抜き出されて後に、その犬はマンドレークの唸り声を聞いて死んで了ふ。ローマの文豪プリニーの記載する所に依ると、人々は之を抜き取る際、風に背を向けて立ち、刀を抜いて三たび植物のまはりに円を描かき、西に向ひて進みつゝ引き抜いたといはれて居る。希臘神話の中に出て来る魔法使ひの女サーシーはこのマンドレークを最も屡々使用したといはれて居る。この迷信は余程久しい間行はれ、沙翁の劇の中にも度々引用せられてゐる。

（中略）

面白いことは、バックニールといふ医学者の考証によると、沙翁は前後六回この植物を其の劇詩の中に引用して居るが、例の迷信を取り入れたときは、英語のマンドレークの語を其の儘用ひ、催眠作用を取り入れたときには羅甸語のマンドラゴラを用ゐて居る。些細なことではあるが大詩人の用意周到な心根が窺はれる。

遠くこの植物の歴史に遡ると、大昔のヘブライ人が「デーン」と称して居たものと同じであつてヤコブの時代には非常に尊ばれた「創成」の歴史によると、リユーベンが野に於てこの植物を見つけ、其の母のリエーに与へた。するとラケルがリエーに息子のマンドレークを呉れといふ。リエーは、「私の夫を奪つた上にまた息子をも奪ふ気か」と詰ると、「その代り今夜は夫を帰さう」といふ。この事から、ラケルがマンドレークを用ひて妊娠しようとしたためだと解釈し、マンドレークを用ひると子のない女が子を生むやうになるとの迷信をも生ずるに至つた。

マンドレークに関係して茲に少しく述べて置きたいのは、古来我国及支那で万病に霊効ありと唱せられて居る人参のことである。佐藤方定は日本の神代に存した八薬の最初に仁古太（人参）を挙げて居る。この人参は丁度マンドレークのやうに、人間の形に類似して居て「本草綱目」の中にも、「根に手足両目ありて人の如きもの神と為す」とあるが如く、この形のために霊効があるといふ迷信が生じて来たものらしい。殊に、支那にありては人参に関して荒唐な伝説があり、「抱朴子」には「人参千歳化して小児となる」などといひ、マンドレークに於けると同じく、人間の如くに言語を発したり、又男女の性別があるものゝ如くに考へられたりした。人参中にはマンドレークの含有するやうな毒物はなく、近時二三の研究家が、そのうちから特殊の成分を取り出したといふが、勿論俗間に信ぜられて居るやうな霊効のある訳ではない。何れにしても、同じやうな形をした植物が、東洋と西洋とに於て、同じやうな迷信を生じたことは興味ある現象といはねばならぬ。

どうだろうか。歴史仮名遣いで少々読みにくいが、現在も紹介されていることがかなり網羅的に示されているのではないだろうか。澁澤によって注目が集まり、現在マンガにもなったプリニウスも言及されている。また、沙翁はシェイクスピアのことである。念のため。

毒及毒殺の研究

次に、『毒及毒殺の研究』（一九二九）である。この「三、文学的考察 1 文学に現はれたる毒」は、文字どおり毒薬と文学の関係を論じたものだ。

その「一、概説」には、リットン卿『ポムペイ最後の日』の惚れ薬と発狂薬の話が取り上げられる。そして、小酒井は「毒を取り扱つた文学は凡そ三種に分つことが出来る。第一には毒の作用を如実に、科学的に記載したもの、第二には迷信又は伝説によつて毒を記載したもの、第三には作者が純然たる想像によつて拵らへた毒を記載したものが是である」と述べる。さらに、「毒の作用の如実の描写」として、砒素の効果については、フロベール『ボヴァリー夫人』の自殺から、こう引用する。

墨汁《アンクル》のおそろしい味が続いてゐた。「咽喉《のど》が渇く！　オゝ！　ひどく渇く！」と彼女は歎息した。

（中略）

そして彼女は枕もとのハンケチを掴む間も無い程、急に嘔気《はきけ》を催した。

（中略）

さうする間《うち》にも、彼女は足から心臓までのぼつて来る氷の冷さを覚えた。

（中略）

彼女は苦悶に満ちた、たゆげな様で、頭をごろゝゝ動かして、何か非常に重い物が舌の上に載つてでもゐるかのやうに絶えず顎骨《あぎと》を開けてゐた。八時に嘔気がまた起つた。

（中略）

やがて彼女は、まづよわゝゝしく吐息しはじめた。大きな戦慄が彼女の肩を震ると、彼女は痙攣した指が埋まつてゐる敷布よりも青白くなつた。その不規則な脈搏は今はほとんど解らなかつた。

汗は彼女の青い顔ににじんで居た。その顔は金属性の蒸気の発散する中で凍りでもしたかに見えた。歯はカチゝゝ鳴り、大きくなつた眼《まなこ》はボンヤリとあたりを見廻してゐて、何と訊ねても彼女はたゞ頭を振るだけであつた。それでゐて彼女は二三度微笑した。次第に、彼女の吐息は高まつて行つた。ある鈍い唸りが彼女から出た。快くなりかゝつてゐる、今に起きられるであらう、と彼女は言ひこしらへた。けれども彼女は度々痙攣に襲はれた。彼女は叫んだ。

「アゝ！　堪らない、何うしよう！」―（中村星湖氏訳に依る）

阿片の作用については、トマス・ド・クインシー『阿片常用者の告白』を挙げる。コナン・ドイル『シャーロック・ホームズの冒険』の中の人物が、この本を読んで阿片窟に入るようになり、ワトソンが訪ねて行くと、ホームズも来ていたこと、それほど、「この書を読んだために、英国に於て、阿片に親しむやうになつたものが一時に非常に殖えた程、この書には阿片に依つて齎らさるゝ快楽が巧みに描かれて居る」と記している。そして、クインシーの引用では、阿片の効果について、次のように述べられている。

酒に依つて齎らさるゝ快楽は、最初急遽に上昇して頂点に達し、また速かに下降する。之に反して阿片に依つて得られた快楽は一たび頂点に達すると八時間乃至十時間持続する。之を医学上の術語を以て言へば、酒の快楽は急性であり、阿片の快楽は慢性である。前者は閃光に比すべく後者は鉄の白熱に比すべきである。然しなほも大切なる差異は、酒は精神作用を紊乱せしむるに反し、阿片は之を秩序正しく、整へ調ふる所にある。酒は自制心を奪ひ、阿片は之を強むる。酒は判断力を失はしむるために当人は自己の好むものを激賞し、悪むものを罵倒する。阿片は之に反して自働他働何れの場合にも精神作用を平等に、厳粛に保持せしめ、道義の念を厚くする。

また、小酒井は佐藤春夫の小説『指紋』とウィルキー・コリンズの『月長石』の関係を指摘する。そして、「毒殺者の心理及び行為を如実に描いた文学」として、アレキサンドル・デュマ『三銃士』を挙げる。

「伝説又は迷信による毒」については、江戸時代以後の日本文学、特に浄瑠璃を挙げる。『伽羅（めいぼく）先代萩』『仮名手本忠臣蔵』はどんな毒でもいいが、『摂州合邦辻』『四ツ谷怪談』では「特殊の毒が取り扱はれてある」とする。前者では俊徳丸を「毒酒を以て癩病とする」こと、後者では、毒薬でお岩の顔が膨れ髪の毛が抜け落ちる。そして特殊の毒として、シェイクスピアの作品を挙げる。小酒井は、『ハムレット』の「耳から入れる毒殺」は、「事実に於てはあり得ない毒及び毒殺方法である」と述べる。『ロミオとジュリエット』の仮死の毒薬については、「伝説的の毒」だが、「印度の僧侶のあるものは事実仮死の状態を惹き起すことが可能であるらしいから、無論迷信として頭から斥けて了ふ訳には行かない」とする。さらに『テムペスト』『シンベリン』『ジュリアス・シーザー』『ヘンリー四世』『冬の夜ばなし』などから、シェイクスピアには毒の記述が多いことがわかる。

「想像的毒物」について、小酒井は、コナン・ドイル『毒帯《ポイズン・ベルト》』、スチーブンソンの『ジキル博士とハイド氏』を挙げる。

毒と探偵小説

「2　毒と探偵小説」には、いま一般に知らない作家も多く登場する。ここでは、「如何なる毒が、如何なる方法を以て与へられたかといふ所に興味の中心がある」とし、「それ故探偵小説の作家は、毒を取り扱ふ際、極めて珍らしい毒を、極めて巧妙な、読者の意表に出づるやうな方法を以て、犯人が犠牲者に投与するやうに書かれてある」と述べる。そして、「二、毒殺方法論」では、詩人スウィンバーンの『クィーン・マザー(とロザモンド)』、ウィリアム・ル・キューの『暗号《サイファ》』などを挙げ、目新らしい毒殺方法としては、トマス・W・ハンシューの『四十面相のクリーク』の一篇で、骸骨の骨の尖端に矢毒アユーピーを塗り、触るたびに少量の毒が手の中に入る方法。アーサー・B・リーヴの『神々の金《かね》』では刀に矢毒クラーレを塗り、顔面に傷を負わせその傷で死んだように見せかけて、矢毒で殺す犯罪、コナン・ドイル『四人の連署(四つの署名)』でストリキニーネを針につけて殺すことなどが紹介される。

また、挨拶して握手する際、隠し持った注射器で巧みに相手の掌に毒を注射するオースティン・フリーマン『紅き拇指紋』や、煙草に毒を仕込み、鉄の注射器に毒を入れたものを空気銃の中に弾丸として入れ発射して、当たるとピストンで毒を皮下に送り込むなどの方法も面白い。

毒ガス殺人は、壁の中へ砒素の化合物を塗り込み、砒化水素を発生させて住人を長い月日の間に殺す方法、さらにリーヴ『トレジャー・トレーン』『アドヴェンチュアレス』の塩素ガスの殺人が紹介される。

ドイル『緋色の研究』では、猛毒と無毒の丸薬で審判される話は、「惨酷なだけそれだけ読者には満足を与へる」とする。そしてデュマの『ブランヴイリエ侯爵夫人其他の犯罪』に描かれるド・ガンジ侯爵夫人の毒殺事件も紹介される。

「三、毒蛇に依る殺人」では、ホンジュラスで木こりが長靴の上から毒蛇に噛まれ、その長靴を買った人が穿くと間もなく死亡、さらにもう一人、その靴で死ぬというエピソードも示される。そして小説ではトマス・W・ハンシュー『四十面相のクリーク』中の一篇と、毒蛇を「恐ろしい縄」と呼んだ話。G・F・アワースラーの『深紅の腕』も同様で、ドイルの『斑入りの紐(まだらのヒモ)』も類似するとした。

アーサー・B・リーヴなど

小酒井は、ここで、「毒を最も多く取り扱った探偵小説作家」として、アーサー・B・リーヴを挙げている。「リーヴの小説は読者のよく知らるゝ如く、あまりに科学的であつて、それがため却つて興味が失はるゝ程極端に色々の珍らしい科学器械などを探偵ケネヂーに使用せしめて居る。それ故毒を取り扱ふにしても、毒殺方法に秘密を置くよりも、毒そのものを珍奇ならしめむとする傾向を持つて居るのである」とする。そして短編集『ドリーム・ドクター』にはコブラの毒を飲ませる話、燐を殺人に使用する話、コニイン中毒と医師が鑑定したのを、プトマイン中毒として冤罪を晴らす話などがあり、『トレジャー・トレーン』の中には、有毒菌蕈《きんじん》を使用する話、毒茶を飲ませ催眠術をかけて、ゴムで作つた短刀で殺したように見せかける話、ヴィタミンのない食物で脚気の症状を起させる話など、「科学書を読んでるやうな気になる」という。また、『シニスター・シャドウ』では、医者が大麻で女性を麻酔させ、暗示で罪を犯させる。

さらにトマス・W・ハンシュー、モーリス・ルブランの「リュパン」シリーズ、オースティン・フリーマンの「ジョン・ソーンダイク博士」の数々の事件、エミール・ガボリオの「ルコック探偵」シリーズ、J・S・フレッチャーの『ロンドンに対する賠償』などを挙げた。

こう見てくると、小酒井不木という作家は、探偵小説の科学的要素に惹かれていることがよくわかる。そして、医師としての生理学・血清学研究と推理小説研究という両面から、特に毒薬にとりつかれた作家といっても過言ではないだろう。

小酒井の小説と毒薬

数多くの小酒井の小説群の中から、いくつかの毒薬に関する小説について、特に毒との関連を簡単に紹介する。

まず、『愚人の毒』。これは発見されやすいという「愚人の毒」である「亜ヒ酸」による毒殺の話だ。一人の中年の未亡人の死が亜ヒ酸によるものと診断されるが、それに対する疑念、マラリアとの症状の類似、そして二人の息子と医師、女性をめぐる物語で、医師の奸計が露呈することになる。

『卑怯な毒殺』は、女性をめぐる二人の男の争いで、ストリヒニン（ストリキニーネ）による毒殺の話。少しずつ毒を摂取して、耐毒性のある体にすることなどが描かれ、皮肉な結末になる。

『死の接吻』はコレラと亜ヒ酸の症状の類似、そして、友人の妻に懸想した男の末路を描く。また、『誤った鑑定』は、女性が義父をヒ素で毒殺したという鑑定の真偽の話である。

そして、『ある自殺者の手記』は一人の女性を二人が取り合い、その果てに一人が全員とともに睡眠薬心中するという話だ。

これらの小説の毒薬についての小酒井の描写、そして物語の顛末は、ぜひ、「青空文庫」などで直接お読みいただきたい。ミステリーなので、結果を詳細に描くのは、野暮だろう。小酒井の「研究」などは、引用のように歴史的仮名遣いで読みにくいが、小説はまったくそうではない。それは、『子供の科学』に少年科学探偵の物語を書いていたためかもしれない。そして、いずれも一種の「オチ」があり、「ブラックユーモア」的な要素がかなり強い。そのため、読み終わるとそれぞれに「ナルホド」と感心させられる。

最後に、このブラックユーモア的であり、かつ医師としての小酒井がよくわかる作品を一つ紹介しよう。それは、『稀有の犯罪』である。

三人の宝石泥棒がいる。現場で一人が裏切って独り占めしようとするため、もう一人が銃殺すが、裏切者は直前にダイヤを飲み込んでしまい、警官に踏み込まれて二人は逃げる。そして、そのダイヤを手に入れるために、解剖室で解剖をしながら、内臓を盗み出すという物語だ。これはまさにブラックユーモアであり、かつ医師らしい解剖の描写など、小酒井が「変格派」とされたのもうなずける作品なのだ。

このように小酒井の作品は、およそ一世紀前の小説だが、現在読んでもまったく新鮮なので、ぜひご一読をお勧めする。もちろん毒薬ものだけでなく、さまざまな小説がある。いくつかの作品は、復刊、刊行されているが、まず、ネットでこれらの作品名と著者名を入れれば、すぐに青空文庫から読めるはずだ。

毒や毒殺を研究し
創作にも生かした小酒井不木

★小酒井不木

パク・チャヌクの異常な愛情
——『お嬢さん』の毒々しさ

◉文＝浅尾典彦（作家・プロデューサー・夢人塔代表・治療家）

韓国で異彩を放つ監督の一人にパク・チャヌクがいる。北朝鮮と韓国との境界線で南北の警備兵士が出合い、一時期心の交流をするが国の名分のため残酷な別れとなる衝撃作『ＪＳＡ』(2000)で有名となり、"復讐三部作"『復讐者に憐れみを』(2002)、『オールド・ボーイ』(2003)、『親切なクムジャさん』(2005)を発表。その後は、精神クリニックを舞台に、自分がサイボーグだと思い込む女性との患者同士の恋を描いたファンタジック・ラブコメディ『サイボーグでも大丈夫』(2006)、ワクチン開発の実験台にされ吸血鬼となった神父の哀れな行動を描いた『渇き』(2009)、父を失った娘が異様に敏感な感覚を持ち狂気を孕み出すというハリウッド進出作『イノセント・ガーデン』(2013)、という"人外三部作"など、独特の毒を盛り込んだテーマで精力的に映画製作を続けており、世界中で評価されている。

そのパク・チャヌが、２０１６年に手掛けた、ある種究極のフェチ映画が『お嬢さん』(2016)だ。原作は、イギリスのウェールズの作家サラ・アン・ウォーターズが２００２年に発表したゴシックミステリー小説『荊《いばら》の城』。サラ・ウォーターズの作品はヴィクトリア朝を舞台にしたものが多く、またレズビアンを公言しており同性愛の描写が多く見られるのが特徴で、『荊の城』も例外ではない。この作品は２００５年にイギリスのＢＢＣ製作でテレビドラマ化されている。

映画『お嬢さん』の方は、舞台をヴィクトリア朝から日本統治時代の朝鮮に移して作られ、成人指定レイティングながら世界中で大ヒットした。

１９３９年、日本統治下の朝鮮半島。孤児で生まれ、詐欺集団に育てられた少女ナム・スッキは、偽の判子作りとスリの技術を学びながら、捨てられた乳児の世話をしては日本人に売り飛ばすことで生計を立てていた。ある日、藤原伯爵と名乗る詐欺師が現れ秘密の計画を持ちかける。日本人の華族と結婚して上月《こうづき》と名乗る朝鮮人の男がいる。彼の姪・秀子を藤原伯爵が誘惑して駆け落ちし日本で結婚、秀子を精神病院に入れ、上月の亡き妻が遺した莫大な遺産を持ち逃げしようというもの。そのため日本語の話せるスッキを上月家に侍女として働かせ、秀子と伯爵がうまく結ばれるように取り計らわせようというのだ。報酬が手に入れば自由の身になれると考えたスッキは、伯爵の話に乗る。

スッキは上月家潜入に成功し、珠《たま》子《こ》という和名までもらうが、純粋で美しい秀子が実は天涯孤独で囚われの籠の鳥であることを知る。珠子はいつしか秀子のことを同性ながら愛し始め、肉体も重ねることになるが、心が揺れ動きながらも計画を決行する時が来る。上月が仕事で出かけている隙に、藤原と秀子と珠子は上月邸から逃げ出し、船で日本に渡って結婚、藤原と秀子は田舎に庵を編んで珠子と共に幸せに暮らし始める。そして、手はず通り「秀子夫人がおかしくなった」と称して、だまして病院に連れて行くのだが……。

　登場人物は、それぞれに過去があり、みんな少し狂っている。希少本コレクターで年端のいかない少女に日本の発禁本を音読で読ませ、出来なければ鈴を咥えさせて折檻する偏執狂の上月。純情で世間知らずなのだが、狂った母親が首を吊ったそのロープを帽子のケースに大切に保管する秀子、生きるため人を売って育ち、自分が自由になる金の為に一度は心を傾けた秀子までもを裏切る珠子（スッキ）、金のために秀子に言い寄り愛のない偽装結婚を企てる藤原伯爵は、本名も知れず日本人ですらない。

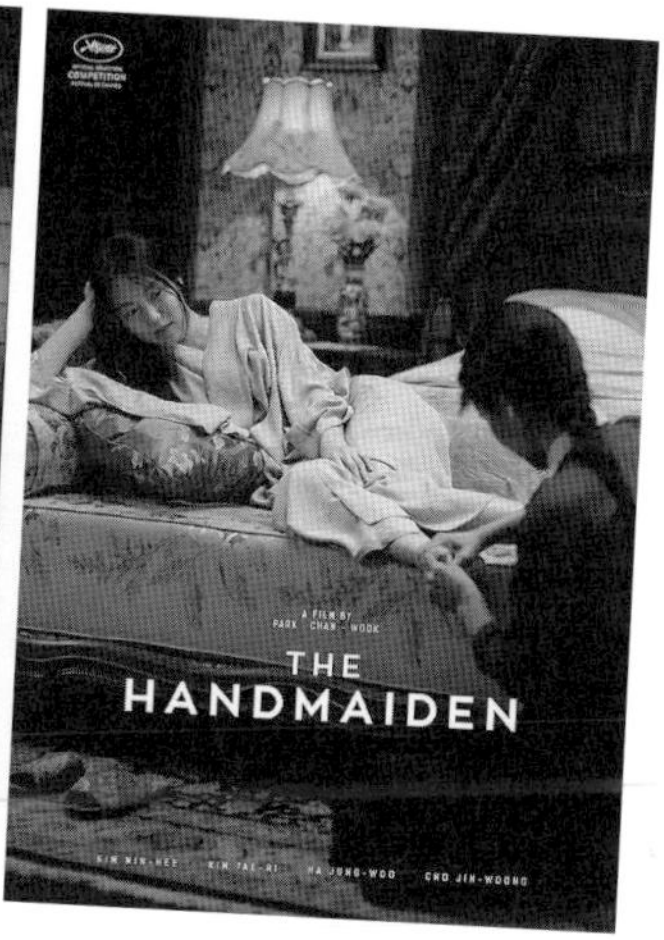

　折檻部屋、春画や発禁書の数々、艶本の朗読会、木人人形との交わり、口に指を入れて歯を研ぐシーン、レズビアンやサディズムのシーン、フェテッシュな自慰行為、精神病院の様子、阿片や毒など、直接的で過激なシーンのみならず、書庫の長い廊下とコブラの置物、畳の下に隠された池、藤原の巻たばこ、上月の黒い舌、一粒づつ米を食べる秀子、水槽のタコ、貴族を示す手袋・帽子、ふすまの間や隠し覗き穴から様子を盗み見るシーン、鏡に映し出された顔の表情などにも監督の特異なセンスが感じられる。

　第二次大戦時の日本の文化を描いているのだが、大正ロマン的な和洋折衷、着物を着て革の手袋をしていたり、お寺での婚礼や指輪の交換などちょっと不思議な表現もある。韓国人俳優による日本語のセリフも、頑張っているのだが適度に下手で、それが逆にキッチュな感覚になり「偽の日本人物語」として面白い雰囲気を醸し出している。もちろん、「統治時代の日本人を悪として描く」韓国特有の痛烈な批判の現れなのだが、シェークスピアの劇を日本人の俳優でやった蜷川幸雄の舞台のような、独特のファンタジックな世界観として捉えることができた。

　原作者のサラ・ウォーターズは、設定やラストなどが原作とは違うという理由から脚本段階では否定的だったのだが、完成後この映画を大いに評価し、5回も鑑賞したという。145分と長尺な作品だったが、2年後には24分の未公開シーンを追加した再編集版が再上映される。再編集版では、スッキが日本の文化になじもうと訓練する場面、読書の後秀子が嫌悪感で嘔吐する場面、ゆったりと感情が染みるラストなどの追加シーンや、スッキと秀子が本をぶちまけるシーン、逃亡のシーン、日本に行ってからの病院内のシークエンス、車の中で煙草を一度に3本吸う藤原伯爵、ホテル・鈴を使うシーン、偽造パスポートの製造などが長くなっており、これにより各キャラクターの心の動きがより深く掘り下げられ、「女性の抑圧されたものからの解放」という真のテーマがより浮き彫りにされた。

　パク・チャヌクの作品には「毒」が含まれている。『JSA』で兵士が吐いたチョコレートも、『オールド・ボーイ』のハンマーも、『親切なクムジャさん』の真っ白な豆腐も、『イノセント・ガーデン』のシャワーで洗い流された身体の泥も、そして『お嬢さん』の煙草や鈴、挿入される美しい月さえも、「毒」となって観る者の心に沁み込み、その感覚を麻痺させていく。稀有で恐ろしい監督なのだ。

汚染された地質時代としての人新世

◉文=本橋牛乳（物書き）

釣りは親父の趣味だったけど、ぼくもよく連れてってもらった。船釣りだとお金がかかるのであまり連れて行ってくれなかったけど、江戸川放水路のハゼ釣りは手軽なので、毎年夏の終わり頃から秋のはじめに行っていた。わりと夏休み最後のイベント、くらいにはなっていた。

ハゼは比較的簡単に釣れるし、食べてもおいしい。そんなわけで、ぼくも毎年、ハゼ釣りをしている。まあ、今年3月に亡くなった母親が、ハゼの天ぷらが好きだったということもあって、生きている間は食べさせてあげようと思って釣っていたということもあるけど。

そんなハゼだけど、ぼくが小学校に入学するくらいまでは、江戸川放水路の水はけっこうきれいで、ハゼが泳いでいるのが見えた。ハゼだけじゃなく、ちょっと先にある干潟まで行けば、潮干狩りができた。三番瀬みたいなところはたくさんあった。

でも、江戸川放水路の水は、他の河川も同様だけど、急速に汚染され、赤黒く澱むようになった。もっとも、澱んだのは赤潮などであって、生活排水の汚染によるのだけれども、その影に、目には見えないさまざまな化学物質による汚染があった。

汚染された川では、奇形のハゼが釣れるようになった。汚染の影響を感じとるためなのかもしれないが、奇形のハゼを目的に釣る人もいた。

幸いなことに、ぼくは濁った江戸川放水路でも、奇形のハゼを釣ることはなかったし、釣ったハゼを食べていた。ハゼは年魚（1年間で一生を終える魚のこと。アユもそうだよね）なので、汚染があまり身体に蓄積しないため、比較的おいしく食べられた。セイゴ（スズキの幼魚）ではこうはいかない。

とはいえ、ぼくも汚染物質を多少なりとも取り込んでいることにはなる。というより、現在でも、さまざまな食品から汚染物質を取り込んでいる。

例えば、かつて絶縁材料などで使われていたPCB（ポリ塩化ビフェニル）という有害物質がある。PCBは法的に分解しないといけない物質であり、PCBで汚染された物質をそのまま廃棄・焼却することはできない。でも、例外があるらしい。電力会社でPCBの分解プラントを開発していた担当者（PCBは変圧器に使われていた）は、人体もPCBに汚染されているけど、そのまま火葬されているということらしい。

もっとも、公害問題そのものはもっと前からあった。60年代末からようやく社会問題化したし、それは例えば特撮にも影響を与えている。映画『ゴジラ対ヘドラ』が制作されたし、『スペクトルマン』（番組のタイトルは最初『宇宙猿人ゴリ』だったという

番組では、怪獣と戦う組織が最初は公害Gメンだった。後に怪獣Gメンになるのだけど。そして最初に出てきた怪獣はヘドロンである。この怪獣は富士の浦（当時、田子の浦の製紙工場由来のヘドロが良く取り上げられていた）から出現するのだ。

映画『シン・ゴジラ』では、ゴジラは幼生体から進化していくけれど、これはヘドラの成長とほぼ同じような形で進んでいる。ゴジラもヘドラも地球の汚染が原因であることは同じだ。庵野秀明はそのことを意識していたのではないか。

そういえば、『ゴジラ対メカヘドラ』という架空の映画のレビューを書いたことがあったっけ。半導体工場の汚染水から生まれたメカヘドラはサイバースペースで破壊を繰り返す。ネットにアクセスしてしまったゴジラがサイバースペースでメカヘドラと戦う、そんな話だったな。こうして書くと、実在しない映画なのに、なんだか観たくなってきたな。

でもまあ、この時代に比べれば、確かに空気はきれいになったし、河川の水質も改善されている。

だからといって、何も問題ないわけじゃない。もはや改善しようもないものだってある。例えば、海に流れ込んだマイクロプラスチックは生物の身体に取り込まれている。その生物、例えばイワシを食べた人間の身体にもマイクロプラスチックが含まれている。それで直ちに病気になるわけじゃないけれど。

あるいは、水銀汚染もまた、広く拡大してしまったものだ。食物連鎖の過程で濃縮されるため、例えばマグロについては、妊婦は食べるのを避けるように勧告されているし、ましてやクジラ、それ以上にイルカはさらに汚染されており、嗜好品として食べるにとどめておくように、というのが厚生労働省の見解だ。クジラは捕鯨反対運動以前に、食べない方がいい食品になってしまった。

それに、あくまで改善であって、解決ではない。日本最初の公害とされている、足尾銅山の鉱毒の汚染は今もまだ残っている。水俣病だって解決したわけじゃない。

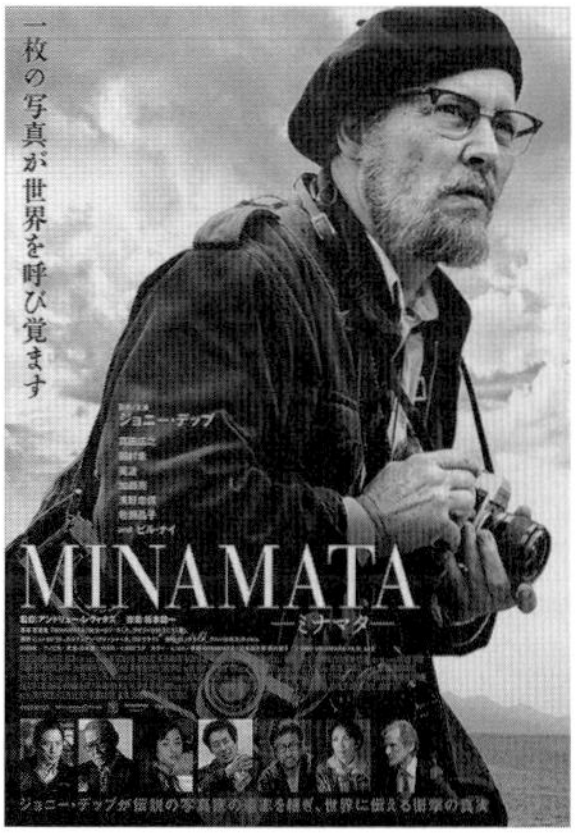

あとそれから、日本以外でも、環境汚染の深刻な問題はたくさんある。ずっと昔、残雪の『黄泥街』を紹介したことがあったけど、これは中国の化学工場で汚染された街の話だった。映画『MINAMATA』では、エンディングにその後も続く世界各地の環境汚染問題が紹介される。そこには、チェルノブイリや福島第一原発事故も含まれているし、金の精錬所などで繰り返される水銀中毒は、水俣病がそのまま英語のMinamata diseaseで通用する。それに、カレン・テイ・ヤマシタの『熱帯雨林の彼方へ』では、大量の廃棄物に人間社会が侵略される話だった。

もう20年以上も前の話になるのだけれど、当時、記者クラブに所属していたぼくは、経済産業省の若手官僚との懇談会に出席した。そこで、若手官僚は「水俣病がなかなか認知されなかったのは政府の問題だというけれども、水俣病の対策をすぐにとらなかったことで経済成長をしたのは事実」だというようなことを話していた。たぶん、こうした考え方は、彼だけの考えではなく、経済産業省という中ではある程度共有されているのだろう。原子力を推進するメンタリティと、同じものがある。

もちろん、経済成長より人の命の方が大切だ、と言うことはできるし、それは正しいとは思う。でも、それは単純に比べてはいけないものなのかもしれない、とも思う。その背後には、人の命を軽くしてしまう構造がある。

新日本窒素肥料（現チッソ）は、水俣における当時の地域経済を担う主要な企業だった。多少なりとも、企業城下町のお殿様だといえばいいのだろうか。そこでは、そこで生きるしかないように追い込まれた人たちがいる。同時に、だからこそ少数の犠牲者の存在は抑圧されてきた。水俣病が20年も放置されたのは人間の尊厳を踏みにじるような行政と企業の行為ではあるけれど、それ以前に人間の尊厳が奪われているのだとしたら、問題は根深い。

同じ構造は、日本全国で、世界各地で、それこそ環境問題とセットになって見ることができる。水俣病とともに四大公害病といわれた、第二水俣病の新潟県阿賀野川流域、イタイイタイ病の富山県神通川流域、三重県の四日市ぜんそく。ジョニー大倉が「煙突の煙黒い街」と歌った川崎もそうなのかもしれない。めっきの排水による汚染は全国で起きているし、米軍基地周辺で有機フッ素化合物による地下水汚染が起きている背景には、やはり住民の尊厳を奪った上に米軍基地があるという構造が見える。そして、あるいは、それは、例えば、青森県六ケ所村で使用済み核燃料再処理工場を建設中の日本原燃が、青森県の豊かさの欠落の上に成立しているように。

九州電力玄海原子力発電所を取材したときに、発電所構内で地元の中高年の女性が草刈をしていた。案内してくれた発電所の職員によると、発電所ができたことで、地元の女性にもこうした仕事ができて良かったということだ。本当にそうなのだろうか。もはや、漁業では豊かになれない場所ができていたのではないか。

多分、原子力の問題は、原発をなくせば解決するものなのではなく、かつてそこにいた人が豊かにならなければ解決できないのだと思う。だから、前者のことだけを主張していては、何も進まないものだとも思うし、共感を得るには限界があるのだとも思う。

数年前に69歳で亡くなった友人がいる。彼がぼくに薦めた本の1つが、石牟礼道子の『苦海浄土』だった。12年前のことだ。多分、彼が読んだのは、第1部だけを収録したものだったと思う。以前、フリーの雑誌記者をしていて、その時代に読んだのではなかったか。書かれていることの残酷さと生命、その迫力に圧倒され、最も強い衝撃を受けた本ということだった。ちょうど、池澤夏樹個人編集の世界文学全集の一冊として、第一部から第三部までがまとまった本が刊行されたこともあり、ぼくも読んでみた。福島第一原発事故の直後、というのは、この読書に影響を与えている。

ここであらためて、水俣病について説明しておく。前述の新日本窒素肥料水俣工場が有機水銀（メチル水銀）を海に垂れ流していたことが原因で発生した公害病。肥料をつくるために水銀が必要というわけではない。社名とは異なり、化学工場としてアセチレンから塩化ビニルを製造する過程で、触媒として水銀が使われた。その後、１９６５年に社名をチッソに変更している。

有機水銀は海を汚染し、魚を汚染する。汚染された魚を食べれば、人間も汚染される。中枢神経系への障害がもたらされる。最初に、魚を食べた猫が病気を発症し、次いで、地元の魚を食べて暮らす人間にも同じ症状が起きる。母親から胎児に水銀が送られることで、胎児性水俣病となる患者もいる。病気は１９５４年頃から発生が確認されているが、原因が特定されるまでに10年以上がかかっている。この特定の遅れは、熊本県内の医療機関を巻き込んだ不正があってのことだ。

しかし、水俣病の原因が特定されたあとも、水俣病患者は差別を受け、あるいは認定後に補償金を受け取ることで謂れのない非難を受ける。その補償金の金額もおそろしく低い。

水俣病を引き起こしたチッソは、その後も倒産することなく、事業を継続している。経営破綻状態であっても、政府が支援し、チッソという企業が被害者の補償を行うという枠組みを維持している。そこには、共犯関係にある政府（当時の厚生省）の責任を回避しようという構図もある。倒産が許されないゾンビ企業としては、東京電力と同じだ。現在は、チッソは持株会社となり、ＪＮＣという子会社が実質的な操業を行い、補償金を払い続けている。

水保湾は浚渫と汚染された魚の除去により、きれいな海を回復したとされる一方で、魚は十分に戻ってきていないともいう。水俣市は観光都市ともなり、出身者である江口寿史の手によるポスターはよく知られているところだ。

それでも、水俣病は解決したわけではなく、被害を受けたまま生きている人はおり、現在も申請をする水俣病患者はいる。政府としてその窓口となる環境省にとって、なお現在形の課題となっている。

『苦海浄土』は、友人が言う通りの作品だったと思う。それは、水俣病を追ったノンフィクションではなく、水俣という土地に根差した人々の、生きる物語だ。その視野は、遠く神話の世界までさかのぼる。そうした中で、東京を舞台とした第三部は、水俣から患者や支援者があつまり、公園でテント生活をしながら、チッソ本社と交渉を続けていく様が描かれている。それは、補償金の要求ということではなく、人生そのものが奪われてしまったことそのものを認めさせ、人であることを回復させようというものだ。

ジョニー・ディップが企画・主演した映画『MINAMATA』は、写真家ユージン・スミスをモデルにしている。ユージン・スミスはかつて戦争写真家だった。1971年に水俣市に移住し、妻のアイリーン・美緒子・スミスとともに撮影を行い、写真集『MINAMATA』としてまとめている。「入浴する智子と母」という美しい写真が有名で、映画でもラスト近くに登場する。

それは、人が生きている姿を映した写真だったし、映画はそれを基軸に据えた。生きる姿の中には、人としての尊厳がある。そして、その尊厳こそ、回復がもっとも難しい。そのことは、日本政府が従軍慰安婦問題や徴用工問題で、根本的な解決ができていないことと同様だ。そして、先の若手官僚の発言でいえば、尊厳を奪い取ることによって、経済成長が実現できたということになる。

ユージン・スミスは『MINAMATA』刊行後、アイリーンと離婚して米国に戻り、ほどなくして亡くなる。アイリーン・美緒子・スミスはその後も水俣病被害者を支援し続け、あるいは反原発運動にも参加する。その姿は、2022年8月にNHKで放送されたドキュメンタリー『52年目のMINAMATA』で、今も生きる被害者とともに観ることができる。

水俣の経験は、繰り返される。

アスベストといえば、トーキングヘッズ叢書の読者ならアスベスト館を思い浮かべてしまうだろう。

アスベスト＝石綿は繊維状の鉱物で、絶縁性や耐熱性、安定性などに優れており、かつてはいろいろなところで使われていた。ある年代以上であれば、理科の実験で使われる石綿金網を覚えているだろう。建材などにも多量に使われてきた。

しかしアスベストは安定ゆえに、微小な繊維が肺に入り込んでしまうと除去ができず、将来の中皮腫や肺がんの原因となる。1970年代にはその有害性が指摘されてきたが、他の素材で代替することが難しく、1980年代に最初に北欧が禁止し、他の先進国もそれに続いていくが、日本が禁止したのは2004年だ。厳重に管理され、飛散しない状況下で使用すれば問題ないということだった。もちろん、建築物の解体作業などでは、建材に含まれるアスベストの飛散は免れ得ない。そもそも、厳重な管理など無理なのだ。

1990年代後半、当時のぼくの職場には毎月、ニチアスの技術広報誌が届いていた。そこではアスベストのうちでも白石綿の人体への被害が限定的であることが、毎回のように書かれていた。ニチアスは有害性の高い青石綿の使用は1970年代に中止しており、アスベスト全般も1990年代に使用を中止している。とはいえ、過去にインフラ向けに供給してきたアスベストがなくなるわけではなく、ニチアスは毎月のように苦しい言い訳をしているように思えた。

アスベストの有害性がわかってはいたものの、実際に、多くの建設現場、解体現場で、十分なアスベスト対策をとることがなかった作業員は多い。佐伯一麦も電気工として建設現場でアスベストを吸い込んだ一人だ。

佐伯は1980年代から90年代にかけて、作家と電気工の2つの仕事に従事していた。その間、アスベストの影響で肺に障害を持つようになり、作家に専念することになった。

2005年に兵庫県尼崎市にあるクボタ神崎工場でアスベストを排出していたことから、地域住民にもアスベスト被害が及んでいることが報道された。この工場では1971年から1995年までの間、アスベストを使用した水道管の製造を続けていた。

この事件をきっかけに、佐伯はノンフィクション『石の肺』を執筆し、さらにその後2021年までの間にアスベストをテーマとした4つの短編小説を書いている。

短編小説は『アスベストス』というタイトルで2021年に刊行されている。

そこには、余命を宣告された退職者、うなぎやを開業できずに亡くなった尼崎市の住民、そして佐伯自身をモデルとした作家が、それでも名前を持った人間として存在している。それは、飛散するアスベストの中に追い込まれていた人間に対する、尊厳の回復というものでもある。

今でこそ、アスベストが飛散する解体工事では防護服や防護マスクを着用して作業にあたることになる。奇しくも、この短編集が書かれている間に、福島第一原発事故が発生し、事故現場では作業員が防護服を着用していた。そして2020年にはコロナ感染症の拡大が起こり、医療現場で防護服が着用される。

アスベストの問題も終わったわけではない。アスベストを吸い込んでから発病するまでに、30年以上もかかることがある。日本ではこれから患者がさらに増加すると予測されている。もちろん、アスベストを含む建築物の解体や修繕はまだまだ行われるだろう。そんな中で、アスベストを含んだ珪藻土バスマットが流通していた事件は、この問題を思い出させるものだった。

コロナ感染症こそ、ある程度収束したように見える。患者数こそ増えていると見られるものの、致死性は低下している。

その一方で、福島第一原発事故は収束などしていない。現時点での最大の関心は、トリチウム汚染水の海洋放出だ。

トリチウムというのは放射性水素のことで、この原子を含む水がトリチウム水である。

福島第一原発の下には地下水が流れており、これが汚染水となるため、回収してALPS（他核種除去装置）でほとんどの放射性物質を除去するが、トリチウムと放射性炭素（炭素14）が残る。このトリチウム汚染水が大量に貯蔵されており、限界を超えそうなので、海洋放出をするということだ。

トリチウムの放射線は極めて弱く、人の皮膚を通過できないレベルだ。また、体内から排出されやすいため、生物への影響は少ない。とはいえ、体内にとりこんでしまえば内部被ばくは起こる。蓄積されないとはいえ、脂肪組織や脳組織には残留しやすい。というのは、何の因果なのか、大学時代にトリチウムを扱っていたからそう理解しているのだけど。

また、実際にはALPSで放射性物質が十分に除去できていない。貯蔵している汚染水は再度ALPSで核種を除去する必要がある。

結局のところ、誰もが、トリチウム汚染水の海洋放出を受け入れなくてはいけない理由などない。

そこにあるのは、多少の毒をばらまいたとしても、産業が維持・成長することの方が重要であり、犠牲者に対する尊厳は顧みられることはないということだ。

トリチウムは、未来のエネルギーといわれている核融合炉の燃料となる。では、福島第一発電所のトリチウムを核融合炉に使えばいいのではないか。しかし、それは可能ではないという。核融合炉の実証施設の建設がなされ、スタートアップの起業が続く一方で、なお、トリチウムがコントロールできないというのが、現状というわけだ。

１００万年後、地球の知的生命体が地質調査をしたときに、ある地層から急激に特異な物質が増加していることを知るだろう。すなわち、１００万年前の地層から、例えば放射性物質で超ウラン元素のプルトニウム、あるいはマイクロプラスチック、その他、天然には存在しないPCBやダイオキシン、DDTなどの様々な汚染物質。そこには有機水銀も含まれる。

地質時代というのは、地層に残された痕跡から分類される時代のこと。発見される化石によって区分されるし、また地質時代の変化を裏付ける重要な物質もある。恐竜が絶滅した理由は、巨大隕石の落下だといわれている。その証拠として、恐竜絶滅の時期にある地層から、イリジウムという元素が多く含まれていることがわかっている。

そして、遠い未来から見たら、現在は地質時代として大きく変化した時代だということがいえるだろう。現在を、新たな地質時代として、「人新世」とよぶことが提案されている。

地質時代は地球の歴史を分類するものである。古生代や中生代、新生代という言葉ならわりと知られているはずだ。古生代の前は、先カンブリア時代、あるいは原生代とさらにその前の始生代にわけてよばれている。

地質時代はさらに細分化され、恐竜の時代とされる中生代は三畳紀、白亜紀、ジュラ紀に、その後の新生代は第三紀と第四紀に、そしてそれらはさらに細分化され、第四紀の場合は更新世と完新世（昔はそれぞれ、沖積世、洪積世とよばれていたもの）に分けられる。ついでにいうと、これもさらに細分化され、○○アンという名称がつけられている。チバニアンはおよそ70万年前の地質時代だ。

そして、現在は完新世のメガラヤンとされていた。しかし、最近ではすでに完新世から新しい地質時代に移行しており、人新世という名称が提案されている、ということである。

人新世は特異な物質で汚染された時代でもある。

毒は自然界に多様な種類が存在している。キノコ、フグ、トリカブト、ヘビ、いろいろなものが思いつく。多くのキノコが毒キノコなのは、セルロースを分解する物質を必要とするからだ。中には毒でセンチュウを殺して養分にするキノコもあるという。でも、そのキノコを食べる生物がいる。フグの毒は身を守るのに役立たないという。フグを食べた魚は死んでしまうため、学習しない。キャベツには人体に無害な毒がある。虫に食べられないためだ。けれども、モンシロチョウの幼虫はそのキャベツを食べる。毒をもつオニヒトデはホラガイに食べられる。そのホラガイは内臓を取り除き、おいしく食べることができる上、山伏が吹き鳴らすことができる。マムシやトリカブト、スズランなどの毒は漢方薬として使われる。抗生物質もまた、菌類などがつくりだす毒だ。こうした毒は、生態系の中で役割を果たしていく。

でも、人新世を示す特異な物質はそうではない。自然界に存在しなかった毒を作り出し、種として自らを傷つけていくものだ。けれども、傷つけていく過程で、人間が人間の尊厳を奪っていく、というものでもある。現在の哺乳類は、生物量でいえば９割以上を人間と家畜が占めている。こうしたバランスが欠落した生態系の中にぼくたちがいることになる。

そうした毒の中で、汚染の中で生きることは、ある種の、自分を取り戻すための反抗なのかもしれない。農薬に対する耐性を獲得した昆虫が大量に発生するように。それは決して幸福なことではない。

自然はしばしば残酷だ。けれども、人新世においては、人間そのものが災厄であり、残酷さをもたらす。そして人間自身がその災厄に反抗して生きようとする。

汚染された地質時代の中で、ぼくたちが生きた反抗は、１００万年後には少しは化石となって残るのだろうか。あるいは、汚染物質だけが、地層に刻まれているのだろうか。

岸田尚一コマ漫画 ◉コラージュ＆文＝岸田尚

TH FLEA MARKET

★ジョン・ウィリアム・ウォーターハウス
「嫉妬に燃えるキルケ」(1892頃)
※恋敵が水浴びをしている海に毒薬を
注いでいる

movie

カノウナ・メ
―可能な限り、この眼で探求いたします

加納星也

第52回

SHINSEI 読み直しは新しく生まれること

■暗い森の中の貴婦人たち（コクトー風に）

最近では、チャットGPTが様々な分野で利用され、これを使った表現も増えてきている。この原稿も……という話では全くありえなく、今も早すぎる夏日にただでさえ曖昧な記憶を無理やり辿り寄せている状態である。いわば暗い森の中にいるモヤモヤな愛の記憶というべきものか？ 全く映画的記憶というのは厄介でたまらない。

あの時、見たはず、愛したはずという言葉ほど当てにならないものはない。それを確かめるために、最近ではデジタル・マスターとかレストア版とかいわれるもので過去の名作というものを見直したりするのだが、これが全く記憶の補修作業に役立たなかったりする。

結論から言うと、これは全くの別物だからだ。直近の話でいくと、昨日観た、あの映画の神・ロベール・ブレッソン『ブローニュの森の貴婦人たち』（1944）デジタル・マスター版。むろんビッグ・ネームの詩人コクトーがセリフを監修した、いまでは映画クラシックの殿堂入りとされている名作だ。これを何十年ぶりで観たのだが、やはり別物だった。何が別物かというと、自分の頭の中ではこれが完全に新作になっていた。当時の、きめが粗く英語字幕がついていたかも不明なフィルムのプリントを必死に観ていた状況とは全く違う。画面はしっかりとしたモノクロで定着し、音声もしっかりと字幕も古典にふさわしく音楽的なものだった。冒頭の夜の車の場面から、目力がありすぎのヒロイン（マリア・カザレス）の涙や、この残酷な愛の復讐劇の動機が見事に再現されていた。またもう一人の花である可憐なダンサー（エリナ・ラブルデッド）の登場シーンでも、初見の時とは違いこちらがダンスについては精通してきてるので、彼女の身体性の凄さには改めて感動した。おもわず一日に朝晩2度観るというシネ中毒症状が蘇ってきた。観る回によって銀幕の左手と右手別々な角度から鑑賞し、その角度により、特にヒロインたちのうるんだ瞳の光が微妙に違っているという発見もした。

ま、これ以上引き裂かれた視差問題を深追いすると、この神回の一本で終わってしまうので、ここは示唆する程度にとどめ、次のお話へ。

■観客が引き裂かれる時

『世界が引き裂かれる時』（2022）は、実際にウクライナ・ドネツク州で起きた航空機撃墜事件を背景に、この地で懸命に生きる妊婦の姿を描いた戦争ドラマ。

冒頭、ロシアとの国境付近にある夫婦の小さな家に突然、大きな穴があく。ここに住むのは出産まじかの妻と夫。そこから彼らの日常は親ロシア派と反ロシア派の対立に巻き込まれていく。彼らの願いである壁の修復どころか、とんでもない苛酷な運命に巻き込まれ、予想もしない結末が訪れる。

ウクライナ出身の女性監督マリナ・エル・ゴルバチの視点は、そこで現実に生きる彼女らの苦難の路をしっかりと描ききった。ラストにあるヒロインの孤独な出産シーンはドキュメンタリーかと見紛

う痛みと共に、生に対する希望の光が見える。

　イデオロギーうんぬんより、引き裂かれる自国の身体を見事に描き切った一編。観客はそれに度肝を抜かれる。体現すべし。
★『世界が引き裂かれる時』は、6月17日よりイメージフォーラム他にて全国順次公開

■あらたな誕生。もう一つの映画史

　最近、人づてに聞いた特集上映で観て驚愕した作品群。とにかく今まで日本で全く紹介されていなかったこの女性監督メーサーロシュ・マールタについてまずは紹介しておこう。

　メーサーロシュ・マールタは、1931年、ハンガリーの首都ブダペシュト生まれ。ファシズムが台頭する戦間期、両親とともにキルギスへ逃れるが、父親はスターリンの粛清の犠牲に。その後、母は出産で命を落とし、ソヴィエトの孤児院に引き取られ、戦後ようやくハンガリーへ帰郷する。

　長編映画は68年から撮り始める。残酷な社会のなかで日々決断を迫られる女性たちの姿を描きながら、ファシズムの凄惨な記憶や、東欧革命の前兆であるハンガリー事件の軌跡など、そのままざしは暴力と化す社会の相貌をも見逃さない。75年の『アダプション／ある母と娘の記録』は、第25回ベルリン国際映画祭で、女性監督としてもハンガリー監督としても史上初となる金熊賞受賞の快挙を成し遂げた。その後もカンヌ国際映画祭をはじめ数々の国際映画祭で受賞を果たし、同時代のアニエス・ヴァルダらと並び、もっとも重要な女性作家としての地位を確立。最新作は2017年の「Aurora Borealis: Northern Light」。

　そえゆえ、この監督の作品の主題は、孤児、親子関係、女性が直面する様々な問題に特化している。一方で映画的には、音楽映画、ドキュメンタリーや通俗的なメロドラマ、歴史的な背景を持つドラマなど驚くほどバリエーションに富んでいる。

　これが、今まで日本で紹介されてきた女性監督のイメージと全く違う。というか、最近紹介されたアニエス・ヴァルダにしろ、シャンタル・アルケルマンにしろ、日本では作家としてのまっとうな女性監督論が展開されてこなかったように思える。

　レストア版とはいえ、未見であった、もう一つの映画史を再発見するチャンスはありがたい。

　今回の上映作品を時系列順にみると、『アダプション／ある母と娘の記録』(1975)では養子縁組で未来の親子の希望、『ナイン・マンス』(1976)では旧態依然とした男権社会の中で出産（一部はドキュメンタリー?）に至るまでの苦難の路、その後日談ともいえる『マリとユリ』(1977)では女性同士の連帯が切実な問題として描かれる。また、こうした女性同士の結びつきは、若き日のイザベル・ユペールをヒロインの一人に迎えた『ふたりの女、ひとつの宿命』(1980)においては、二人が同一化するという逸話を、ナチス政権下のユダヤ人迫害という歴史ドラマの中に大胆にあぶり出す。

　こう書いていくと、この監督は同じ主題の繰り返しで全く面白くない作家だという誤解を与えるかもしれないが、先にご紹介したシャンタル・アケルマン監督が、実験映画や硬質なドキュメンタリーや歴史ドラマを描く一方、『ゴールデン・エイティーズ』(1986)のような独特なミュージカルコメディを撮ったように、きわめて娯楽的な作品も撮っている。

　それが、『ドント・クライ・プリティ・ガールズ!』(1970)。全編に当時のビート・ミュージックを散りばめ、閉そく感をぶち破る若者文化であるビートバンドと古い社会との関係をポップに描いたガールズ映画である。

　アケルマン監督が音楽、特に楽曲に対しては極めて禁欲的な立場であるのに対し、メーサーロシュ監督は通俗的な音楽の使用に対しては極めて寛容だ。アケルマン監督は登場人物の心的描写について状況音は使うことはあるにせよ、絶対通俗的な楽曲は流さないのに対し、メーサーロシュ監督は、あっという場面で、登場人物のメロな心情を象徴する楽曲が流れる。決して特権的な高尚な芸術映画ではないのだ。『ドント・クライ・プリティ・ガールズ!』に繰り返し流れる、ノンシャランでお気楽なビート・ミュージックなメロディは、今なお91歳で「自由の問題も女性の状況も私が映画を撮った頃からあまり良くなっていない」と語る彼女の、ささやかであるが永遠の日常の革命・解放

運動なのかもしれない。

★メーサーロシュ・マールタ特集は、5月26日から新宿シネマカリテほか全国にて順次公開

■レゲエ誕生にまつわるエトセトラ

マリナ・エル・ゴルバチ監督のラストの息詰まる出産シーンや、メーサーロシュ・マールタ監督の作品でのドキュメンタリーな出産シーンがどう撮られたのか?という制作秘話的な話はひとまず置くとして。

今では当たり前に聞く音楽ジャンルの生誕秘話を描いたドキュメンタリー『RUDE BOY ルード・ボーイ トロージャン・レコーズの物語』(2018)。

正直、こちらも今まで語られていなかった、もう一つの音楽史。

日本においてレゲエといえば、先ずはエリック・クラプトンが復帰して、カバーして有名になった楽曲「I Shoot The Sheriff」(1974)。そのソングライターがボブ・マーリーであった辺りからラジオで初めてレゲエという言葉を聞いて。元祖夏の野外フェス「Reggae JAPAN splash」が行われたのが1985年で、これは当時新しいモノ好きの友人と出かけた。スカもこの年結成された東京スカパラダイスで。ロックステディの名称についてはごく最近知ったような状態。

なので、この映画を観るとレゲエの歴史は全く別物。先ず発端はジャマイカ発の〈トロージャン〉と呼ばれる酒場のサウンド・システム。そしてダンス・フロアで踊るためのオリジナル・レコードのレーベルが生まれ、やがて『Lover Boy』の大ヒットから独特の進化をし、スカやロックステディ、レゲエが誕生した。そして、ジャマイカ独立を機に多くのジャマイカ人が移住したイギリスにおいて、ついに1967年にレゲエ専門音楽レーベル「トロージャン・レコーズ」がうまれる。

この映画で描かれるレゲエの歴史は、今まで日本で経験した音楽史とは全く違う。特に、こちらはロック世代なので。ロック中心史観からいえば、クラプトンに代表される正統派ロックからのエスニック展開としてレゲエを考えていたのだが、それが全くロックと同時代で、人種の枠を超えた違う音楽シーンがあったとは。

これも、もう一つの歴史!

映画史で今、レストアやデジタルでクラシック映画の読み直しや、いわゆる隠されていた女性フェミニズム作家の再評価があるように、音楽史も今、大きな転換期を迎えようとしている。この意味でも、この映画を観ることは非常に意味あることだと言えよう。

★『RUDE BOY ルード・ボーイ トロージャン・レコーズの物語』は、7月29日よりイメージフォーラム他にて全国順次公開

■今回の積み残し

そして、今回最後の紹介となるのは『WANDA/ワンダ』(1970)。

『エデンの東』などであまりにも有名な巨匠エリア・カザンの妻であったバーバラ・ローデン。その彼女の主演・監督作で唯一にして最後の映画。インディペンデントの道筋を作ったといわれ、当時高評価されていたものの長い間、幻の作品であった。近年、再評価の動きがあり、日本でも昨年公開された。この映画も再発見されてよかった。このローデンの私生活も反映したと思われる女性の生きる姿はフィクションだが、ドキュメンタリーのようにリアルで観る者にヒリヒリした感触を残す。

そう、今回もこの作品も含め、かなりの積み残しがあることを正直に申請しておこう。『沈黙のレジスタンス~ユダヤ人を救った芸術家』『SHE SAID/その名を暴け』『対峙』『ケイコ目を澄ませて』『ルイス・ウェイン生涯愛した妻とネコ』『ロデオ RODEO』『TAR/ター』『EO イーオー』『セールスガールの考現学』『無気力カンシンドローム』『冬の旅』『青いカフタンの仕立て屋』『フレンチカンカン』『素晴らしき放浪者』『TOKYO EYES』『勾留』『70歳のチアリーダー』。

サイトで内容のサンプルをご覧いただけます。
www.a-third.com

TH ART Series
好評発売中!!

発行＝アトリエサード 発売＝書苑新社

青空のもとに解き放たれた、裸身たちの美景。
多様な裸体の個性を伸びやかに解き放ち
そのフォルムで夢幻の光景を描き出す
写真家・七菜乃の集団ヌード写真集！

七菜乃 写真集
「LONG VACATION」
B5判・カヴァー装・144頁・定価3800円（税別）

ひとりの依頼主のために描かれた
臼井静洋、四馬孝による残酷絵。
卓越した表現の観世一則の責め絵。
特異な昭和の絵師の貴重な画集！

「秘匿の残酷絵巻［増補新装版］
～臼井静洋・四馬孝・観世一則」
A5判変型・カヴァー装・160頁・定価2200円（税別）

訪問者は、実は「メルヘン泥棒」だった！
5人の画家（黒木こずゑ、たま、鳥居椿、
須川まきこ、深瀬優子）と、物語作家・
最合のぼるによる幻想ヴィジュアル物語！

「王女様とメルヘン泥棒
～暗黒メルヘン絵本シリーズZERO」
B5判・並製・64頁・定価2000円（税別）

～こころ狂わす美しき妖怪、怪異～
妖怪や怪異を現代風な女性像になぞらえ、
蠱惑的な美人画として描き出す――
あやしき妖怪美人画集！

九鬼匡規 画集
「あやしの繪姿［新装版］」
A5判・カヴァー装・64頁・定価2000円（税別）

幸せの魔法が強くなるように――
11人のモデルを優しくリスペクトする視線で、
エロスとイノセンスをあわせ持つ
魅力を写し出した写真集。

珠かな子 写真集
「蜜の魔法」
B5判・カヴァー装・80頁・定価2500円（税別）

「奇想漫画家」を自称し、不謹慎かつ
狂気的な漫画でカルト的な人気を集める
駕籠真太郎の、漫画以外の多彩な
アートワークを凝縮した「超奇想画集」！
★A3ポスター付！

駕籠真太郎 画集
「死詩累々［新装版］」
A4判・カヴァー装・128頁・定価3300円（税別）

好評発売中!! 書店店頭で見つからない場合は、書店にご注文下さい（通信販売やインターネット書店もご利用下さい）。

新・バリは映画の宝島

友成純一

才人サソンコ ——荒唐無稽な格闘技アクションも小洒落た現代劇も、なんでも御座れ(後)

サソンコの名を知らしめた「珈琲哲学」二部作

「珈琲哲学 Filosofi Kopi」二作は、前号で紹介した「ウィロ・サブレン」とは一転、いかにもサソンコらしく知的にお洒落な現代ドラマだ。一作目「珈琲哲学〜恋と人生の味わい方〜」(15)は翌年の東京国際映画祭で、二作目「ベンとジョディ〜珈琲哲学第二章〜」(17)は同年のアジアフォーカスで上映されている。

　カフェ〈フィロソフィ・コピ〉の経営者ジョディは、経営上の数千万ルピアに上る借金に頭を抱え、質の高い珈琲に拘るバリスタのベンと対立していた。そんなある日、ここの味の評判を聞き付けた実業家が、完璧なコーヒーを作れれば一億ルピアの賞金を出すと持ち掛けて来る。自分のコーヒーに絶大な自信を持つベンだが、話に加わって来たコーヒー評論家エル曰く「もっと美味しいコーヒーがあるのよ」。二人は愕然となる。二人の、究極のコーヒーの追求が始まる。完璧なコーヒーとはどんなモノか、作るにはどうしたら良いのか——それはそのまま、彼らが自分たちの人生を見詰め直すことでもあった——ベンとジョディは最後には店を畳み、ワゴン車一台でインドネシア中を回る、移動カフェの旅に出る。

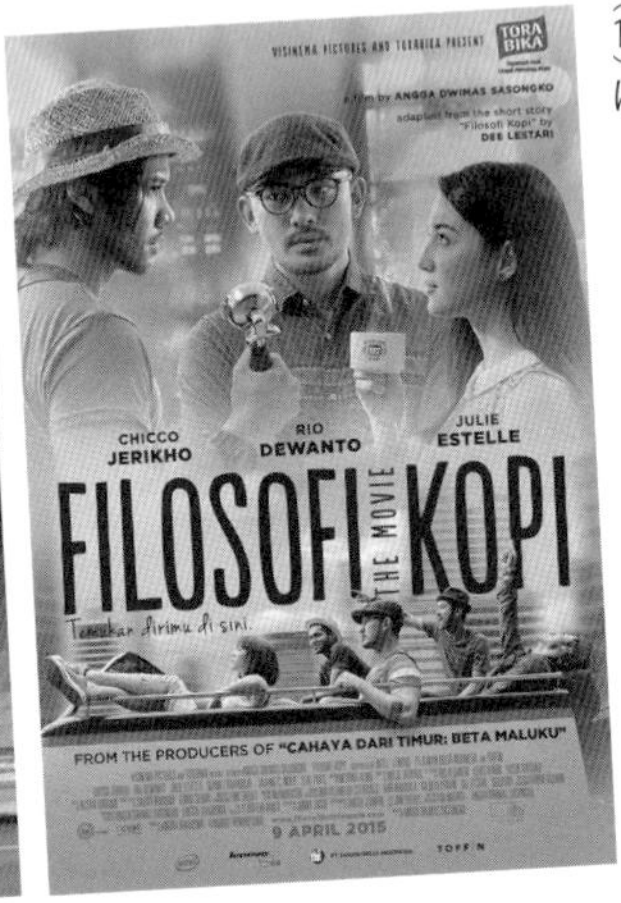

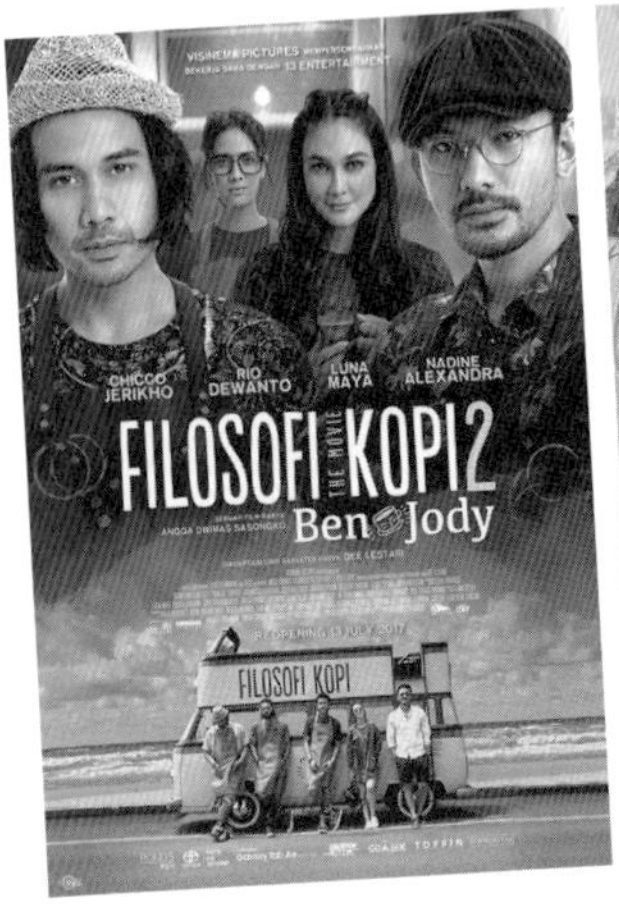

　二作目はそれから二年後、二人はジャカルタに戻って新たな事業展開を模索している。元の店を買い戻す資金調達に成功し、若き実業家のタラを新たなパートナーに迎えて、伝説のカフェがリニューアル・オープン。しかし新しいスタッフが淹れたコーヒーは、「哲学を失ってしまった」と手厳しいレビューを。店の悪評を払拭するには、店舗を新しくするしかない。

　新店舗は、ジョグジャカルタにオープンすることに。その当日、ベンの下に父親の訃報が届く。葬儀のために故郷に戻ってみると、一つの献花が届いていた。それは、コーヒー農園を生業として来た家族を苦しめた、ヤシ油会社からのものだった。訳が判らないままジョグジャに戻ってみると、同じ送り主から開店祝いの献花が届いていた。唖然とするベンに、タラが思い掛けない一言を……

　サソンコは思い付く——この作品にぴったりのカフェを見付けて改装するよりも、自分たちで一から作った方が早いし、より相応しいものが出来る——かくして主演の二人と共に、本当にカフェ〈フィロソフィ・コピ〉をオープン、これが当たって今やチェーン展開している。本作で登場人物たちが究極のコーヒーを追求する過程は、そのまま彼らがカフェをオープンする過程でもあったに違いない。インドネシアは世界有数のコーヒー産出国であり、名産地が数々あることを、改めて思い知らされる作品となっている。

No.92で紹介した「モルッカ」も「プラハ」も現地でロケ撮影され、現地での人々との出会いが、映画の方向性を決定づけている。〝映画造り〟が〝カフェ経営〟と一体になってしまうやり方も、サソンコの〝文化〟に対する姿勢を感じさせる。そもそも映画の製作過程も撮影現場も、家を建てる過程と現場によく似ているし。

「プラハ」で現地パブのオーナー・バーテンダーを演じていたリオ・デワントが、ここでは〈フィロソフィ・コピ〉のオーナーを。また一作目のコーヒー評論家エルを演じたジュリー・エステルが、前に紹介した「ミリー&マメット」(18)で絶妙な料理を提供するレストランの共同経営者を演じているのが、それぞれの作品の関連を感じさせる。さらに、「ビューティフル・デイズ2」(16)で、チンタとランガがデートするジョグジャのカフェで、バリスタの兄ちゃんがやたらにコーヒーについて云々するが、あれは本作へのオマージュでもあろう。

まさにインドネシアな、賑やかな大家族のドラマも撮っている。例えば

「妊娠八ヶ月 Buka'an 8」(17)は、ネットで知り合った若夫婦アラムとミアの出産を巡るエピソード。インドネシアでは妊娠月の数え方が日本と違っているので、妊娠八ヶ月といえば臨月である。

若夫婦はユーチューバー、ネット・ビジネスで生活している。妊娠出産も二人にとってはビジネスの格好の対象で、出産までのアレコレを動画にして、一儲けを企んでいた。が、ミアの両親には、そんな不安定な生活が信じられず、特に婿のアラムには不満たらたらだった。両親の不安を解消し、かつ自分たちがちゃんと儲けていると見せ付けるべく、二人は超一流の病院(Siloam。バリにもある。私もここに担ぎ込まれ、治療費の高さに一目散に逃げ出したことあり)に入院することにした。その病院はプロモーションを実施しており、期間内なら超格安で入院できると調べた上で。

しかし出産が目前に迫り、実際に入院してみたら、プロモ期間は終了、予算の数倍の入院費を取られることに。アラムは身重のミアを病院で格安の相部屋に残し、資金繰りに走り回る。一方、超高級な個室に入っていると信じて、一族郎党を率いて病院に見舞いに来た両親は、娘が相部屋にいると知って唖然……如何に両親を、押し寄せる親族を誤魔化しつつ、入院費を調達するか……最後にはアラムは一攫千金の、高層ビル建築の危険な仕事に挑戦する。

若夫婦二人と両親のやり取りが何とも楽しい、大笑いのドタバタ・コメディだった。

「今日については明日話そう Nanti Kita Cerita tentang Hari Ini」(20)は、男一人女二人の三人兄弟、そしてその両親のお話。家族皆んな、互いに上手く関係を築けないでいる。挫折を繰り返しながら、ついに互いに理解し合うに至るという家族のドラマだ。絶対に理解し合えないと思われる三人とその両親、それを取り巻く人間関係が実に複雑で、ギョッとなったり、どうなるかハラハラしながら見ていると、ラストはまるで歌舞伎のようにストンときれいに落ちる。〝良い人たちの善意のお話〟としてきれいにまとまる。「どうだ、俺、凄いだろう」と言わんばかりの計算され尽くした手際の良さに、六十年以上の人生経験のあるジジイの私など、「まだまだ若いな」とニヤニヤしてしまうのだが

インドネシア映画界を背負って立つ一人であることは、間違いない。

movie

よりぬき「中国語圏」映画日記

香港市民はどこでどんなふうに生きていくのか
――『わたしのプリンス・エドワード』『縁路はるばる』

小林美恵子

　最近の香港、民主化運動もほぼ沈静化?し、活動家たちは亡命したり、移住したり、あるいは獄中にあったりで、香港の街に住み日々の営みを続ける人々は強化された共産党支配をなんとかかわし、くぐりぬけ、心中の思いはさまざまだろうが日常生活での落ち着きを取り戻しているようにも見える。

　昨年暮れから今年にかけて、香港の民主化運動を振り返る何冊かの書籍が日本でも翻訳・出版された。最近、目の不調で紙の本が読みにくくなり、電子書籍に限られてしまうのだが、『香港存歿　自由と真実に関する一考察』(張燦輝、張敬遠・訳、論創社)、『フリーダム：香港人の自由はいかにして奪われたか、それをどう取り戻すか』(羅冠聡《ネイサン・ロー》・方禮倫《エヴァン・ファウラー》、中原邦彦・訳、季節社)、『香港少年燃ゆ』(西谷格、小学館eBooks)などを読む。

　『香港存歿』は、民主化運動の中で立場新聞などにも寄稿し政治評論を書き続けてきた哲学者の「学者としての発言」をまとめたもの。『フリーダム』は、雨傘運動の学生リーダーで、デモシスト(香港衆志)党首として一六年の立法会議員に最年少で選ばれたものの翌年議員資格を剥奪・投獄され、二〇年にイギリスに亡命したネイサン・ローが、自伝的要素も含む香港民主化運動体験を通して活動家としての意思を表明したものである。どちらも明確な思想的・政治的立場で民主化運動にかかわり、中共の自由弾圧を自分の問題として体験しながら、民主化運動を振り返り総括した書物で、そこに描かれる人々はいわばヒーローだ。

　これに対して『香港少年燃ゆ』は、日本人ジャーナリストが民主化運動の取材に訪れた香港で偶然に知り合った、ある一五歳の少年との三年間にわたるかかわりを追っている。

　この少年は暴力的ともいえるような態度で民主化のデモに熱狂するが、明確な政治批判の意思を持っているわけではなく、いわば一種のファッション、もしくは発散としてデモ現場を渡り歩く。中国からの移民であるというその母親は、息子のデモ参加には反対で、国家保安条例に触れないような生き方を求めている。一般市民は法を犯さない限り、中国の法律に縛られることはないという現実的・楽天的な発想であろう。

　学校にも行かず、職もなく、未来への展望もない親がかりのこの少年は、民主化デモにむしろ居場所を得て生き生きするのだが、デモ自体が彼の現在や未来に与えるものはなく、デモの終わりとともに生き方や生きる場所を求めてさらに深刻な彷徨を始めることになる。

　このように書いていくと、この少年やその母の姿は度合いの差こそあれ、むしろ多くの香港一般市民の姿なのではないかとも思われてくる。民主化運動のヒーローになれず、自由を求めての亡命や海外移住もかなわない香港市民は、中共・香港政府の制約の範囲内で定められた規制を規制と感じないように触れないように、しかし自分の損にはならないようにうまく立ち回りすり抜けながら日々の安寧を求めていくしかない。それは当事者自身にとって苦しみであるとばかりもいえず、得られる安定・安寧は案外喜びともなるのかもしれない。

　最近の現代の香港を描いた映画の中に描かれているのも、むしろそういう普通の人々という感じで、さまざまな生活上の問題や悩みを抱えて生き方を模索するが、彼らがこの一〇年余りの香港情勢といかに向き合い、民主化運動の中でどのような位置にいたのかがわかるような描き方がされているものは、少なくとも日本公開作にはあまり見られない。

以下は、一昨年・昨年の大阪アジアン映画祭の出品作がこの初夏劇場公開されたものだが、これらについても同じことが言える。

★わたしのプリンス・エドワード（金都）／二〇一九／監督＝ノリス・ウォン（黄綺琳）

香港・太子《プリンスエドワード》のウェディング・ビル金都商場を舞台に、かつて大陸人の香港ID獲得のための偽装結婚にアルバイトとして応じたヒロインが、一〇年後同棲中の恋人との結婚をひかえて、何とか偽装結婚を解消しようとする姿を描く。

結婚に際して自分の生き方を顧みる必要もなく、母親に依存したまま旧来的な男女観によって、無意識に、もしくは善意で女性に抑圧を加え続ける男と、大陸人との結婚の経緯やその解消を通して男からの抑圧に気づいてしまった女の物語である。この地・この時代に独特な設定をしているものの、男性支配からの女性の独立という、実は極めて普遍的なジェンダー問題を描いた作品だと思う。ただしダメ男のエドワードもヒロインも、民主化運動のさなかどのような立場・態度で過ごしたのかというような視点はみられない。

一方、大陸の男――香港IDを取得しこれを足掛かりにアメリカに行きたいと考え金をはらっての偽装結婚をするが、福州に恋人ができ子供もできて、ヒロインをさんざん翻弄したあげくID取得をやめ福州での定住を選ぶ――のある意味脳天気な身勝手さも、この男本来の勝手さというだけでなく、一〇年余りの間の香港と大陸との間の関係が変化して、より近くなり、あえて移住する必要もなくなった世相を反映しているように思われる。

★縁路はるばる（縁路山旮旯）／二〇二一／監督＝アモス・ウィー（黄浩然）

内向的なIT技術者の青年ハウに突然に訪れたモテキ、次々に現れる五人の女性は皆、香港の旮旯（僻地）居住者で、ハウは自ら開発したナビゲーションアプリを駆使し、後半では車も買って彼女たちを家に送ったり、訪ねたりしながらデートを重ねる。

現れる女性たちは職場の同僚、友人の従妹、学生時代の友だちなどで、付き合いの範囲は意外に狭い。モテキといっても、ハウも彼女たちもそれほどに恋にのめり込むというようなことでもない。次から次へと相手は変わっても複線的に友人関係が続くこともあるし、かりそめの遭遇という感じで悪印象にはならない、というほどに、彼女たちの境遇や生き方は現代の香港の若い女性の諸相をあらわして、特異なものではないという描き方だ。

要はこの映画、恋愛劇の形をとりながら、今まで映画でも現実でもあまり顧みられることがなかった香港「僻地」に対する新しい視野を開こうとしているのだろう。ハウ自身も最後には中環から、結ばれる相手の居住地ランタオ島澄碧邨《チェンビッチュン》への唯一の入り口である長洲島に居を定めようとする。経済活動の拠点としての都市香港から、貧しくてもより安穏な生活拠点としてのローカルな香港に根差していこうとする香港市民の姿であろうか。ちなみにハウの父はすでに大陸に移住し再婚もしているという設定で、この映画でも大陸と香港の距離感が変わって、香港市民にとって大陸が近くなっていることが併せて感じられる。

この映画の中でも、やはり登場人物たちがどのように民主化運動にかかわったかについては触れられない。台湾・日本などへの移住の可能性に言及する場面は出てくるが、それは現実的なものとしては描かれず、映画の最後、ハウは生きる場所より誰と生きるかの方が重要だと言って学生時代の友人メラ姐に求愛し、彼女は「移民するなら両親も一緒に」と答える。そのあたりにもこの映画の作者や登場人物――ひいては香港市民の意識のありようが現れているように思われる。

★小林美恵子『中国語圏映画、この10年～娯楽映画からドキュメンタリーまで、熱烈ウォッチャーが観て感じた100本』好評発売中!
発行:アトリエサード、発売:書苑新社／四六判・224頁・カバー装・税別1800円 詳細・通販→アトリエサード http://www.a-third.com/

ダンス評［2023年4月〜6月］

志賀信夫

二つの挑戦
伊藤キム
アンサンブル室町
柿沼唯、大平健介、田中誠司

伊藤キムが久しぶりのソロに挑戦した。『ダミーズ』（シアタートラム、六月二十三日）だ。コンテンポラリーダンスの創成期を牽引した存在で、キムの元からは多くの振付家、舞踊家が活躍している。

舞台中央に白い砂山か峰のように見えるオブジェ。暗い静かなノイズの中、そこにとがった山が出没して動く。その動きによって山が変化し、下に人が動いていることがわかる。伸びるラテックスかシリコンゴムの薄膜が貼ってあるのか。次第に四肢の動きがわかるようになる。

これが起こされると、畳一畳くらいの白い幕を張ったキャンバス状態。後ろから指で突っつくとできる突起が左右の光で美しい影をつくる。やがて顔など身体が明確に浮き上がり、クローネンバーグの映画『ヴィデオドローム』（一九八三年）を連想させる。やがてそれが移動して、上手に行き下手に行き戻ってくると、タテの一枚が追加され、そこに背後からの光で影絵状態となり、伊藤キムの動きが見える。距離で体が変形し不思議な雰囲気。やがてそれがタテの四枚になり、伊藤キムが前に出て語り出す。

キムはもう一人のキムを呼び出し、映像で四人のキムが一枚ずつに映し出され、キムが語りかけながら映像と絡む。その後、「音楽」といって、ギターのアルペジオが流れると、「歌います」とマイクを取り出し、歌う。すると映像でキム四人、ギター、ベース、ドラム、キーボードの演奏となってハードロック。

そこからの語りはいわば自分探し。伊藤キムという名前、呼ばれるということ、私とはだれかといったテーマが、映し出される映像の文字との対話によって浮かび上がる。そして映像の文字の過剰さとともに、キムは暴れるように踊り、倒した三枚の一つの膜の下に……。

映像で多くの自分と対峙する伊藤キム。改めてダンスと言葉の関係を追求し続けていることが強く浮かび上がる。だがコミカルな部分にも観客は以前のようには反応しない。コンテンポラリーダンスの「伊藤キム」として彼はずっと葛藤を続けているように思える。「コンテンポラリー」＝「最先端」として、その第一世代は、先端を走り続けるプレッシャーが大きかった。だが、キムはこれからも挑戦を続けるはずだ。

音楽と舞踏、コンサートと舞踏が見事に絡み合った公演を見た。それは六月三〇日（金）、埼玉県川口市のＪＲ川口駅前にある川口リリアホールの舞台だった。

六〇〇席のホールは、正面上に巨大なパイプオルガンが鎮座し、内装も凝り、壮麗なクラシックの音楽ホールである。演奏はアンサンブル室町。フランス人チェンバロ奏者で作曲家のローラン・テシュネが二〇〇七年に立ち上げたグループで、西洋の古楽と邦楽を組み合わせた新作を上演し続けている。今回は柿沼唯が作曲した『室町のミサ』とともに、大野慶人に師事した舞踏家、田中誠司が踊る。

まず音楽と演奏が素晴らしい。作曲家の柿沼唯は松村禎三らに師事、オルガン曲にも秀で、冒頭から音楽監督大平健介の演奏するパイプオルガンがダイナミックに響く。その音がすっと引くと、繊細な久保法之のカウンターテナーがラテン語のミサを歌う。そして、古楽はチェンバロ、バロックチェロ、ビオラ・ダ・ガンバ。邦楽は箏、琵琶、尺八、篳篥《ひちりき》、笙。

宗教曲のバロック的なメロディと五音階の和楽器がそれぞれを主張しながら、見事なアンサンブル。完全調性で合わせるのではなく、ところどころのはみ出しがまた魅力的なのだ。

　バロック、古楽、カウンターテナー、邦楽が混ざり合って、時折、現代音楽的なノイジーな部分もはさみながら、全体として見事なアンサンブルを生み出す。「室町」とは日本の室町時代を西洋の同時代と重ね、そこから新しい音楽を創造しようということなのだろう。

　そして、ここに絡む田中誠司の舞踏も非常に見応えがあった。冒頭は仮面に麦わら帽で日本の田舎のおっさん的風体で、長い竹か柳の枝を持って上手からフラフラ入り込む。そして、その棒の先をユラリと演奏者のそばに垂らす。クラシックなどのコンサートと舞踊や舞踏だと、音楽とは絡んでも、関係性は極力侵さないようにするが、田中は挑発するように微妙に絡む。演奏に支障を来さない度合いがいい。一通り絡むと、下手に積み重ねられた藁の山と戯れ、客席に降りて奥までいって、舞台に戻り、そして去る。

　次の登場は、下手から女装でピンクの縄を引きずりながら、積まれた藁の前を進み、中央に来て、その縄と戯れるように踊っていく。白塗りにシュミーズの女性的な姿で、柔らかい身体を提示する動き。最初のコミカルな姿は、映画『O氏の死者の書』の大野一雄、そして女装は、舞台での大野との共通性を感じさせた。

★『室町のミサ』photo：bozzo

　休憩後の第二幕、ここはまず音楽が魅せる。チェンバロソロで始まるが、よく聞くとその音は五音階を取り入れた邦楽的メロディ、そして箏を演奏しながら日原暢子が歌う。それもラテン語のミサの歌詞。さらに琵琶の久保田晶子も加わり、彼女も歌う。和楽器を演奏しながらラテン語の歌詞を歌うのがとても刺激的だ。

　そこに他の和楽器も絡み、さらに西洋の古楽器が加わるなど、予測がつかない展開が実に楽しい。すると、客席横から田中誠司が登場。なんと三メートル近い脚立を背負っている。観客席の間の通路に来ると、観客に当てそうになりながら、ゆっくりと舞台に上がる。中央に上がったその姿も、なかなか暴虐である。

　さらにその脚立ごと藁山にダイブ。藁まみれになる。脚立に結んでいた風呂敷を開き、そこに藁をギュウギュウに詰め込んでいき、一メートル四方の大きな包みができあがる。すると、田中は脚立を立て、その藁を抱えて脚立の上に上る。その姿はインパクト抜群。土方巽が、秋田の田で稲架《はさ》の上に座った細江英公の写真集『鎌鼬』の一枚を思い出した。

　舞台の上に藁をまき散らし、演奏者に絡み、脚立を担いで観客に挑むなど、田中誠司は非常に挑戦的な行為によって、単に音楽演奏をバックに踊るのではなく、まさに舞踏として舞台をつくろうとした。その意欲に感心する。舞踏が「前衛」であり続けるには、こういった表現が重要だ。見たことのない舞台を、という創作の追求、果敢な挑戦こそ新たな作品を生み出すと確信している。終わって生じた激しい拍手は、音楽と舞踏、ともに観客に強い衝撃と感動を与えたことを物語っていた。

「コミック・アニメ・ゲーム」×ステージ評

1518!イチゴーイチハチ! トワツガイ、ブルーロック

高 浩美

2・5次元舞台といえば、ミュージカル『テニスの王子様』のような作品を連想する人が多いと思う。それ自体は間違いではないし、試合のシーンなど見どころも多い。

だがこの6月に上演された青春舞台『1518!イチゴーイチハチ!』2023は、そういったイメージとは一線を画すものだった。登場人物たちは何らかの挫折を味わったり、あるいは特に目標などもない普通の高校生。メインキャラクター鳥谷公志朗(辻本達規)は、肘を壊してしまい野球を諦めざるを得ない高校生。丸山幸(菊池愛)は何か目標があるわけでもなく、ただ先輩の応援のために訪れた野球場で「対戦チームの背番号15番の活躍に目を奪われた」と言う。その15番とは公志朗。野球を断念している彼を笑顔にしたい、と思うようになる。彼女の先輩の亘環(尾花貴絵)はかつて公志朗と勝負した仲。女子ゆえにそのまま野球を続けることもできなかったが、今は生徒会長としてみんなを束ねている。この3人をメインとして物語が進行していく。

★青春舞台『1518!イチゴーイチハチ!』2023
撮影:シアターテイメントNEWS
©相田裕/小学館 ©青春舞台「1518!イチゴーイチハチ!」製作委員会2023

特別なことは起こらず、彼らの日常が描かれる。テーマ曲が流れてタイトルがドーンと出てきてキャラクターが決めポーズ、という演出もない。そこにあるのは彼らの日々の出来事。その中で公志朗と幸の距離が縮まっていく。その過程、心温まるエピソード、幸の祖父(佐野瑞樹)は孫が可愛くてしょうがない。花火デートの日に小遣いを渡そうとする。また、生徒会の面々も彼らの様子が気になって仕方ない。アドバイスしたりする姿につい口角がゆるんでしまう。心の動きを丁寧に掬い取り、良質の演劇に仕上げた。脚本はこの作品の原作者の相田裕、演出は佐野瑞樹。

そして2・5次元舞台、圧倒的に多いのが人気作の舞台化。例えば『刀剣乱舞』などはゲームの人気があり、そこからミュージカルになったり、ストレートプレイになったり、歌舞伎になったりアニメになったりしている。が、ツガイ育成バトルファンタジーRPG『トワツガイ』(スクウェア・エニックス)の舞台版はそうではない。このコンテンツを多展開する、その一つとして舞台がある。アニメ化は決定してから数年を要するが、舞台化はそれよりスピード感があり、2月16日からゲームのサービスが開始されているが、舞台化は6月。舞台の方はキャラクターを深く設定し、多面的なキャラクターを

★舞台「トワツガイ」
©舞台トワツガイ製作委員会
©SQUARE ENIX CO., LTD. All Rights Reserved

構築。ツガイつまり、2人で一つ、それぞれを想いやる内容だ。千秋楽は大いに盛り上がったそう。これから成長していくコンテンツであり、今後が楽しみだ。

　大人気サッカー漫画『ブルーロック』も舞台化。日本をサッカーW杯優勝に導くストライカーを育てる「青い監獄《ブルーロック》」プロジェクトに参加する高校生フォワードたちの運命を描く物語。「世界一のエゴイストでなければ、世界一のストライカーにはなれない」というスローガンを突きつけられながら、300人の高校生がサッカー人生を懸けた生き残り戦に挑戦する。絆やチームワークではなく、個人の圧倒的な個性やエゴを求める主題が特徴。一方、日本サッカーや実在の選手を皮肉るような描写もあり、連載当初は賛否両論を巻き起こし、「史上最もイカれたサッカー漫画」の異名を持つ。舞台版の俳優陣はサッカーの特訓を受けているので動きがリアル。そういったリアリズムを追求し、デスゲーム的なサバイバルな雰囲気、勝った負けたより、彼らの心理模様、絶対に残りたい一心が心に刺さる。漫画の物語はまだまだ続いているので、舞台もこの後の展開が気になる。なおBlu-rayが今年11月22日に発売（税抜9800円）。詳しくは公式HPをチェック。

　夏は大ヒットアニメ「あの日見た花の名前を僕たちはまだ知らない」が8月に上演。再演となるが、脚本・演出を一新、畑雅文が担う。また、馬鹿馬鹿しさが炸裂する舞台『宇宙戦艦ティラミス』が9月にファイナルを迎える。

★舞台「ブルーロック」
©金城宗幸・ノ村優介・講談社
／舞台『ブルーロック』製作委員会

TH LITERATURE SERIES
アトリエサードの文芸書　好評発売中

NEW

伊野隆之
「ザイオン・イン・ジ・オクトモーフ
～イシュタルの虜囚、ネルガルの罠」
四六判・カヴァー装・224頁・税別2300円
「おまえはタコなんだよ」
なぜかオクトモーフ（タコ型義体）を
着装して覚醒したザイオン。
知性化カラスにつつき回されながら、
地獄のような金星で成り上がる!
実力派による、コミカルなポストヒューマンSF!

NEW

健部伸明
「メイルドメイデン
～A gift from Satan」
四六判・カヴァー装・256頁・税別2250円
「わたし、わたしじゃ、なくなる!」
架空のゲーム世界で憑依した
悪霊〝メイルドメイデン〟が
現実世界の肉体をも乗っ取ろうとする。
しかし、その正体とは――。
涙なく泣く孤独な魂をめぐる物語。

壱岐津礼
「かくも親しき死よ～天鳥舟奇譚」
四六判・カヴァー装・192頁・税別2100円
クトゥルフ vs 地球の神々
新星が贈る現代伝奇ホラー!
クトゥルフの世界に、あらたな物語が開く!
大いなるクトゥルフの復活を予期し、
人間を器として使い、迎え討とうとする神々。
ごく普通の大学生たちの日常が、
邪神と神との戦いの場に変貌した――

篠田真由美
「レディ・ヴィクトリア完全版1
～セイレーンは翼を連ねて飛ぶ」
四六判・カヴァー装・352頁・税別2500円
ヴィクトリア朝ロンドン、
レディが恋した相手は……
天真爛漫なレディと、使用人たちが謎に挑む
傑作ミステリ《レディ・ヴィクトリア》シリーズ。
待望の書き下ろし新作が登場!
装画：THORES柴本／描き下ろし口絵付!

発行・アトリエサード　発売・書苑新社　www.a-third.com

絶滅寸前のタトゥー文化が蘇り106歳女性彫師が『ヴォーグ』の表紙を飾る

——大島托のトライバルタトゥーの旅

ケロッピー前田

★『ヴォーグ・フィリピン』の表紙を飾った女性彫師ワン・オド

今年4月、『ヴォーグ・フィリピン』の表紙を106歳を迎えたフィリピンの女性彫師アポ・ワン・オドが飾り、世界的にも大きな話題となった。彼女の起用は、2020年にイギリスの女優ジュディ・デンチが打ち立てた「85歳」というカバーモデルの最高齢の記録を塗り替えたばかりか、服飾によるファッションでなく、全身に刻まれた伝統のトライバルタトゥーを美しいファッションとしてアピールした点でも斬新だった。

ワン・オドはフィリピン北部カリンガ州の山村バスカランに住み、16歳から父親にタトゥーの技術を学んだ。タトゥーを彫る際は、竹の棒にレモンのトゲをつけた道具を使い、煤を水で溶いて、トゲのついた棒を別の棒で叩く「ハンドタップ」と呼ばれる技法で行なう。彼女は伝統的な民族タトゥーをマスターしているマンババトク（彫師）としては最高齢で、2016年にフィリピン政府から人間国宝の称号を受け、18年頃から国内外からタトゥー希望者の訪問が増加。コロナ禍以前は1日400人以上を受け入れた時期もあったという。伝統的なトライバルタトゥーの技術を受け継ぐことができるのは血縁者のみ。ワン・オドは数年前から、姪孫にあたるグレース・パリカスとエルヤン・ウィガンを指導してきた。

そんなワン・オドの106歳の誕生日である2月17日にわざわざ彼女に会いにいった日本人がいた。タトゥーアーティストの大島托である。その模様はTBS系『クレイジージャーニー』で紹介された（5月29日放送）。彼は、「一番弟子グレースさんのサポートでバスカランを訪ねましたが、ワンさんの誕生日を知ったのは現地に行ってから。フィリピン中から大勢の観光客がタトゥーを彫りに集まってくる現場を目の当たりにして圧倒されました。60歳年上の大先輩ですから、彫ってもらうときは流石に緊張しました」と語った。彼もワン・オドからカリンガのシンボルである「スリードット」を授けられた一人となった。

カリンガ州の山村ブスカランに住むワン・オドが世界的に注目されるようになったのは、タトゥー人類学者ラース・クルタクがきっかけだった。彼はディスカバリー・チャンネルの大人気シリーズ『タトゥー・ハンター』フィリピン編の撮影のため、バスカランで2週間を過ごし、当時90歳近くで水田作業をしていたワン・オドに出会った。そのときはカリンガのトライバルタトゥーは絶滅寸前で、ワン・オドは「私が死んだらカリンガのタトゥー文化はなくなる」と言っていた。その貴重なレポートは、のちに『KalingaTattoo』(2010)にまとめられる。

ところで、大島は世界各地の民族タトゥーのリバイバルにも積極的に関わっている。『クレイジージャーニー』でも放送されたが、インド・ムンバイで開催された国際規模のタトゥー・コンベンション『クラ・ワールドワイド』には、未知のタトゥー文化を残すバイガ

★カヤビ族の男性の顔面タトゥー

★ワン・オド(左)と大島托

族が参加するというので、そのリサーチのために赴いた。「バイガ族のタトゥーはいまも続いており、それをそのまま引き継ぎながら、一方でヨーロッパからの熱心なタトゥー愛好者たちを受け入れようとしていました」と解説してくれた。

さらに大島は具体的にタトゥー文化の復興をサポートしており、2022年8月、ブラジル、アマゾンの奥地シングーという先住民保護地域内に暮らすカヤビ族を訪ねていた。ワニやジャガーの口を模しているというカヤビ族の男性の顔面タトゥーは失われていたものであったが、彼の来訪をきっかけに蘇っている。

先に挙げたラース・クルタクは、民族タトゥーの研究や復興に尽力するのみならず、ミイラのタトゥーを通じて古代におけるタトゥーの技術やデザイン、世界的な規模での伝搬の経路などを追っている。その成果のひとつがアーロン・ディターウォルフとの共著『Ancient Ink』(2017)である。

ラースが人類学者として最初に本格的な調査を行なったのが、アラスカにあるセントローレンス諸島にわずかに残っていた女性たちの顔面タトゥーの風習であった。「スキンステッチ」と呼ばれ、顔料を染み込ませた糸を針に通して、裁縫の要領で皮膚を縫うようにくぐらせるというもので、痛みも大きく、技法的にも最も原始的なものと考えられている。ラースはそうしたタトゥー技法が残る地域は人類の最も古い文化のかたちをいまも残しているのではないかと考えているのだ。

拙著『縄文時代にタトゥーはあったのか』でのラースのインタビューで、彼はアイヌのタトゥーに人類の最も古いタトゥー文化の痕跡が残されているのではと語っている。世界的にトライバルタトゥーのリバイバルに関心が集まっているのは、タトゥーというものが非常に古い時代から存在し、現代にまで伝えられたものであることに多くの人たちが気づき始めているからである。

大島托は「日本では一般の方々にとってのタトゥーのイメージは物凄く狭い。タトゥーとは、人類が約1万年以上の長い歴史のなかでずっと親しんできた文化です。そんなスケール感のあるタトゥーのイメージを伝えていければ嬉しい」と語ってくれた。

最も古くから現在にまで残ってきたものこそが美しいとするなら、絶滅寸前にありながらも世界的な注目を浴びることで復活を遂げたカリンガのタトゥーのように、まだ知られていない文化がタトゥーを通じて蘇るチャンスはこれからもあるだろう。世界的なタトゥー文化の隆盛が新しい時代の息吹となっていることを感じて欲しい。

LOMBROSO

「天才は狂気なり」という学説を唱え
犯罪人類学を創始した奇矯な精神病理学者

チェーザレ・ロンブローゾの思想とその系譜〈49〉

村上裕徳

天才における性的異常および生殖器の異常

ロンブローゾは続けて言う。

これらの偉人や天才のほとんど総ては生殖器に異常があった。(詩人の)タッソは青年時代に非常に「淫逸」(「荒淫で逸脱していた」という意味か?)だったが、三八歳以降は極端に(性的に)「清浄」な生活を送った。またカルダンは青年時代に生殖器不能だったが、三五歳になって突然に性的興奮を感じるようになった。パスカルは青年時代に、はなはだしく「肉欲的」だったが後には、母の接吻すら罪悪と信じるようになった。ルソーは「陰萎」(前記「生殖器不能」とは別)と「遺精」とに罹《かか》っていた。そしてボードレールのように「転倒性欲」(性倒錯を意味する。ルソーは一〇代初めの頃、寄宿舎で四〇代の牧師の娘に理由のない体罰を受け、反抗心とマゾヒストの気質を醸成する)の傾向を持っていた。ニュートンとチャールス二世は絶対的なまでに(性的に)禁欲家だった。レーナウは「私には自分が結婚できないという苦しい自覚がある」と書いている。

天才の転居癖

天才には一定場所に落ち着いて、静かに研究するというようなことが出来ないで、絶えず移動しないではいられない病癖がある。レーナウはヴィンナ(ウイーンのことか?)からストケラウ(シュツットガルトのことか?)に行き、グミュウデン(不詳)に移り、最後にアメリカに移住した。「私は血液を刺激するために、絶えずあちこちに住所を変える必要があるのだ」――と彼は言っていた。タッソはフェルララ(イタリアのシチリア島南方にあるフェルラのことか?)からアルビノ(不詳)、マンチュア(イタリア北部中央にある都市マントヴァのことか?)、ナポリ、パリ、ベルガモ(イタリア北部の都市)、ローマ、チュリン(イタリア北西部の都市トリノのことか?)と終始にわたり旅行していた。ポーは絶えずボストン、ニューヨーク、リッチモンド、フィラデルフィア、バルチモアを徒歩で放浪していたので編集主筆を悩ませた。ジョルダーノ・ブルーノ(一五四八～一六〇〇、イタリアの哲学者で天文学者、ドミニコ会の修道士。背教者ではなく敬虔な信仰者であったが、コペルニクスより斬新な地動説〈地球は太陽のまわりを回るが、太陽は宇宙の中心ではなく、宇宙に中心など無いと考えていた〉を含む、二四もの罪状に加え、魔術と占術への傾倒、マリアの処女性の否定、輪廻説の支持などで宗教裁判にかけられ、自説を曲げなかったため火刑となった。名誉回復は二〇世紀に入ってからで、ロンブローゾの時代には、まだカトリックの宗教的罪人である)はパデュア(イタリア北東部の都市パドヴァのことか?)、オックスフォード、ヴィンテルベルヒ(ドイツ北東部の都市ヴィッテンベルクのことか?)、マグデベルグ(ドイツ北東部にあるザクセン・アンハルト州の州都マクデブルクのこと)、ヘルムスタット(ドイツ南部バイエルン州にあるヘルムシュタットのこと)、プレーグ(チェコスロヴァキアの首都プラハの異名「プラーグ」のことか?)、ジェノバという風に彷徨《さまよ》っていた。

ルソーとカルダン(ジェロラモ・カルダーノのこと)と(彫金師で彫刻家の)チェリーニとは、絶えずチューリン(英語名によるイタリアの都市トリノの異名)、パリ、フローレンス(フィレンツエのこと)、ローマ、ボローニャ、ローザンヌを転々とした。「住処《すみか》の変わるということは私に必要な事だ。天気の良いときに三日と苦痛なしに同じ所に長居することなど、私には到底できない」――とルソーは言っている。

天才が何度も職業や研究課題を変えること

天才には、その生涯の中で幾度か自分の職業を変え、(また)研究課題を変更する傾向がある。異常な知力を持つ者（天才の中の超天才を多く指す）には、単に一つの学問にかじりつき、それに満足するということが、到底できない事なのであろう。スイフトは風刺詩はもちろんだが、アイルランドの工業に関する意見も書けば、神学の書物も書き、政治を論じ、（英国の）アン女王（一六六五～一七一四）時代の歴史も書いた。カルダンは数学者で医者で神学者で、そのうえ文学者だった。ルソーは画家と音楽家と山師に加え、哲学者と植物学者と詩人を一人で背負っていた。ホフマンは長官で漫画家で音楽家だけでなく、小説家で劇作家であった。

タッソは後にゴーゴル（詩集もある小説家のゴーゴリ〈一八〇九～五二〉のことか？ ゴーゴリの詩は、前衛的過ぎたためか、当時は不評だった）もやったことだが、あらゆる詩形を試みた。劇詩でも叙事詩でも、何でも試みた。ニュートンとパスカルの場合は、発作が起こると物理学を放棄して神学の研究を始めている。レーナウは医学と農学と法律と詩と神学を（大学で）学んでいる。

天才が、そのジャンルの新傾向のパイオニアであること

精力の有り余った、こうした巨人は、また非常に斬新な新しき学問の創始者でもある。彼らは危険を顧みることなく突進し、あらゆる困難を排し努力を重ねるのである。こうした努力こそが、最も良く彼らの病的精力を満足させる方法なのである。彼らは物（どうし）の最も不思議な関係を捉え、最も新奇で顕著な点に着目する。（こうした場合に）独創性が、しばしば背離に陥るのは（こうした）狂的詩人、芸術家の特徴である。アンペルは常に最も困難な数学の問題に没頭した。（それは）たとえばアラゴ（アンペールの友人で、電磁気学の中心人物だったフランソワ・アラゴ〈一七八六～一八五三〉のこと）も言っている事だが、底の無い「深淵」のようなことを考えていた。

ルソーは「村の易者」の中で未来の音楽を論じている（一七五二年に作られた楽曲「村の占い師」のこと。公刊後の前書き解説か何かであろう。この楽曲はルイ一五世の王宮で公演され、国王から年金の支給と拝謁の栄誉を賜《たまわ》るが、持病の頻尿のため人前での失禁を恐れたためと、それによる自閉的性格のため、この王からの招きを断った。この事は断りの理由が泌尿器の尾籠《びろう》な事なので言えないために傲慢《ごうまん》と誤解され、ルソー支持者の友人で百科全書派のディドロを含む、多方面から非難される。この泌尿器の疾患は、前記のロンブローゾの主張する「生殖器の異常」と上手く合致する）。未来の音楽については、（同じく）その後に「狂天才」のシューマンも論じた課題である（シューマンは数々の精神障害に悩まされ自殺未遂の後、精神病院で亡くなっている）。スイフトは最も困難な問題を論じている（時）か、あるいは自分の日常の行為と最もかけ離れた事柄に関わっている時だけ、しばしば落ち着くことが出来ると言っていた。実際、彼の「奴僕の心得」（「奴婢訓」のこと）を読むと、彼（スイフト）は神学者でなければ政治家でもなく、ただ一人の奴隷としか思えない。彼の（著作）「盗人懺悔録」（不詳）は、ある有名な犯罪者によって書かれたものだと（長く）信じられていたほどである。ビカアスタッフ（不詳。前記「懺悔録」の登場人物か？）は預言の中で、彼は巧みにキリスト教徒に成りすまして、ローマの（異端）糺問所《きゅうもんじょ》を欺くことに成功している。

（詩人の）ウオルト・ホイットマンは無韻詩の創始者だった。英国人は彼の詩を指して「未来詩」だと評した。彼の詩には、それほどまでに不思議で奔放な独創性が含まれていたのである。ポーの文体は彼の偉大な礼讃者であるボードレールも言っているが、美の要素の中に奇妙な言い伝えの要素（既存の伝説ではなく新しい「伝奇性」という意味）を混ぜるために作られたかのように思われるのである。彼は「アラベスクとグロテスク」という総題の下に数々の物語を集めた。これらの物語は総てが人間離れ（非日常的という意味か？）がしていた。彼の物語は「Extrahuman」（「超人的な」「人知を超えた」という意味）とでも言うべきものであった。それと同時に我々は、狂芸術家が（幾何学的な）アラベスクに対する偏愛を（持つことを）窺《うかが》い知ることが出来るのである（アラブ人は宗教的な偶像崇拝を禁じたため、具象ではなく「人工美」による、「人格を持たない」抽象的で幾何学的なアラベスク模様を生み出し、信仰す

る宗教観を現わした。また神の名前はあったが、みだりに口にしてはならないものとして、教典などを唱える場合においても「禁句」にしていた）。

　ボードレールは自分で（新しい）散文詩を創作した。そして「人工美」に対する極端な憧憬を現わした。彼はまた、嗅覚に（関しての）新しき詩的連想を発見した最初の詩人だった。（原註・彼は麝香《じゃこう》によって「緋色」と「金色」を想起すると云った。そして数々の香りの中には「幼児の香り」や「曙の香り」のするものがあると言っていた）

病的天才の特異な文体について

　こうした「病的天才」は、また独自の文体を持ち、（それは）情熱的で絢爛な色彩が乱舞するような一種異様な文体が多い。これは狂的発作の影響が、（こうした事を）させるのであろう。彼らの多くは「霊感」（という言葉）を口にし、その（憑依の）瞬間以外には思索することが不可能だと、よく言っている。タッソは彼の書簡で、こうした事を言っている。「私は到底駄目である。何をやっても難しい。とりわけ文章を作ることは特に困難だ」。ルソーの場合は「私の思想は混沌としている。容易に頭の中に（その解答が）登ってこない。秋はことに、情熱に駆られた時でなければ自分を充分に表現できない」と言っている（この部分は、ロンブローゾの天才の脳は、暖かい季節か、そうでなければ暖めなければフル活動しないという説と、うまく合致する）。カルダンの著作にある流暢《りゅうちょう》にして溌剌《はつらつ》とした冒頭部分は、その（著作の）後半の冗長さに比べ、非常なまでに違いがある。これは彼の「霊感」（作用）の緩急《かんきゅう》の違いからくるものだろう。ハルラー（スイスの生理学者で、その他に解剖学者、医師、植物学者、そして詩人のアルブレヒト・フォン・ハラー〈一七〇八〜七七〉のこと。解剖学者として特に優れ、数々の人体図譜の他、筋肉のように刺激に反応し収縮する「被刺激性」器官と感覚伝達の「感覚性」器官に分類し、それを研究に反映させたことで、近代的な生理学のパイオニアとされる）は立派な詩人でありながら、詩作の技術は、その最も困難な所にあると言っていた。パスカルは彼の「purovincial Letter」（洗練されない手紙）を一三回も（推敲して）書き改めた。

　スイフトとルソーの二人がタッソを偏愛したのは、その性格と文体とが似かよっていたからであろう。あの厳粛なハルラーが（時に猥雑な）スイフトを好んだのも、同様の理由によるものだろう。おなじくアンペルもまた、ルソーの「奇矯《ききょう》」に鼓舞され、ボードレールはポー（原注・彼はポーを翻訳した）に鼓舞された。また彼（ボードレール）はホフマンも崇拝していた。

　同様な性格は同様な文体を生み、後代の者は同様の性格の先人の文体を偏愛するというロンブローゾの主張である。ここには文章内容を離れて、文体そのものが作者の思想や世界観を現わすという、きわめて二〇世紀的な文章表現に対する認識が現れており、先駆的な見解と言えるであろう。

天才の多くが宗教の懐疑者であること

　天才に多くあるのは、先天的な宗教への懐疑者であることである。そのことは彼らの優秀な知力が、そのようにさせるものなのであろう。また、そのことは、懐疑を罪悪と考えて臆病なる良心と病的な情緒とに対し、自己の懐疑心とを争わせようとするのである。タッソは自分自身が（懐疑者の）異端であるという観念を抱いて苦しんだ。（科学者の）アンペルも、しばしば（宗教への）懐疑は人間の最悪の苦悶であると言った。また、ハルラーも日記の中に「神よ、我を許したまえ、我に一切の信仰を与えたまえ。我は汝《なんじ》を信じようとするが、わが心はそれを拒む。――嗚呼《ああ》!!この事が我の罪である」と書いている。レーナウは晩年に「私の心が苦しめられている時には、神の観念が、いつかしら消え去ってしまう」と、しばしば口癖にしていた。実際、かの（叙事詩の）「サヴォナローラ」の中の主人公が（宗教や神の存在について）懐疑主義者であるのは、今では多くの批評家が同等に認めていることである。

　日本人にとって、こうした「自然神」はもとより認めず、ただ一つの宗教だけに限られた「唯一神」の「絶対神」信仰に対する懐疑主義者は、なぜ、これほど苦しむのかと、滑稽に映るかも知れない。日本のような自然神の多神教を基盤とする世界観の中で育った国民には、多くが「無神論者」であると自認しながら、神社仏閣に宗派を超え畏敬の念を持って手を合わせ、本来宗教的意味を持つ各種占いや「お御籤」に喜怒哀楽し、暦の縁起をかつぎ、四季の祭りや盆踊りなどの行事を、宗教的な儀礼と感じずに楽しみ、盆や正月や数々の節句はもとより、クリスマスもハロウィンもイースターも娯楽として楽しむことが出来る。こうした「日本教」とも言うべき意識しない汎神論的で多神教的な特色は、特にキリスト教徒にとっては信じられない事であろう。キリスト教のような絶対神信仰の世界観における「無神論者」は、人間の「魂」という観念を信じず、単に生物の意識が作る生命現象と考えるか、「魂」の存在は肯定しても、宗教を離れた、自我の反映としか考えない。つまり「魂」は神から与えられたものであるというのが、否定するにしても前提になっている。つまり西洋の厳密な「無神論者」は人間を、神から離れた化学現象と同様の生命現象と考える。神による機関ではなく、自然の動物と同様の、生物の化学的な生命を持つ機関なのである。また識者に対しても、敬意は払うが神格化するような個人崇拝はしない。これは日本の、多少なりとも縁起を担ぎ、達磨や御守りや御札を精神の拠り所とし、同様にマスコット人形などの数々のグッズやブランド物を集める物神論的な傾向が有っても、自分は「無神論者」で無宗教と考える傾向とは、正反対のものである。日本は物の総てに魂が宿る「付喪《つくも》神《がみ》」の国なのである。絶対的な神など信じていないが、また無自覚ではあるが、見えない神々に守られ、満たされているのである。日本の華道・茶道・香道あるいは武道を含めた芸能や芸道の総て、造園や盆栽や観賞植物の栽培などを含めて、日本の伝統的趣味の傾向は総て汎神論的な傾向を根源に持つ。無宗教に徹し墓をつくらず、海や山への散骨など、汎神論の最たるものである。西洋の無神論者にとって、日本人には「無宗教者」はいても「無神論者」などおらず、総てが自覚のない自然崇拝で多神教の「日本教」信仰者であろう。日本人には「可哀そう」と他人事の同情をするしかないが、それと正反対に西洋の「懐疑主義者」は、この西洋的な「無神論者」と信仰者の間をさまよい、そのために精神を病むのである。

TH LITERATURE SERIES

アトリエサードの文芸書　好評発売中

橋本純

「妖幽夢幻
～河鍋暁斎 妖霊日誌」

四六判・カヴァー装・320頁・税別2500円

円朝、仮名垣魯文、鉄舟、岩崎弥之助…
明治初頭、名士が集う百物語の怪談会。
百の結びに、月岡芳年が語りだすと──
猫の妖怪、新選組と妖刀、そして龍。
異能の絵師・河鍋暁斎が
絵筆と妖刀で魔に挑む！

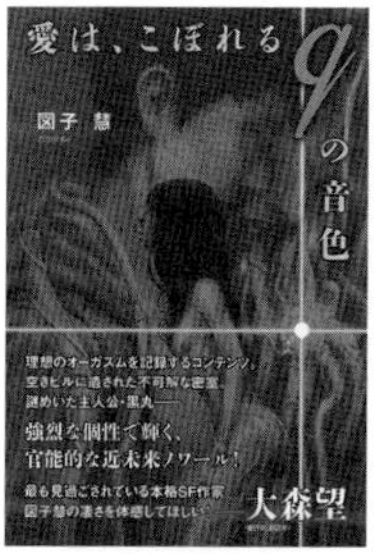

図子慧

「愛は、こぼれるqの音色」

四六判・カヴァー装・256頁・税別2200円

理想のオーガズムを記録するコンテンツ。
空きビルに遺された不可解な密室。
……官能的な近未来ノワール！

最も見過ごされている本格SF作家
図子慧の凄さを体感してほしい！
──大森望（書評家、翻訳家）

石神茉莉

「蒼い琥珀と無限の迷宮」

四六判・カヴァー装・320頁・税別2400円

美しすぎて身の毛もよだつ
怪異たちの〝驚異の部屋〟へ、ようこそ──

怪異がもたらす幻想の恍惚境

《玩具館綺譚》シリーズなどで人気の
石神茉莉ならではの魅力が凝縮された、
待望の作品集！ 各収録作へのコメント付

SWERY（末弘秀孝）

「ディア・アンビバレンス
～口髭と〈魔女〉と吊られた遺体」

四六判・カヴァー装・416頁・税別2500円

魔女狩り。魔法の杖。牛乳配達車。
繰り返される噂。消えない罪。
イングランドの田舎町で発見された、
少女の陰惨な全裸死体。
世界的ゲームディレクターSWERY
による初の本格ミステリ！

発行・アトリエサード　発売・書苑新社　www.a-third.com

SCIENCE FICTION

岡和田晃

山野浩一とその時代㉔
『戦え！オスパー』の新発見フィルム「毒蛾の大群」と脚本「人魚のなみだ」

アニメ『戦え！オスパー』その後

本連載の第一三回（№84に掲載）で、山野浩一の遺品から発見されたアニメーション『戦え！ オスパー』（一九六五〜六七）の脚本「人魚のなみだ」につき、次回は具体的な内容を論じていきたいと書いたが、充分な準備がかなわず、残念ながらスキップした形になってしまっていた。その後、ある程度背景が見えてきたので、まとめ直してみたい。

山野浩一が原作をつとめた『戦え！オスパー』は、海に沈んだムー大陸の生き残りである少年オスパーが、五種類の超能力を駆使しつつ、ムー大陸を沈む原因を作った張本人であるライバルのドロメと戦うというのが、話の大枠となっている。一度もソフト化されずフィルムも散逸している幻の作品、というのが長く定説となってきた。人気がなかったわけではなく、関連製品は多数発売されているうえ、漫画家の竹本泉のように、初期の回（おそらく放送第一回の「海から来たふたりの少年」、一九六五年一二月一四日）から第一五話「地獄の門」（じごくの門）」（六六年三月二一日）、最終話「ドロメさいごの戦い」（六七年一〇月三一日）をリアルタイムで視聴し（当時六歳だったという）、その様子を鮮明にコミックレポートとして再現している熱心なファンも生んだほどである（「いろいろたぶん #14 アニメれいめいき」、二〇二二年一一月三日）。

けれども、二〇一九年にTokyo Cine Centerで「毒蛾の大群」と書かれたフィルムが見つかり、そこから状況が好転した。全五二話中のわずか一話ではあるものの、現物がソフト化されたのである。

経緯は以下の通り。発見されたフィルムは経年劣化しており、熱処理加工を施してフィルムのカールを直し、HDテレシネ等の作業が必要ということで、四〇万円ほどの修復費用を要するものとなっていた。そのため、老舗映画プロダクションである国映の創設者・矢元照雄の孫である矢元一臣らがクラウドファンディングでの修復プロジェクトを立ち上げた。

国映はピンク映画の製作で有名で、名作との誉れ高い若松孝二監督のノワール『歪んだ関係』（一九六五年）も国映の作品である。同作に主演していたのが新高けい子で、ピンク映画を引退した彼女を天井桟敷にスカウトしたのが、国映とも縁が深かった寺山修司（山田勝仁『寺山修司に愛された女優 演劇実験室◎天井棧敷の名華・新高けい子伝』、河出書房新社、二〇一〇年）。

『戦え！ オスパー』を製作したのは、国映の小会社である日本放送映画。日本放送映画は共同名義「オスパーグループ」としてコミック版にも山野浩一とともにクレジットされている。このコミック版『戦え！ オスパー』は、アニメ版の放映に先駆け、「週刊少年キング」一九六五年八月一日号（三一号）より連載が開始されているが、扉ページに「企画・日本テレビ」、「★日本テレビで十月から全国放映決定!!」と銘打たれており、まずアニメ化が決定してからタイアップとして進められたものと推察され、今回の修復プロジェクトは、「オスパーグループ」の許諾のもとに行われた恰好となる。

クラウドファンディングの募集期間は、二〇二二年七月から八月。ハフィントン・ポストのニュースとして好意的に取り上げられ、SNSでも広く拡散された。かくして目標額の五五万円の約三倍、一六〇万円ほどの支援金が集まり、控え目に言ってもプロジェクトは大成功だった。リターンの目玉は、「毒蛾の大群」のブルーレイディスクの提供。これにより幻の作品の現物に触れることが可能になったというわけである。

私は締め切り直前にクラウドファン

ディングに気づき、慌てて参加を申し込んだ。ゆえにエンドロールにクレジットされている私の名前はいちばん最後になっている。ブルーレイディスクはその後も少数限定で再販、イベントで頒布されてもいるが、もっとも確実なのは国会図書館に収蔵されたものを視聴することだろう。寺山修司が作詞した有名な主題歌を含むオープニング等はなく、本編だけではあるものの、それでも『戦え！ オスパー』がどういうアニメだったのかを知るのは、この現物をあたるに若くはない。

　クラウドファンディングの終了後、修復プロジェクトに尽力したビデオソフト研究家のコノシートから連絡を受けた。私は山野浩一の没後、ご遺族や旧サイト管理人の許諾を得て、旧サイトに掲載されていた年譜等の情報を保全し、復刻等の新たな情報を発信していく新サイト（http://koichiyamano.blog.fc2.com/）を立ち上げたのだが、そちら宛に許諾が後手に回ったことに関する事情を説明する話が来たのである。

また、山野様ご遺族様へブルーレイをご送呈されたい旨も伺いましたので、本手紙に同封させて頂きます。
引き続きどうぞ宜しくお願い申し上げます。
敬具
国映株式会社
矢元一臣
戦え！
オスパー
毒蛾の大群
55年ぶりに復活！
幻のテレビアニメ修復プロジェクト

★山野浩一の遺族に送られた『戦え！ オスパー　毒蛾の大群』のブルーレイディスク。

山野浩一の貢献を明確化すること

　コノシートは、日本放送映画の製作したアニメ『冒険少年シャダー』（一九六七〜六八年）を調査し、その成果を『幻のアニメ　冒険少年シャダー　徹底研究』（さんぽプロ、二〇一九年）にまとめていた。その流れで同作の上映企画を行い、矢元昭雄と繋がりができた。『冒険少年シャダー』とは、同じ日本テレビ系列での放送・日本放送映画製作のアニメの第二弾『とびだせ！ バッチリ』（一九六六〜六七年）に続く三作目で、どちらも『戦え！ オスパー』の作画に参加している岡本光輝が原作・原案をつとめたものである。

　矢元照雄としても、『戦え！ オスパー』には強い思い入れがあったようで、何かといえば娘（一臣の母）に『オスパー!!』、『オスパー!!』と、「耳にタコが出来るくらいに」繰り返していたのだという（コノシートによるインタビュー、二〇二一年五月。『55年ぶりに復活！幻のテレビアニメ「戦え！オスパー」修復プロジェクト！解説書』所収、二〇二二年）。彼らの熱意により、間一髪でフィルムは救われた。

　山野浩一による自筆年譜には、「自身の原作による『戦え、オスパー』（日本テレビ）の脚本の半分近くを担当した」としっかり明記されている。ただし、現在確認できる日本テレビ側の資料には山野に関してシリーズ全体の「原作」と表記されているものが現存していないため（！）、国映が「山野浩一原作」と大きく打ち出すのは難しい現状となっている。というのも、『戦え！ オスパー』関連のソノシートや絵本、プラモデル等を確認しても、山野の名がクレジットされているものがある一方、まったくの無記名のものもあるのだ。

　本連載の第二回（No.83に掲載）で詳述したように、山野浩一が初めてテレビアニメの脚本に関わったのは、『鉄腕アトム』の第一一四話「メトロ・モンスターの巻」（一九六五年四月一〇日）が最初だが、参加はこの一話のみに終わった。後にそのことを引き合いに出して虫プロでアニメの仕事をしていたSF作家からは回想録で「俗物」と貶められる始末。脚本家として本格的に参加した『ビッグX』は東京ムービー（現トムス・エンタテイメント）の第一回作品で、それまでアニメ製作経験がないスタッフが大半だった。『戦え！ オスパー』は、『鉄腕アトム』や『ビッグX』のように手塚治虫の原作ではないオリジナル作品ではあるものの、日本テレビ初の国産三〇分連続テレビアニメということで、"走りながら考える"ような試行錯誤が少なかったのだろう。

　日本テレビ側に残っている契約書によれば、製作予算は一話につき一八〇万円。当時のアニメとしては平均的な額面だったようだが、製作には独特の難しさもあったようだ。もともと『戦え！ オスパー』は、小沢さとる原作の『サブマリン707』（一九六三〜六五年）のアニメ化が頓挫したゆえの代替企画で、本来なら「オスパー」ではなく「エスパー」になるはずだったが、東芝のイメージキャラクター・光速エスパーの漫画版（一九六七年）が先に「少年ブック」で始まっていたため、重複を避けるためタイトルには変更が加えられた（コノシート「「戦え！オスパー」の製作事情」、前掲『解説書』所収）。かような経緯ひとつとっても、現場でのドタバタが垣間見えるし、『とびだせ！バッチリ』以降になってようやく、クレジット表記を安定させる流れが生まれたと見るのが正解なのかもしれない。

生前の山野は、自分の関わった作品についての執着が薄く、『戦え！ オスパー』についても例外ではなかった。若かりし頃の仕事量があまりにも多く、山野当人にとっても、振り返ることは容易ではなかったのだろう。何にせよコノシートは山野浩一の役割を軽んじているわけではなく、『戦え！ オスパー』という多面的な作品におけるブレーン役として位置づけていた。山野が自身の監督映画『△デルタ』が神戸市映画資料館でデジタル保存されることになった際に、快く許諾のサインを出したことに鑑みても、『戦え！ オスパー』のソフト化についても山野は喜んで許諾を出したと私も推察している。健在の頃であれば、むしろ面白がって当時の映像についてあれこれ自注を加えたものと予測された。

そこで私は、矢元やコノシートに依頼し、「毒蛾の大群」のブルーレイディスクの見本を、山野浩一の遺族向けに確保してもらい、経緯の説明を添えて著作権継承者である実娘の山野牧子に発送し、コンフリクトが起きないよう遺族サイドとの調整をはかった。牧子も、父が『戦え！ オスパー』の脚本を書いていたことを聞かされてはいたものの、家にあったソノシートで主題歌を聞くことすらできず、「どんなアニメなんだろう」と思っていたそうで、実物を目にすることができて感無量だった様子。「アニメ創成期のことで、著作権の意識は今と違い、ざっくりしてたのでしょうね！」と、著作権がらみの厄介な事情についてもご理解をいただくことができた。今回のソフト化を機に、『戦え！オスパー』のさらなる発掘と調査が進み、山野の貢献がいっそう明確となることを期待したい。

「毒蛾の大群」

それでは「毒蛾の大群」の内容を確認してみよう。これは一九六六年九月二〇日放送の「毒蛾におそわれた町（街）」と思われるが、発見されたフィルム缶には「毒蛾の大群」と記されていたので、今回はそのようなタイトルにてソフト化された。脚本担当者は不明。

アジアの各地で毒蛾が人を襲う事件が発生。毒蛾は日本にも飛来しようとしている。そんななか国際警察長官の海津は、二度にわたり調査団を派遣するが、誰も戻ってこない。背景に陰謀団がいることに気付いた海津は、超能力者オスパーの協力を仰ぐべく、部下のロバートを向かわせる。

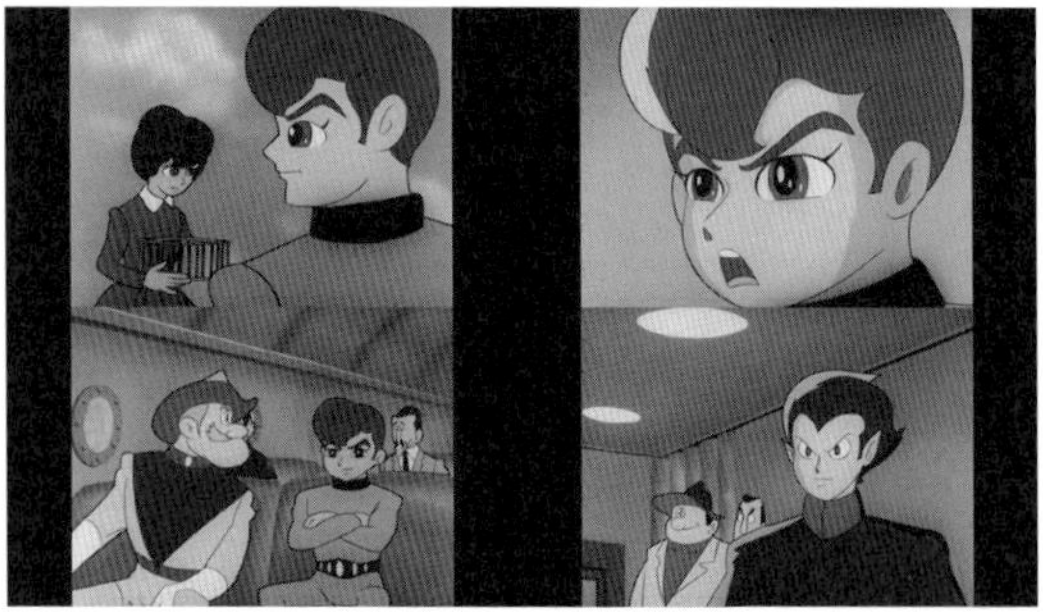
★修復された『戦え！ オスパー　毒蛾の大群』のスチール写真。

オスパーは快諾するが、そこに海津長官の妹ユミが駆け込んでくる。オスパーとユミが可愛がっていた蝶が毒蛾と間違われ、群衆に駆除されそうになっていたのだ。この蝶を虫かごのなかに閉じ込めておくからと言いくるめ、なんとか事なきを得る。この蝶はオスパーの故郷ムー大陸から付いてきた知性ある蝶なのだ。

ひとまず蝶をユミに預けておき、オスパーはロバートと一緒に飛行機で東京を離れる。しかし、その飛行機には陰謀団による爆弾が仕掛けられてた。オスパーは念力で設置された爆弾を解除し、調査団が全滅した街に到着する。そこで密かに待ち構えていたのが、オスパーと同じくムー大陸からやってきた悪漢・ドロメとその部下だった。

ドロメは、マッド・サイエンティストのヒトリ博士が開発した「誘導毒蛾」に、オスパーとロバートを襲わせようと、一計を案じる。オスパーが泊まるホテルの従業員とグルになり、ある部屋にオスパーを閉じ込めるのだ。脱出しようとするオスパーは、透視によってドロメの存在を確認し、テレパシーで互いの腹の内を探り合う。超能力者同士の対決シーン。本作でもっとも印象深い場面だろう。

しかし、膠着状態を破ったのは誘導毒蛾だった。窓ガラスを割って入るほどの力があり、電磁波でオスパーの精神を撹乱し、超能力を封じることもできるのである。毒蛾によって半死半生となったオスパー。ドロメはあえてロバートを解放して国際警察を救助に呼ばせ、オスパーを別の場所へと連れ去る。

もちろん、それはドロメの罠なのだが、オスパーはテレパシーで「蝶を自由に」とのメッセージを送る。海津が蝶をカゴから逃がすと、蝶は地球儀へと飛んでいき、ヒマラヤへ行けと促す。海津やユミらは、国際警察のパトロール・ジェットでヒマラヤへ向かうが、そこには蝶たちがいて……。この蝶らが、誘導毒蛾への対抗策となるわけなのだが、幾重もの謀略と心理戦、ここぞというときに超能力を賢く駆使して状況を打破するオスパーの臨機応変な立ち回りが見どころの佳品となっている。

「人魚のなみだ」

続いて「人魚のなみだ」を紹介したい。これはガリ版刷りの関係者向け台本で、山野浩一が書いたものだとしっかりクレジットされている。一九六六年八月一六日放送の第三六話のものと思われる。表紙では「人魚のなみだ」、本文での表記は「人魚の話」と異同がある。

海津とオスパーが、最近頻繁に起きている。船底に穴が開いて船が沈んだ事故について話している。今度は、救助に行った船まで沈んでしまったという。ただならぬ事態だと、パトロール・ジェットで現場を見に行くが、レーダーや双眼鏡には何も映らない。

一方、船底には黒い影があり、近くの港にはい上がる。脚本では「(女は人魚)(といっても普通の姿をしている)」と明記される。この人魚は人恋しくて念力で船に穴を開け、見知らぬ人を引き込んでいるが、海中では人が暮らせないということを、今ひとつ理解していないようである。ドロメがいち早くそのことを見抜き、人魚が自分と同じムー大陸出身だろうと告げる。人魚がそうだと認めると、ドロメは自分のことを仲間にしてほしいと言う。

そのとき、パトロール・ジェットが上空を通過したので、ドロメは逃げ出し、かわってオスパーと人魚が対峙する。オスパーと人魚は、テレパシーで会話をするが、人魚はムー大陸が沈んだとき、夢中で海中を泳いでいるうちに、海のなかで生きる力が身についたとわかる。折を見て、潜んでいたドロメが現れるが、ここからの展開が面白い。人魚はテレパシーで「待って！　同じムー人同志でどうしてけんかするの！」と仲裁に入るのだ。

25　岸

堤防の下、灯台が見える。波が三人の所へ強く打ち寄せる。オスパーはじっと海を見つめている。

オスパー「（つぶやく）一体どうしたんだ。僕がドロメと仲良くするなんて、馬鹿な話だ。こんなはずじゃなかったのに……」

ドロメ「（やはりつぶやく）一体、どうなってんだ。俺はこの女を使ってひと仕事するつもりだったのに、こんなはずじゃねえよ」

人魚、二人の顔を見る。

人魚「（テレパシー）二人ともどうしたの？　さあ、もう一泳ぎしましょう」

オスパー・ドロメ「はい」

同じムー大陸出身の超能力者として、オスパーとドロメはなし崩し的に呉越同舟となって、ともに奇妙な友情を育むのである。一瞬の暖かさが、その後に待ち構える悲劇のカタルシスを否が応でも高めていくが、ある意味で空虚な結末は、山野が後に提唱することになる「ノーワンダー」を先取りしていると言えるかもしれない。

この脚本はご遺族の許諾のうえで復刻が決まった。コノシートと私が校訂し、さんぼプロより刊行予定の研究誌『幻のアニメ製作会社 日本放送映画の世界』に収められる（本稿での引用も校訂版）。ぜひともお読みいただきたい。『戦え！ オスパー』のほか、コノシートが調査を続けているテレビアニメ版『フータくん』（藤子・A・不二雄の原作で、パイロットフィルムのみ現存するもの。広島では選挙特番の穴埋めとして実際に放映された）についての最新情報も盛り込まれる模様だ。

いわためぐみ

RRRに、ファイナルファンタジーに、エクスカリバー、宝塚が熱い！

弦巻稲荷日記

前号で、「RRRを宝塚でみたい」を書いたところ、なんと予言のように、二〇二四年の新年早々、RRRが宝塚で上演されることになった。

ご贔屓の星組、礼真琴主演で『RRR×TAKA"R"AZUKA ～√Bheem～（アールアールアール バイ タカラヅカ ～ルートビーム～）』は、タイトルのとおりRRRの二人の主人公のうち、ビームの視点で描かれる新演出となるらしい。

劇団サイトでの作品紹介にはこのような一文が記されている。

「息もつかせぬダイナミックなドラマを、ビーム視点で再構築・新展開し、アクション部分を壮麗な舞闘に代えて、宝塚歌劇として新たに生まれ変わらせます。110周年の幕開けにふさわしい、豪華絢爛なダンシング・インドロマン・ミュージカルにどうぞご期待ください」

壮麗な〝舞闘〟に期待が高まる。上演する星組は、トップスター礼真琴、つづく暁千星とダンスに定評のある座組でもあるからだ。

数年来の一番のご贔屓であった轟悠の退団以降、だれを楽しみに宝塚をみたらいいのだと、ふらふらと舞台に足を運んだころ、星組の礼真琴のダンスと歌唱力の素晴らしさ、月組の鳳月杏と暁千星、宙組の芹香斗亜、桜木みなと、雪組の和希そらに心ひかれるようになった。

また、改めて過去作品なども動画でチェックをするうちに、元々、演出家が誰かを確認することが楽しみであった私は、今回のRRRを演出する谷貴矢の作品が私にとってここ数年のベスト作品を占めていたことに気がついた。

◉宝塚大劇場作品

▽2021～22年、花組『元禄バロックロック』

◉大劇場以外の公演

▽2016年、花組『アイラブアインシュタイン』（バウホール）

▽2018年、雪組『義経妖狐夢幻桜《よしつねようこむげんざくら》』（バウホール）

▽2020年、月組『出島小宇宙戦争』（ドラマシティ・東京建物 Brillia HALL）

▽2022年、月組『Rain on Neptune』（舞浜アンフィシアター）

潤色・演出

▽2021年、月組『ダル・レークの恋』（TBS赤坂ACTシアター・ドラマシティ）

▽2023年、星組『Le Rouge et le Noir～赤と黒～』（ドラマシティ・日本青年館）

残念ながら花組「元禄バロックロック」は、私としては、月組の「出島小宇宙戦争」や「Rain on Neptune」、星組の「Le Rouge et le Noir～赤と黒」と比べると、演技者の役柄未消化なところが多く、せっかくの大劇場公演だったのにと残念でたまらなかったが、他の作品に関しては、それぞれの組の特徴を活かし宝塚の新時代にふさわしい作品であると、本当に思っていた。

その谷貴矢演出で、RRRである。これは期待せずにはおれないというもの。

過去、宝塚で実験的なSF作品は少なくなかった。阪神大震災のときに復興応援ソングとして歌われ、宝塚100周年の記念でも大きくとりあげられた「心の翼」を主題歌とする正塚晴彦作・演出の「テンダー・グリーン」は、私が宝塚が少女歌劇という衣を被ったガチメッセージの劇団であり、SFを扱える劇団であることを認識させてくれた一本でもある。

　この正塚晴彦の宝塚大劇場デビュー作は1985年の花組公演。大浦みずきという、後にダンスショーの数々の伝説を作ったトップスターの在団時代。トップは、高汐巴であり、高汐演じるソーンは、核兵器戦争後を思わせる荒廃した地球で、私たちとは異なる進化をとげ植物化した人類と、地球脱出を図る腐敗した旧人類たちの狭間で、自身の存在価値を知る。

　戦闘要員として感情を操作され、人を愛することの意味などわからなかったソーンが植物の意識体である人々と交流し、愛を知り、実は自分が遺伝子操作された新人類の実験体であることを知る。こんな複雑な設定のSF作品が1985年の段階で、上演されていたのである。

「テンダー・グリーン」は、高汐巴の作品としてではなく、大浦みずきの「心の翼」のレパートリーがひとりあるきすることになるのだが、この「心の翼」のメッセージは、コロナ禍、人が寄り添うことを阻害するような社会の中で、離れていても、どんな困難があってもその先の人の文化と営みのために、支え合っていくのだというメッセージを伝えつづけていたと私は思う。ここから私の正塚晴彦演出へのラブは続くのだが。その経緯はまた別の機会に送るとして、さて谷貴矢演出である。

　「義経」「元禄」は、それぞれ歌舞伎の演目としても馴染みのある時代もの。日本ものの伝統は、宝塚にはきちんと存在していて、歌舞伎や能の古典的演目の宝塚版、「源氏物語」も演出違いの作品が多数存在しているし、忠臣蔵は、宝塚でもグランド・ミュージカル『忠臣蔵～花に散り雪に散り』として上演され、これは旧宝塚大劇場閉場前の最終公演、かつ、杜けあきのさよなら公演だった。討ち入りが成功し、赤穂浪士が泉岳寺に引き上げるシーンで、「もはやこれで、思い残すことはござらん」という台詞が、トップスター退団公演のさよならのご挨拶として、当時のファン（私）は涙を三倍増しされたものだった。

　そんな歴史的和もの設定を下敷きに、SF設定を加えた「元禄」も、「ありえたかもしれない歴史改変」として、非常に面白い脚本と演出であったと思う。惜しむべきは、その意図をこなしきれていないと感じる私もここにいるのだが。

　おそらくそれは「出島小宇宙戦争」の出来がよすぎたということにつきるのかもしれない。このタイミングの月組での上演。宝塚はどうしても、組単位で作品が作られ、毎年40名の研1生がはいってくるから、結果として退団していく人間が毎年いる。この組子のバランスで、この演目を見ることができるのは、本当にこのチャンスしかない。再演されるとき同じ演目に関われるのは、よっぽどの奇跡か、「エリザベート」の花總まりのあたり狂言のように、宝塚退団後も演じつづけるようなそんなレアケースを除いて、あの時期、あのタイミングの「月組」のベストバランスが「出島小宇宙戦争」だったのだ。

　これはパラレルワールドの出島を舞台にしたコメディタッチの作品で、デジタル・マジカル・ミュージカルと題されていた。詳細に描かれたタダタカの日本地図のありかをめぐる争奪戦で、出島には宇宙人が潜んでいる。

　主演の鳳月 杏のカゲヤスと、暁千星のリンゾウの友情と師匠への想い。なぞの宇宙人シーボルト演じる風間柚乃。鳳月杏は、私にとっては明日海りお時代の花組を支えた名演者で、月組への移動人事は、花組の人事都合が腹立たしく怒りすらあったのだが、この「出島小宇宙戦争」からの鳳月杏の快進撃は、チェ・ゲバラ以降、月組の新しい魅力を感じていた私に一層の月組ブームをもたらした。出島に出演していた組子たちのその後の進撃も目覚ましく。そしてやってくる『Rain on Neptune』である。

こちらも、SF設定が活きるショー要素の強い演出だった。

これは、宝塚の公式ページから、概要を引用しよう。なぜならこの概要が、このショーの異常な存在感を表現しているからである。

海王星ネプチューンに降る、ダイヤモンドの雨。それは海王星の月、トリトンから、青く輝く氷の惑星へと贈る、ラブレターであるという。
そんな噂を聞きつけ、伝説のトレジャーハンター、シャトーが海王星にやってきた。激しい嵐と冒険を求める彼女だったが、降り立った先は数多の宝石と音楽に溢れる、美しき夢の世界であり、意外な歓迎を受けてしまう。月の王トリトンは、戸惑うシャトーに二つだけ条件を提示する。一つは、ダイヤモンドにだけは手を出さないこと。そしてもう一つは、氷の女王、ネプチューンに恋心を抱かないこと。それさえ守れば、ここにいつまでもいてよいと言う。遠い遠い故郷、フランスを想起させる追憶のチューンに乗せ、不思議な住人達と冒険を忘れ安らかな時を過ごすシャトー。だが、雨の彼方に浮かんでは消えるネプチューンの美しい姿に、次第に心惹かれていってしまう。恋が、雨を嵐に変えていく。

この、なんだこれは感が伝わるだろうか。

実際のショーは本当にフランス映画を思わせるような、思い出のシーンと照明効果が生かされ、トリトンは、TRPGユーザーにはおなじみのメガテンのデザイナー鈴木一也氏を思い起こされる化粧とコスチューム。後半の歌謡ショーは、昭和世代に懐かしいアニソンメドレー。誰をターゲットにしているんだ(私か)。

こんな作品を出し続けた谷貴矢が、RRRを演出するのである。これを観ないで死ねない。

と、そんな想いも新たにしていたところに続けて、発表された、2024年は、宝塚歌劇団120周年じゃ、あーりませんか演目の数々。7月10日に行われた「宝塚歌劇110周年概要発表会」には、前半5組の演目ラインアップがトップスター勢ぞろいで発表された。

そこにまた、爆弾がしかけられていたのである。

芹香斗亜主演、宙組公演は「ミュージカル『FINAL FANTASY XVI(ファイナルファンタジー16)』」。

宝塚は、我が家に盗聴器でもしかけているのだろうか。娘は、喜びのあまりこれ以上思考を読まれないようにアルミホイルを頭にまくべきだろうかと、意味不明のことをつぶやくぐらい喜んでいる。

芹香斗亜は、不遇なようにも思えたスターだった。実力、人気のわりに、組替えばかりを経験させられ、いわゆる「路線」として育てられてきたスターとは異なる境遇に、私は、彼女の実力と輝きから、納得いかずに、みつめてきたのだった。

それが、涼風真世退団によって、宙組次期トップへ。お披露目公演は、ななななんと、いま、アトリエサードにとっては熱いタイトル、アーサー王伝説を扱う『Xcalibur エクスカリバー』。今年1月に弊社では、ホリプロミュージカル「キング・アーサー」に合わせ、「ナイトランド・クォータリー」でアーサー王特集をしたばかり。

そのあたりの経緯はまた別のチャンスに語るが、芹香斗亜のお披露目が、続けて「アーサー王」演目であることがわかったとき、私も頭にアルミホイルを巻くべきと思ったりもした。

宝塚の演目が熱い。熱すぎる。

THでなぜか、弦巻稲荷日記を読んでいるあなたも、見逃すべきではない演目がこれから目白押しなのである。

(め)

奥会津
妖精美術館
2023
花の妖精展
翅のある愛しきものたち
すべての猫は妖精だ！
花と妖精と猫に耽溺する
空間へようこそ。
2023.
4/29土～11/10金
開館時間 9時～17時
休館日 水曜日（祝日の場合は翌日）
入館料 大人（高校生以上）300円
小中学生　200円
主催：福島県 金山町
プロデュース：井村君江
（比較文学者・
妖精美術館館長）
企画：岩田恵
（アトリエサード／
THaNATOS6）
空間造形：谷津翠
（フィオーレスパーツィオ）
北田浩子
妃耶八
中野緑
中島祥子
谷津翠
すべての猫は妖精だ！
妖精と花と猫に耽溺する空間へ
ようこそ！
シシリー・メアリー・バーカーの「花の妖精」シリーズが発表されて今年で100年になります。花と戯れる166点の作品はハイクラウンチョコレートのコレクションカードなどにも採用されたこともあり、日本でも親しみを感じている愛好者も多いと想います。
今回は、そのバーカーの作品にインスパイアされ「すべての猫は妖精である」として、やはり精緻な描写の植物たちの中に妖精としての猫を描き続ける中島祥子と、バーカー作品と花の写真のコラージュを発表している谷津翠の写真作品を中心に、猫のバレリーナが演じる精霊たちを描く北田浩子、コナン・ドイル書籍「妖精の到来」の挿画を手掛けた中野緑、そして幻想耽美画の妃耶八をゲストにむかえました。この自然豊かで花に囲まれた、金山町の妖精美術館で花と妖精と猫を立体的に耽溺できる空間を演出させていただきます。
場所／福島県金山町 妖精美術館
福島県大沼郡金山町大字大栗山字狐穴2765
Tel.0241-55-3180
詳細は下記をご覧ください。
https://ateliertthird.themedia.jp/posts/42618066
森にかこまれた沼沢湖のほとり
福島県 金山町
妖精美術館

「イラストレビュー」◎絵と文＝三五千波
東京都交響楽団定期演奏会「三善晃反戦三部作」
指揮・山田和樹　東京混声合唱団・武蔵野音楽大学合唱団・東京少年少女合唱隊
東京文化会館（5月12日）
「ですから、どうか、この題名を、これらの詩句を、忘れてください。それら自身の力でそれらが、あなたのなかで甦ることができるように。」
（一九七二年「レクイエム」初演時の作曲者によるプログラム解説）
「縄文」とは縄目…受苦の痕跡をも指すのであろう
「B→C　大西宇宙バリトンリサイタル」
ピアノ・矢崎貴子　尺八・マーティン・リーガン　バロック・トランペット・斎藤秀範
東京オペラシティ（5月16日）
三善の「レクイエム」の死者の言葉が音の濁水に呑まれるのなら
信長貴富「Fragments ー特攻隊戦死者の手記による」の言葉は静かなリフレインを挟みつつ伝わる
「行く春の知覧はもう夏を思わせる」
演奏の熱もさることながら
疫病による延期を乗り越え
三善の思い出を語るヤマカズのみならず
アフタートークに残ったお客さんの熱気もただならぬものがあった
「ニヒリズムの基本には、無神論がある。（中略）わたしのなかに死者が棲みついたのを、わたしは知った。タマシイを信じないわけにはいかなくなった。ニヒリズムとは、他者とつながらないことである。」宗左近「昭和を読む」
前半はバロック
後半はドラマチックな現代曲
「ジェスアルドのラメント」では殺人者の心象
「アマウータ」では師匠への思い
委嘱新曲「松尾芭蕉による季節の四句」は日本留学中の作曲者リーガン本人が尺八で演奏に参加
つるつるつっぺぇーった
それを知ってか知らずか
「響紋」で子どもたちは手をつなぎ歌うのである

「現代邦楽名曲選ー創作の軌跡」
(宮城道雄・杵屋正邦・入野義朗・諸井誠・高橋悠治・中能島欣一・武満徹・佐藤聰明・一柳慧・廣瀬量平・間宮芳生・湯浅譲二作品)
国立劇場小劇場 (6月10日 昼夕公演)
「国立劇場さよなら公演」の一環としての第二〇六回邦楽公演
昼夕二部に分けて近い傾向の作品を対比し
特に夕の回は国立劇場委嘱作品のみのプログラム
七絃琴
しっ
瑟
正倉院の復元楽器で一柳慧「水の相対」琴瑟相和す
間宮芳生 奥浄瑠璃「琵琶に磨臼」ー菅江真澄の日記よりー 語り・松平敬 琵琶・久保田晶子
琵琶法師との結婚を嫌った娘の残酷な結末
これは松平氏話芸の新境地
とっぴんはらり
廣瀬量平「南溟暁歌」
笛・尺八・十七弦に會田瑞樹氏の打楽器
邦楽器なのに南洋の響きでこの日で一番リラックスできた曲
シデロイホス
Rotation
諸井誠「有為転変」
箏・尺八・鼓の移動演奏
前衛から「開かれた形式」に著述活動や芸術監督の仕事へ そのへんの話が聞けた
ベルク協会主催「諸井三郎・誠の足跡」(6月20日・東京コンサーツラボ)
ピアノ・飯野明日香 講師・長木誠司・芝辻純子
が充実したイベントだった
あと邦楽器カンタータのようなジャンルが気になる
三木露風・作詞 中能島欣一「斑鳩宮」
大岡信・選歌 湯浅譲二「風姿行雲」
サァ〜 飴の鳥ぢゃ 桜飴
国立劇場では文楽公演「菅原伝授手習鑑」前半通しも(5月19日観劇)
後半は9月公演の予定 全段通すと一日では終わらない 今年は関西行かない予定なので奮発して見ておくことにした
「安井汐待の段」など51年ぶりの上演の段もある
「杖折檻〜東天紅」も初見 「築地の段」での戸浪決死の菅秀才救出に
歌舞伎で何度も見た「寺子屋」の忠義はここから始まっていると感慨を新たにするのだった
今年のN響「MUSIC TOMORROW 2023」(6月27日東京オペラシティ)
藤倉大「尺八協奏曲」
一柳慧「ヴァイオリンと三味線のための二重協奏曲」と
前半は現代邦楽
後半は二台アコーディオンが笙のような響きで細かい音の動きをつなぐ
スルンカ「スーパーオーガニズム」

ケルビーニ「メデア」（日本初演）
指揮・園田隆一郎　演出・栗山民也
美術・二村周作　新日本フィルハーモニー交響楽団
日生劇場（5月27日・岡田昌子組観劇）
まず小川栞奈さんの婚約者グラウチェ その輝く声と姿に こちらがヒロインかと錯覚してしまう
この1909年イタリア語版は カラスの歌唱で知られ 1855年のラハナーによる レチタティーヴォが 採用されている
昨年末に後記の 紀尾井ホール同企画で クレランボーのカンタータ 「メデ」を湯川亜也子さんが熱唱した記憶も新しい
一幕後半にメデア登場 地を這うような 恐ろしい歌唱 新妻グラウチェも 自分の息子も 巻き添えにして夫への 復讐を遂げるのである
紀尾井　明日への扉（6月8日）
「大藤莞爾」チェンバロリサイタル
2005年生まれの初リサイタル バッハを中心にクープランとメールロ 今季の突発鑑賞はこれだけ
この春は珍しく短編とはいえ ストーリー漫画の仕事があり 毎年恒例の コンポージアムなど いくつかの舞台を 諦めてしまった
東京二期会コンチェルタンテ・シリーズ
R・シュトラウス「平和の日」指揮・準・メルクル
東京フィルハーモニー交響楽団（日本初演）
舞台構成・太田麻衣子　字幕・解説・広瀬大介
オーチャードホール（4月9日小森・渡邊組観劇）
三十年戦争末期 ドイツのある都市に 和平が実現し 突如教会の鐘が 鳴り響く
この演目は ナチスがもたらす ヨーロッパ統一の シンボル的作品とされ 戦後には上演が 稀になったという
Friede
主役の司令官役は 2021年夏の「ルル」以来の 小森輝彦さん この人でしか採れない イケオジ成分がある 語りも良いのでポッドキャスト 「うた-Labo」も聴いている
二期会のセミ・ステージも 2018年「ノルマ」以来 簡略だが空間を感じさせる装置 進化したプロジェクション

「エンジェルス・イン・アメリカ」
作・トニー・クシュナー　翻訳・小田島創志
演出・上村聡史　出演・山西惇・坂本慶介・
鈴木杏・長村航希・岩永達也・那須佐代子・
浅野雅博・水夏希
新国立劇場小劇場（5月9日・11日観劇）
元ドラァグクイーンの看護士ベリーズ
いちばん渋くてかっこいい役
彼こそ天使
長大な戯曲がけっこう好きなのは
「分かりやすさに支配されない
ポエジーの時間」を期待してしまうから
この天使さまは峻厳だが
ちょっとえっちでお茶目
エイズと向かい合う
プライアーやロイ
家族に友人　パートナー
死の気配に脅かされる彼らには
異界が近しく感じられ
時に天使や幽霊が現れる
私の贔屓は向精神薬中毒のハーパー
主要キャストが端役も兼ねて演じてる
着替えが大変そうな早変わり
うわあ〜ほんとに
南極だあ（幻覚）
「老ナルキッソス」監督・東海林毅
出演・田村泰二郎・水石亜飛夢・寺山武志・
モロ師岡・津田寛治・日出郎・田中理来・
千葉雅子・村井國夫・井関真人
新宿Kシネマ（6月14日鑑賞）
「養子縁組」と「パートナーシップ」
二人のつながりも変わる孫世代
喜寿を前にした
絵本作家山崎薫と
ウリセンボーイのレオ
みのむし
舞踏する花咲か爺さん！
昔の彼氏に会いにレオと共に
黄色いオープンカーで房総半島へ
青春の思い出の中　ここでも80年代の
エイズの爪痕が影を落とす
盛りだくさんの豪華パンフには
往年のゲイ雑誌の文通欄の再現も
日出郎がすっぴんで演じる
ゲイバー「イモガイ」のママは
「エンジェルス…」の
ベリーズ味あり
あなた…出禁よ。

東京の流刑地 Vol.3

from IZU-OSHIMA

◎絵と文＝大黒堂ミロ

平安エロティック

2023年6月は『LGBT理解増進法案』が連日騒がれ、SNS等でも全国的に炎上が続いていた。欧米社会での性的少数者差別と言えば『ソドミー法』やハリウッドの自主検閲基準『ヘイズ・コード』が1968年に廃止されたことで、ようやくヴィスコンティ監督作品『ヴェニスに死す（71）』などが作られはじめ（日本では実験的映像作家の松本俊夫監督、ピーター（池畑慎之介）のデビュー作『薔薇の葬列（69）』が先に公開）、そしてまたアメリカでゲイ解放運動が起り始めたのもこの時期だった。

欧米社会でいうソドミーに対して、過去の日本での性的逸脱は神社の大祓詞でも言われている『国津罪』となっている。その大祓詞で具体的な内容について書かれているが（大正3年から省略されている）、あくまで祓うための穢れの事であり、欧米のような罰はない。

さてその具体的な中身と言えば『上通下通婚（おやこたわけ＝近親相姦）』と「馬婚（うまたわけ）」、「牛婚（うしたわけ）」、「鶏婚（とりたわけ）」、「犬婚（いぬたわけ）」などの『獣姦』がメインであり、『同性愛』がタブーだとはされていない。

そんな日本で最近、同性愛を含むLGBTに対するヘイトを誰が広めたのか。国会議員により構成される議員連盟「神道政治連盟国会議員懇談会」が配布した冊子の中で「同性愛は精神障害で依存症」と弘前学院大学の故・楊尚眞（ヤンサンジン）教授が書いていて炎上したばかりである。そして2023年にエマニュエル駐日米国大使のゴリ押しで『LGBT理解増進法案』の強行採決をしているのも同じ国会議員であった。

在日大韓キリスト教会の牧師が神社本庁に影響を与えている事の違和感をメディア報道しているのをあまり見ていないが、予想通りに日本人同士の分断が加速している。統一教会も「本教会は、旧約・新約聖書を『教典』とするキリスト教の教団である」と言明していたが、とりあえずそこの深掘りは今回のテーマではないので考察は割愛する。

宝塚歌劇団での『源氏物語』は
1919年の初演から今に至る

1886年　月岡芳年
女装したヤマトタケル

鎌倉時代　作者不明
『稚児草子』
醍醐寺三宝院に所蔵

さて、日本最古の長編小説『源氏物語』は当時のヨーロッパでも女性が長編小説を書くというのは例がなかったので世界を驚かせた。その歴史や一般的なストーリーはさておき、（一線を超えることは無いものの）藤壺の女御の兄の兵部卿の宮に対して源氏が「ナヨナヨして色っぽい」と思ったり、息子の夕霧に対しても「女だったら」と思っている表現が出てくる。そこで使われる『女にて見ばや』という表現が実は紫式部によるＢＬ的な造語である。（詳しい解説は橋本治さんの著作を参照してください）

千年の時を超えて竹宮惠子が現代のＢＬを布教させ始め、日本初のＢＬ専門誌『ＣＯＭＩＣ　ＪＵＮ（後のＪＵＮＥ）』も生み出した。腐女子向け耽美派の『ＪＵＮＥ』と、ガチムチふんどし野郎の緊縛グラビアが掲載されるリアルゲイ雑誌『さぶ』はどっちもサン出版が発行で、実はリアルタイムに両方とも読んでいた。

耽美な腐女子文化は紫式部の世界観に近いと思うのだが、女ばかりの宝塚で『源氏物語』を上演してしまう日本の多様性は実に奥が深くて『クールジャパン』として輸出しても良いのでは無いかと思うくらいである…が個人的には鎌倉時代の『稚児草子』のような中性的ではない野郎同士の絵巻の方が好きであるが。

それはともかく、古来日本で性的タブーというのはそれほどなくて、『穢れたら神様にお供えして祓ってもらいなさい』という内面化＝モラルが独自に発達して来た歴史がある。美しい毒（例えば初期腐女子の妄想）を密かに愉しむ文化も、一般化するとモラルが低下するというのは歴史の事実であろう。

この原稿を描いている現在も『ＬＧＢＴ理解増進法案』で女性風呂やトイレ問題等が炎上しているが、９０年代にＬＧＢＴ、風俗嬢、緊縛師、スワップマニア、ＳＭクラブの女王様まで乱入する温泉ツアーを企画して旅先で何のトラブルが起こる事もなくずっとオープンに活動をやっているが不思議なことに未だ取材はされたことはない。

1969年『薔薇の葬列』

1971年『ヴェニスに死す』

1962年『ロリータ』

1998年MIXROOMツアーより。

TH特選品レビュー

(イ)イガラシ文章
(市)市川純
(岡)岡和田晃
(高)高浩美
(清)清水悠正
(シ)シン上田
(日)日原雄一
(並)並木誠
(西)西村遼
(水)水波流
(村)村上裕徳
(M)本橋牛乳
(八)八本正幸
(穂)穂積宇理
(吉)吉田悠樹彦

糸井貫二木版画展

ギャラリーヤマト、23年3月6日〜11日

★1970年の大阪万博会場での『万博全裸走り15メートル』というパフォーマンスに代表される、行為としての芸術『ハプニング』で有名なダダカンこと糸井貫二。今回の木版画展では、過激で前衛的パフォーマンス活動を始める数年前、1950年代後半に手掛けた木版画が展示された。

穏やかな表情の菩薩像をはじめ、やさしい色合いを活かした数々の作品は、ほっこりするような素朴な味わい。前衛のイメージが強いダダカンとは違う一面も魅力に溢れている。

とはいえ、ダダカンらしい実験精神が感じられる作品も。ポスターやチラシの表面を飾っている菩薩像の別バージョンである。

かつて発売されていた『週刊サンケイ』という週刊誌の記事ページ上に刷られた黒い菩薩像はとっても意味深。真下には生理不順・生理痛薬の広告が載っているのだ。偶然か⁉ いや、狙いと思いたい。ダダカンなのだから。(シ)

ハマのドン

松原文枝監督

★ハマのドンこと藤木幸夫については横浜の美術関係者各氏から何度も話をきくことがあったため、彼らが話してくれたエピソードを重ねながら鑑賞する。100分の映像作品で、IR反対の背景と反対運動を描いている。つくりはテレビと通じるところもある非常にオーソドクスなドキュメンタリー映画なのだが、シネマ・ヴェリテといったインテリの言葉が色褪せてみえる程に日本の政治を陰画のようにシニカルに浮かび上がるところは興味深い。この作品が非常に人気という今の時代も気になるところである。右派の中の対立を描き、異端がクローズアップされるというテーマ設定によるものがあるかもしれない。(吉)

芸術家たちの南仏

DIC川村記念美術館、23年3月11〜6月18日

★19世紀以来、多くの芸術家が制作の場に選んだ南仏。豊かな自然、眩しい光は彼らの想像力を刺激し、マティスやドランは強い色彩で画面を支配するフォービズムを展開し、片やセザンヌが幾何学的な構造を構築し、それはキュビズムへと変革を遂げた。

そんな芸術の最先端ともいえる地は、光にまぶされた楽園であり続けたわけではない。戦争である。フランスはドイツに降伏、南仏に樹立された親ドイツ政権は、前衛芸術家にとって脅威だった。前衛芸術は退廃芸術として、ドイツに排斥されていたからである。しかし、そんな中でも芸術家たちは止まらなかった。シュルレアリスト達は脱出を願いながらも、『さあ、遊ぼうか？』という言葉で一つになり、トランプを制作したのだ。ブルトン、エルンストをはじめとした面々が、先の見えない現実の最中で新たな世界を託したトランプには真に迫るものがある。

そして、南仏で豊かな想像力を働かせ

た芸術家たちは巨匠となった。戦争の深い影を背負った南仏でピカソは人類に平和を語り掛け、ユダヤ人のシャガールは苦難と愛を描いた。南仏は美しい自然と眩しい太陽の下で、多様な芸術家たちが苦しみの中で愛と平和を紡ぐ、人類普遍の地になったのだ。

そんなストーリーを簡明に映す今展示は、DICならではのモダンな雰囲気をひしひしと感じさせ、歴史的でもありながら未来的でもある、独特な世界観を作り出している。これはなかなか見られるものではない。（清）

深堀骨
腿太郎伝説（人呼んで、腿伝）

左右社

★待望でした。あの深堀骨の最新刊。『アマチャ・ズルチャ』の衝撃から二十年。なんとあれを読んだのは二十年前なのかあ、と感慨ぶかくなる。

もちろんものすごかった。腿から生まれた腿太郎である。かの人は成長してもしわくちゃで、糞尿をところかまわずまきちらす。

川から流れてきた腿をひろってきたのはBURさんだ。そしてGさんは、毎日山の女王様にシバかれにいく。

もう冒頭だけでカオスである。これが延々三百ページつづく。二十年ぶりにふさわしい、すばらしくハチャメチャな本だった。（日）

音楽座ミュージカル
泣かないで

東京・町田市民ホール、23年6月9日〜11日／大阪・オリックス劇場、23年6月13日／名古屋・日本特殊陶業市民会館ビレッジホール、23年6月21日

★遠藤周作・生誕100周年を記念し、『わたしが・棄てた・女』を原作とした音楽座ミュージカル「泣かないで」が東京他全国で上演された。

幕が開く、50代ぐらいであろうか1組の夫婦、白髪混じりの男性、名は吉岡努（安中淳也）、感慨深げな様子。そして時間は遡る。戦後の東京、復興へと足を踏み出した頃、エネルギーに満ちた昭和20年代。吉岡は貧乏大学生、真面目を絵に描いたような詰襟姿、だが、周囲の大学生たちは青春を謳歌しようと恋愛、遊びに忙しそう、「チャラい」という言葉がふさわしい。ひょんなことから雑誌の文通コーナーで知り合った若い女性・森田ミツ（森彩香）と待ち合わせ。ところがミツの姿、三つ編みヘアーでダサい格好。吉岡は貧しいが故に、成功したい、いい女と出会いたいという、この時代にありがちのごく普通な野心を抱いていた。よってミツのようなタイプは「お呼びでない」。

たった一回の逢瀬、吉岡にとって彼女はつかの間の遊び相手で、一夜を共にすると姿を隠してしまう。

ところがミツの方は吉岡に恋心を抱き、彼に再び会うことを糧に日々クリーニング店の仕事に精を出す。そんな折、彼女に病気の疑いが……それは当時不治の病と言われたハンセン病、彼女は施設にいくことになるが……というのが物語の大体の流れ。

登場する人たちは市井の人々、当時の世相もさりげなく見せる。吉岡は卒業後、とある会社に入社するが、高度経済成長期に差し掛かる頃、会社でいい成績を残し、出世したい、吉岡が誰もいない時に部長の席に座ってふんぞりかえるところは、そんな時代の空気をそこはかとなく伝える。

原作のタイトル『わたしが・棄てた・女』の〝わたし〟とは吉岡、棄てた女はミツのこと。確かに形としてはミツは吉岡に棄てられたかもしれない。それは吉岡の視点であってミツの視点ではない。ミツは吉岡への想いを生きる糧にしており、棄てられたなどとは微塵も思っていない。病気の疑い、しかも不治の病、いっときは絶望の淵に立たされ号泣、「神様なんていない！」と叫ぶ姿は胸が痛い。だが、施設に行き、そこに生きる人々に触れ、しかも

誤診だとわかり、施設を一旦は出るが、再び施設に戻ってくる。そこで生き生きと働くミツ、そんな彼女の姿を見て心が元気になる人々、ミツはただただ自分の想いのままに患者たちに尽くす。

その一方、吉岡の方は思い描いていた通りの人生を歩み始めていた。会社に入り、そこで出世のきっかけを掴み、自分の理想とするタイプの女性と結婚し、安定した生活を送ることが吉岡の望み、それは特別なものではなく、むしろ平凡な夢。

ミツは他者へ無償の愛を捧げる。とりわけハンセン病の施設で働く修道女たちには、ミツは聖女のようにも見えていた。しかしミツは自分の気持ちの赴くままに、義務としてではなく、自分が心からやりたかったこと、誰かのために自分ができることをする。見た目は鈍臭いが、その内面は崇高な輝きに満ちている。

一方の吉岡は世俗的で現実的、時たまミツのことが脳裏をよぎるも、心に留めてはいない。美人で気立がよく、育ちも申し分ないマリ子（岡崎かのん）と職場結婚。そんな折に施設で働くスール・山形（高野菜々）から長い手紙が届く。いいようのない寂寥感に襲われる吉岡、その想いは生涯、消えることはない感覚。

キャッチーなメロディにレベルの高いダンス、歌、1幕での会社のシーン、クリーニング店でのシーン、ここのダンスは見応えあり。舞台上の大きな月が、さまざまな色合いに変化するのも象徴的。また天井から下げられたセットが、時には雨、時には涙にも見える。想像力で様々なものに見える、これは演劇の力だ。

繰り返し見ると、その度に違った彩りが見えてくる舞台だった。（高）

秘密読書サークル

キム・ヒョンスク、ライアン・エストラーダ著　コ・ヒョンジュ絵

イデア

★この韓国の漫画は、著者の若いころの姿である主人公「ヒョンスク」が、1983年に釜山近郊の大学の英語英文学科へ入学するところから始まる。新入生として夢を抱きながらキャンパスに足を踏み入れるが、デモが頻繁に行われ、催涙弾と武装警官の棍棒が学生たちを打ちのめす姿に幻滅を感じる。だが、ノンポリで学生運動に加わることを考えもしなかったヒョンスクは、伝統的な仮面劇の公演に参加したことがきっかけで、読書サークルへの勧誘を受ける。本好きなヒョンスクが訪ねたそのサークルは、政府が「赤シール」を貼った禁書をこっそりと読むサークルだった。

政府が指定した禁書を持っていただけで逮捕されてしまう時代に、学生たちはなぜ禁書を読み、議論し、デモを行わなければならなかったか。その理由を私たちはヒョンスクの視線を通じて学ぶことができる。学生たちを暴力で支配しようとする刑事、ヒョンスクに性関係を持ちかけようとする大学教授、光州事件の報道ビデオの上映会を準備して逮捕されそうになる上級生、奨学金を餌に密告者になってしまった学生など、この作品は当時の韓国社会をリアルに見せてくれる。凄惨な拷問の様子が描かれる一方で、主人公は好きな先輩とのデートを楽しみ、上級生に「モロトフカクテルを作ろう」と言われてもそれが火炎瓶の隠語だと知らず、飲み会に誘われたと思っていた話など、著者が青春を謳歌する姿も描かれている。

作中で紹介されている禁書は、故・金大中大統領の書簡の他に、ホン・ミョンヒの「林巨正」、イ・ヨンヒの「転換時代の歌」、マルクスとエンゲルスの「共産党宣言」、サルトルの「魂の中の死」など、今では韓国で古典として読むことができる本ばかりである。これらの書物を学生たちは秘密読書サークルで共有しながら、社会の矛盾へ立ち向かう力を身に着けていく。暗い歴史と深刻なテーマを扱った漫画作品だが、興味深いストーリー、個性的な登場人物、そしてユーモアが随所にちりばめられ、誰でも楽しく簡単に読むことができる。光州事件のビデオを先輩が「エマニュエル夫人」のビデオとすり替え、刑事の目をまんまと欺いたエピソードには、年齢が高めの日本の読者なら思わず共感を覚えてしまうだろう。

作品の舞台となった1983年の釜山地域は、1980年の光州事件と、その翌年に起きた民主化運動弾圧事件である「釜林（プリム）事件」の記憶が生々しかった。釜林事件で民衆のために戦った弁護士がのちの盧武鉉大統領であり、文在寅大統領である。独裁者の専横によって平凡な人生を奪われた人々が権力の闇に立ち向かい、その力を結集して今の自由な韓国を実現させた、というのが韓国の民主派の共通認識であり、その運動を率いてきた指導者が革新政権の大統領となってきたことは、決して忘れてはならない。

作品の最終章「同窓会」では、ヒョンスクをはじめとする読書サークルの仲間たちが、朴槿恵大統領の退陣を要求した２０１７年の「ろうそく運動」で再び出会い、お互いの過去と現在を確かめ合う。サークルの仲間たちは、ある者は教師になり、ある者は政治家を目指していて、ある者は弁護士として社会に参加し、それぞれがよりよい社会の実現のために働いている。一緒に行進していた若者の一人はヒョンスクたちにこう尋ねる。「皆さんの戦いを、私たちがまだ続けていることに驚きませんか？」。ヒョンスクたちは答える。「歴史は決して一直線に進むものではないよ」。そしてヒョンスクは昔の自分にこう呼びかける。「あなたは一人じゃない」。これはありきたりな言葉かも知れないが、韓国現代史の重要な側面をとらえている場面である。「私のような民主化運動の世代、そして若者たち。２０１７年にろうそく運動で集まった、現在進行形の民主主義について悩む全ての人々が楽しく読んでくれることを願う」。この著者の言葉に、この作品が作られた理由と著者の願いが込められている。

主人公のヒョンスクは大学教授のセクハラや、自分を逮捕しようと脅迫する刑事におびえながら、彼らを口車で翻弄し、窮地を脱していく。その姿はまぶしいくらいに魅力的で、物語の主人公としてもふさわしいし、力のない個人が権力にどう立ち向かえばいいかを教えてくれる。

韓国ではこれまで、民主化運動の歴史を紹介する漫画がいくつか出版されている。２００９年に出版され、２０１６年に日本の出版社「ころから」から出版されたチェ・ギュソクの『沸点』（加藤直樹訳、原題『１００℃』）の他にも、人権啓発をテーマに10人ほどの作家の作品が集められた3冊のアンソロジー『シプシイルバン（十匙一反、2003）』、『サイシオッ（つなぎのS、2006）』、『オッケドンム（肩を並べる仲間、2013）』など、注目すべき作品がある。これらは文芸書大手の「創作と批評社（チャンビ）」から出版されているが、２０２０年発行の本作品『秘密読書サークル』は、近年韓国で増えているミニ出版社から出版されており、日本でも受け入れられやすいポップな画風なので、今日を代表する作品の一つとして紹介したい。（穂）

サファリ・P 第9回公演
透き間

in→dependent theatre 2nd、23年5月20日～22日

★撮影：松本成弘

★アルバニアを代表する作家イスマイル・カダレの小説『砕かれた四月』を下敷きとし、演出家・山口茜が3年間を費やし改作を重ねて辿り着いた本作。物語は原作を換骨奪胎し「アルバニアに今も残る復讐の掟とそれにまつわる人間模様から、本質的な課題を取り出し、現代の私たちに手触りのある世界」（公式サイトの演出コメントより）を生み出した。

〝しきたり〟に縛られた山へ取材にきた作家とその恋人を中心に物語は語られる。女は幼少期に強迫観念を持つ母親に支配されて育ったせいで、誰かに心の透き間を埋めてもらうことでようやく心身のバランスを取って生きている。

「1年に1回いや数年に1回、町から客人がやってくる機会、子を産む機械を売る芝居、いつまで続くこの期待……」。奇妙な韻を踏みながら、曲のリズムに併せて俳優の口を衝く台詞たち（ぜひ口に出して読んでみて頂きたい）。山に隠れ住む人々の暮らしが、少人数の俳優たちの踊りや身振り手振りで表現される。俳優たちは自身の主たる役の他、様々な役柄を演じ分けながら、舞台の「透き間」を軽快に行き来する。切り離された山の稜線と裾野をモチーフとし縦にスライスされたパネル状の舞台セット（そこにもまた「透き間」がある）に、映像で照射された花や鳥、文字が踊る。その平面と平面の組合せが、躍動感溢れる俳優たちの身体表現と組み合わさることで、存在しないはずの底深い奥行きを持って、視界に飛び込んでくる。

「身内を殺された家は、その相手の家の誰かを復讐として殺さなければならない」という山の〝しきたり〟は復讐の連鎖を生む。〝しきたり〟が記された分厚い書物を読むことのできる唯一の識字層「血の管理官」により、山は支配されている。〝しきたり〟に翻弄され殺し合いを強要される人々を前にした作家は、血の管

理官に立ち向かおうとする。その真っ直ぐな思いに対し「山はあなたの正義感を満たすためにあるのではない」と村長の言葉が冷水のように不意に投げかけられる。困惑する作家は「あなたたちは自分以外のものに心を、身体を乗っ取られている」と必死に呼びかける。そして作家は不安を訴える恋人に「あなたの透き間は僕が埋める」と宣言する。純粋な善意から成された愛の告白。しかし彼女の透き間を埋めるということは、彼女がその透き間を埋めた誰かの物になる、つまりは彼が彼女を乗っ取ることに他ならないということに、彼は無自覚であった。「あなたが綺麗なのは、これまで誰にも乗っ取られたことが無いからだ」と彼女は静かに作家に告げる。そして「私の心がどす黒いのは、誰かが土足で上がり込んできたからだ」と、彼女は自分の透き間を他人に委ねてはならないことを自覚する。

果たして「透き間」とは埋めなければならないものなのか？ それは原作から具体性を削ぎ落とし「語らないが、伝わる」ものに昇華された作品を通じて、演出家・山口茜から観客それぞれの心に向けた問いかけである。「あなたはどう考えるのか、知りたい」と作品から声が聞こえてくる。答えは一つではない。それが現代を生きる我々の多様性の証明なのだから。（水）

堀川紀夫

東京ビエンナーレ'70の石＝(13-4)+9+9+9

MISA SHIN GALLERY、23年3月18日〜4月28日

★唐突に石が送りつけられたら、あなたはどうするだろうか？ 何を思うだろうか？ 河原で拾ったこぶし大の石が。そして、「地球の石」というタグがついた石が。

堀川紀夫は「石を送るメールアート」と題して、石を美術家や政治家などに送るという行為を作品とした。ベトナム戦争を意識の隅において、アポロが採取した月の石に世界が熱狂していたころ、彼は石を送り始めた。月の石より地球の石、地球の現実を考えようというメッセージが、平凡な石に、平凡な石だからこそ、切実に伝わる。

Horikawa Michio, *The Nakanomata River Plan 12 (Tokyo Biennale)*, 1970/2022
Gelatin silver print of documenting Stone No.13, 8.8 x 12.5 cm

金もかかっていなく、ビジュアル的な煌びやかさもない（だってただの石だから）のに、なんでこんなにカッコいいのだろうか。きっとそれは、その行為がしっかりとした体重をもって、自立しているからだろう。戦争という現実から目をそらして無重力に身をゆだねていた世界の中で、しっかりと地に足をつけ、強すぎるほどの重力をしっかりと受け止めていたからだろう。そして、それは現代の私達にも迫ってくる。我々も、現実の重さから逃れて、無重力に逃れていないだろうか。戦争や内紛、貧困など、とてつもない重力から逃れていないだろうか。そんなことを考えてしまう。（清）

土谷寛枇 個展

堆積する日々

ギャラリー懐美館、23年4月30日〜5月6日

★ラメント！ ノワールな球体関節人形のエレジー。石塑粘土の硬質なポエジー。乾燥した灰かなエロティシズム。薔薇の花弁が散りばめられたギャラリーは、耽美的で美妙な雰囲気。

修道女のような『極夜』『白夜』といった夜を纏う怜悧な人形たち。メランコリーに傾き、夜の静寂に佇む人形の硬質な存在感が美しい。風化する記憶に抗すべき意志を宿す、囚われの女ともいうべき『ritorna』と、沈痛な面持ちが印象深い『scena muta』。表題作でもある『堆積する日々』のシャムの双生児たるヤヌース的思考の動的瞬間の不可能性。土谷寛枇の人形は観念的で耽美に埋没するのだ。その石化の夜の様な美しさは比類ない。善き隣人たる、『おとなりさん』のシリーズも静かな賢人のようで愛着が持てる。想念の破片が馥郁とした美しい展示であった。（並）

三遊亭ごはんつぶ
タテ・ゼンザ

池袋演芸場、23年3月22日

★寄席をはなの前座さんからしまいのトリまで、観たのは実は初めてなような。たいていはお目当てのところだけ、一時間か二時間の滞在だ。

　池袋演芸場三月下席の昼興行は、落語協会の『新作台本まつり』。新作いっぱいの芝居のなかでも、喬太郎師匠が『焼きそば』なんて噺でトリだし、天どん師匠や馬るこ師匠も出演る。そのうえ三遊亭ごはんつぶさんの出番がのっけからあるから、できれば最初から観たいけど、耐えられるかなと不安のうちに出掛けてた。

　だけれどやっぱりごはんつぶさん、めちゃめちゃ面白くって。天どん師匠の会で前座として聴いて、いい若手の噺家さんだなあと思っていたが、この日の『タテ・ゼンザ』、とくべつ面白かった。落語協会の理事会ででてくるのは、AI小三治。亡くなった人間国宝がAIで甦るとは。そういえば先年、家元・立川談志がアンドロイドになって弟子の志らくと対談してた。桂米朝の「ベイチョロイド」もある。小三治師、三笑亭笑三師もそんな復活してほしいと思った。

　期待の昼トリ・喬太郎『焼きそば』は。頭痛がするってんで、病院で検査をうけたら左脳が焼きそばになっていたというスゴイ噺。途中、あんまり好みじゃない芸人さんもそれなりに過ごせ、こんな寄席体験もいいなとおもった。(日)

テッピン
八人の悪逆

劇場MOMO、23年4月26日〜30日

★悪役しか出てこない、ひたすら暴力的なコメディ。ぼくとしてはちょっと微妙かな。

　やくざの組長の息子が売人との取引に向かった先で覆面をした半グレに襲われる。ところが、その半グレの糸を引いていたのが、同じ組の舎弟。若頭は疑いを持つ。舎弟は借金を抱えていて、別の組の組員に追われている。取引相手の売人は危ない薬を売る元ヤクザだし、あとから出てきておいしいところを持っていこうとする「カンジチョー」は政治家?とか。

　8人の悪人が狭い舞台で暴れまわる、ヤクザ喜劇、なのだけれども。飽きずに観られるし、スピード感もあるし、いろいろ話もつくりこまれているし、とは思う。笑えるところも多い、のだけれど。

　そもそも、暴力の不愉快さが目立ってしまって、好みではないなあ、というのはある。金属バットを振り回されてもなあ、と。こういった暴力的な作品、悪人だらけの作品だと、どこにも感情移入ができないのが大きいかな。笑えればいいというものではないし。楽しめる人はいるのだろうし、演じる側もそう思っているのかもしれないけれども。

　と思っているのだけど。観に行ったのは、二日目の夜の公演。実はこのときの怪我によって、翌日以降の公演がキャンセルされたという。そうなのか、と思う。

(M)

ストリップ小屋に愛をこめて
〜熱い思いで疾走した時代〜

シネマハウス大塚、22年12月17日〜19日

★1976〜2005年にかけて、関東近郊のストリップ劇場で収録された秘蔵映像の上映会&トークが、3日間に渡って開催された。仕掛け人はストリップ劇場の元興行師で、現在はカメラマンの川上譲二氏。70年代中頃にストリップ業界に入った川上氏は、斬新なショーを次々にプロデュース。ストリップと演劇・舞踏・ジャズの融合を試み、話題を振りまいてきた。今回のイベントプログラムには、ストリップ劇場の熱気が収められた作品の数々がラインナップ。劇作家の山崎哲監督作『ザ・ストリッパー堕ちて藍』(1981)をはじめ、『金粉レス・ゴールデンサラマンドラ』(1980)や『前衛緊縛・鳥&胡弓』

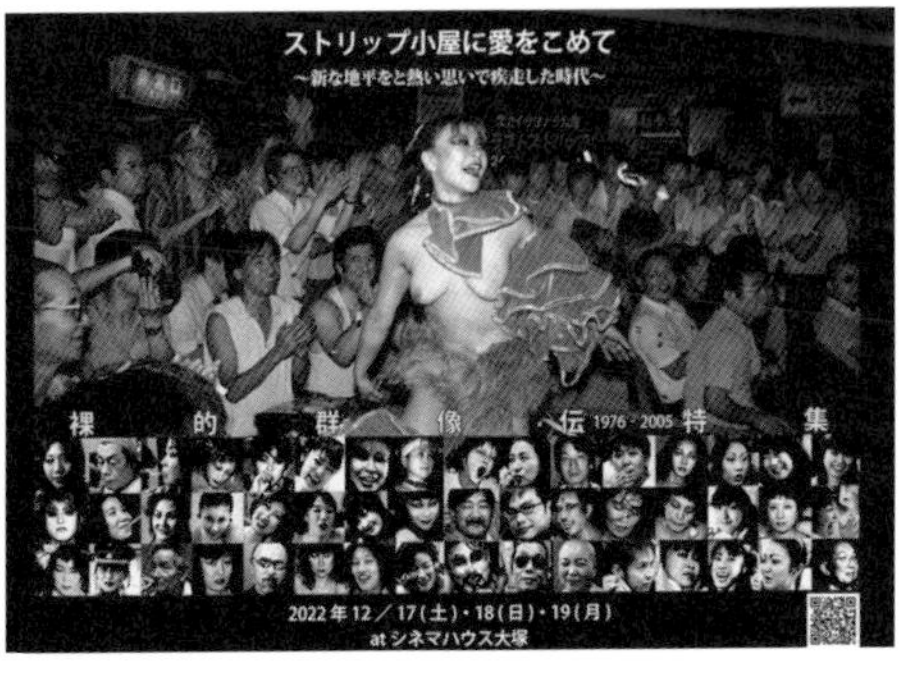

(1979)などから漂う実験性に富んだアングラ臭が刺激的。池袋スカイ劇場のさよなら公演『ラスト・ストリップ』(1986)は、感動ドキュメンタリーの趣すらある。

昭和ストリップ直撃世代には懐かしく、初めて観る者には衝撃的な内容だったに違いない。(シ)

第13回せんがわ劇場演劇コンクール

TeXi's
夢のナカのもくもく

さんらん
シャーピン

終のすみか
SUNRISE

演劇ユニットせのび
リバー

劇団野らぼう
ロレンスの霊

せんがわ劇場、23年5月20日・21日

★せっかく近所で演劇をやっているので、観に行かない理由はないと思い、足を運んだ。せんがわ劇場で開催されている、調布市文化・コミュニティ財団主催のコンクールである。30分から40分という短い作品で競い、そのファイナリスト5組

の作品である。無料ではあるけど、チケットは申し込まなきゃいけない。ということで、申し込むのが遅かったせいで、「ロレンスの霊」だけはYouTubeで観ることになったけど、他は劇場で観ることができた。短いということもあって、全体として引き締まった舞台になっていたなあ、と思う。

「夢のナカのもくもく」は、開場の時点で幕があいており、黒い目隠しをした二人の女性が舞台で準備している。二台のモニター画面にはもう一人の、これも目隠しをした女性がスタンバイ。舞台の上にはベッドとたくさんの羽毛。まあ、目隠しといっても、実際には見えているので、見えないという雰囲気はないのだけど。それでも目隠しをしているのは、題材となった谷崎潤一郎の「春琴抄」から。

姉と双子の妹のうち、妹の一人はインターネット放送を行っており、もう一人の妹は推し活の師匠とよばれている。内気な姉との三人の関係はうまくバランスがとれない。舞台とモニター画面を往復しつつ、舞台が進む。どちらかといえば、引きこもりがちな若い女性の内面が、現在形として提示された舞台だったと思う。何を表現したらいいのかは、うまく消化しきれていなかったと思うけど、そんな簡単に理解できるものでもないと思うので、それはそれでいいのだと思う。完成はまだ先だな、と。

「シャーピン」というのは、中国のおやきのこと。コロナ禍がおちつき、ようやく三社祭ができるようになった。テキヤとしても、ようやく仕事ができることになり、出店場所の割り当ても決まるのだが、組合から、「シャーピンはやめてくれ、クレープなら境内のいい場所を割り当てる」と伝えられる。どうしてもシャーピンを出すなら、離れた公園の方に出してくれ、ということだ。

なぜシャーピンがだめなのかといえば、中国だから、街宣車がくるかもしれないので、迷惑になるから、とのこと。同様にトッポキも韓国だからダメだという。ようやくテキヤが再開できると思ったところで、不条理をつきつけられるテキヤの主人とその妻、若い弟子の葛藤。コロナも含めて、日本社会の、弱い立場の人々に向けられる不条理さがわかりやすいコメディだった。途中のシャーピンダンスはなかなか楽しかった。終わり方が中途半端に感じたけど。

「SUNRISE」の舞台は、深夜のマンション。IT業界で毎日のように徹夜で仕事をし、深夜に帰宅した男性が見たのは、同居する女性が出ていったあとだった。そこに、終電を逃した女友達がやってくる。飲み過ぎて、鍵もなくして、気付くと公園で寝ていたという。

女友達は同級生で、教師をしている。というわけでもないのだけど、男の子っぽい口調で話す彼女と、翌日も朝早くから出勤しなきゃいけない男性との軽妙掛け合いは、見ていてすごく心地良い。特に、女性の男性に対する距離感を示す演技は良かったな。彼女もまた、実は忙しい職場での日々を過ごしており、慰労会で最後には何も理解しない上司である学年主任に鞄を投げつけ、出てきてしまったのだという。

社会の中で消耗していく若い世代の姿がストレートに示された、そんな深夜の劇。ラスト、結局眠れずに、一人で朝を迎える男性は、ちょっときれいに終わりすぎだろ、と思うけど、うまくまとまった芝居だった。

「リバー」は、いくつかの川が舞台。青森や盛岡の川があれば、東京の川もある。

タクシーに乗り、案内されながら、複数の場所の川が示される。すごく観念的なところがあって、それって、都市と地方との差というものが、同時に震災、おそらくは原子力というものも含めて、壁のようなものがあって、相互に理解されない、ということなんだろうな、と思う。川はすべて海につながっているのに。

でも、うまく伝わらないなあ、とも思った。シーンはいいのにね。

劇団野らぼうは、通常は野外での公演が多く、劇場での公演はめずらしいとのこと。今回の「ロレンスの雲」は、照明などの電源に蓄電池を利用。その電気も太陽光発電で充電したとか。仕事を思い出させてくれるじゃないか、と自分に突っ込んでしまうけど。気候変動対策ということですね。

この作品だけ、YouTubeで観たのだけど、おかげで暗い照明が災いして、今一つ楽しめなかった。という中で批評するのはアンフェアだとは思うけど。元ネタはシェイクスピアの「ロミオとジュリエット」、でも主役はそこに登場するロレンス法師。ロミオとジュリエットの人形劇を交え、飛行機のコックピットのような場所も使いながら、見ていて楽しい舞台だったとは思うけれども、全体がなかなかつかめなくて入っていけなくて。

でも、グランプリは「ロレンスの雲」だった。画面だとわからなかったけど、総合的にいい舞台だったんだろうな。オンライン演劇の難しさというのもあるなあと思った。

あと、観客も一緒に選ぶオーディエンス賞は「SUNRISE」だった。やっぱり上手だったし。

全部を見終えて、あらためて思ったのは、やはり演劇をする側にはその理由があるなあっていうこと。現在において、その舞台をつくるということの意味は、それだけはどの劇団も持っていたと思う。(M)

安住の地
いきてるみ

せんがわ劇場、23年5月26日〜28日

★ということで、演劇コンクールの受賞劇団には、せんがわ劇場で演劇する権利が与えられる。昨年のオーディエンス賞を受賞した安住の地の「いきてるみ」は、4幕からなる、生命と身体をテーマにした作品（って、タイトルそのままですね）。

舞台が暗くなると、第1幕が始まる。暗い中で朗読する声が聞こえてくる。わずかな明かりの中で、二人くらいの役者がゆっくり踊る。声に合わせた身体が動くというか、生命の動きというか。ただ、照明があまりに暗すぎて、目が疲れた。というか、そんな調子で、言葉があまり入ってこなかった。ごめん。

第2幕は診療所が舞台。外科医、病気で左足の膝から下を切断しなきゃいけなくなった患者とその娘、看護師。舞台はそれぞれの心の声を別の役者が話し、セリフは短い会話のみという作品。切断した左足はどうなるのか、患者は気になる。火葬にして骨壺に入れる、というけれど、それをどこに置くのか。本人が死んだら一緒にするのか。でもまあ、死んだわけじゃないから、お経はどうするのか。という前に、切断した足について、しばしばまだつながっているような感覚、幻肢というのがあるので、本人としてもなくなったと感じにくい。一方、医者はそこまで考えていない。ユニークな舞台の作り方だったけど、あんまり大したこと話していないよな、と思わせつつ、でもまあ確かに、切断したあとの四肢というのはどうなるのか、というのは割と本質的な問題かも。

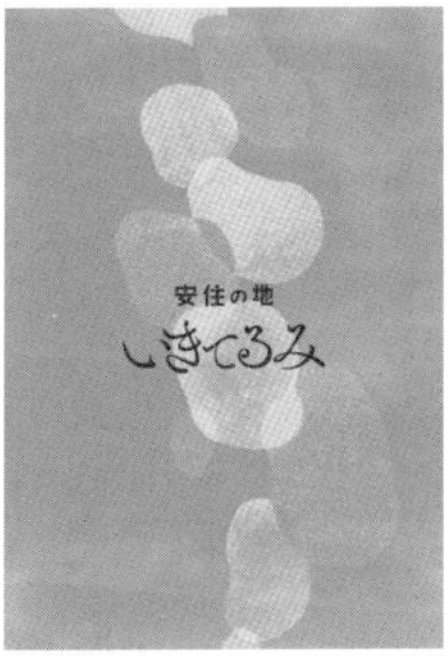

第3幕は、なんだか戦争をしているような世界での、でも病気で戦争に行けない者が倉庫のような場所で仕事をさせられている、そんな未来。仕事はといえば、積まれた段ボールの中の謎の物体を、皮をはがし、心臓と肉を取り出してわけるという作業。これが武器、みたいなものになる、らしい。健全な肉体を持たないものが、肉を分ける、その向こうで戦争が行われている、というのも、この世界とのつながりをどう感じ取ればいいのか。

第4幕は、巨大な卵子をつくり、それを受精させて胎児が成長する過程を見せていくというものだけれど、胎児の成長は途中で止まってしまう。その止まる胎児の、その動きは、ある種のダンスとして、この芝居のハイライトの1つかも。

4つのまったくテイストの異なる作品を通じて、言葉を使うにもかかわらず、言葉では表現されない生命と身体という表現は、ユニークと言えばユニークだし、興味深いし、面白かったし、演劇の可能性を広げるとも思う。スタイルにたよりすぎていて、かえって伝わらないこともあるかもしれないけど。(M)

缶々の階

だから君はここにいるのか【舞台編】【客席編】

せんがわ劇場、23年5月31日〜6月4日

★こちらは、第12回せんがわ演劇コンクールグランプリ受賞の劇団による公演。元々は「話すのなら、今ここにないもののことを話したかった。今ここにないものの話ばかりしようと思った」の改作・改題とのこと。

【舞台編】は、劇に登場しなかった人物と、その役を演じるはずだった役者の物語。もちろん、最初は劇に登場しなかった人物が存在するということは考えないので、役者はそれが誰だかわからない。というか、なかなか納得しないのだけれども。

脚本に当初はあった役がなくなってしまうことで、出演予定だった役者は宙に浮いてしまう。それはそれでたいへんだな、とは思うけど、では登場しなかった人物はどうなるかといえば、通常は忘れ去られるだけだろう。けれども、最初、登場予定だったということは、何かしらの意味はあったはずだ。でも、その意味はどこに行ってしまうのか。それは、幽霊として劇場にいるのかもしれない。とか、思うのだけれども、正直なところ、ちょっと会話がくどくて、世界の奥行もあまりなくて、冗長だったかな、と思う。

その点、【客席編】はドラマがわかりやすくて、緊張感もあって良かった。【舞台編】では、少し小さめに設定された舞台と、前2列の客席を使って演じられたけれど、【客席編】ではその舞台は緞帳の向こうにあり、前2列の客席が主に使われる。

男性が公演前の注意事項などを説明したあと、女性が大きなトランクを引きずりながら、客席にやってくる。しかし、芝居は始まらない。これでは芝居は始まらない。客席には彼女しかいない。

女性は、前回観た芝居の、まったく同じ再演を観に来たという。しかし、男性は「再演は全く同じものではない」という。というのも、前回の芝居は、脚本が完結していなかった。それを、演出家が終わりを自らつくり、上演したものだったという。したがって、正しく完結した芝居は上演されておらず、それを完結させるために再演を行う予定だった。しかし、その作者も演出家も行方不明であり、正しい結末にたどり着いていない登場人物は、そのまま宙に浮いた存在となっているという。

女性がなぜまったく同じ芝居を観たかったのか。前回は、誰かと来る予定だった。しかし結局は一人で観ることになり、満席の劇場で彼女の隣だけが空いていたという。そして、そのときの劇の結末を覚えていない。だからこそ、同じ劇をもう一度観たかったのだという。

結末がなかった芝居と観客をめぐる謎が奥行を持って回っていくという構成は、十分に緊張感があった。終盤、男性は劇の終了を告げ、客席の椅子を片付ける。その時間も惜しんで、彼女は男性に問い詰めるが結論は得られない。二人は一度退場する。そして緞帳があがり、そこには客席が設えてある。終演後、彼女は立ち上がり、トランクケースを引いて舞台上の客席から立ち去る。

メタ演劇といえばいいのだろうか。そのトリッキーさに、ある程度負っているところがあって、それはそれで面白いと思うけれども、同時に演劇というのが単純な虚構ではなく、むしろ役者の身体を通じて虚構と現実を往復するものであることを伝えているのではないか。それはもっと言えば、虚数が現実世界の数学に欠かせないように、虚構が現実に不可欠なものなのかもしれない。そのぽっかりと空いたところ、舞台の上に、幽霊のように、いつも存在しているのかもしれない。そうしたことを感じさせる。でも、本当はそこから先に行かなきゃいけないとも思うのだけど。(M)

盛夏火

カーニバル・アザーワイズ

せんがわ劇場、23年6月14日、15日

★なかなか困ってしまう演劇だったな。

えーと、この劇団も昨年のせんがわ劇場演劇コンクールのファイナリスト。でも無受賞。そこでこの時期にせんがわ劇場を借りて公演。というノリは好きです。

マイクがセットされた舞台に、ギターを抱えた男性(たつき)が登場し、歌い始める。次いで、残りの出演者が手をつないで登場。彼らは静止し、ドリ美という女性だけが、登場人物を一人ひとり紹介し、舞台の外に連れていく。

暗転し、ドリ美の姉のマヤが朝、起きるシーンから物語が始まる。マヤは自宅のマンションが改装中でお風呂に入れないため、実家に帰ってきている。

そこに現れた友人が、今日でそしがや

温泉21という銭湯が閉店してしまうということで誘いに来る。行ってみると長蛇の列で、とても入浴できる様子ではなかった。しかたなくみんなで時計台にのぼり、アイスを食べる。

実は、そしがや温泉21は実在した銭湯で、本当に今年3月に末に閉店、ぼくも最終日に行ったけれど、確かに並んではいた。15人くらいだったけど。でもまあ、そういったローカルなネタは、観客に結構受けていたな。

物語は、カーニバルが近づくことと、それに伴うようにペットの消失事件が増えること。そして、見かけた謎の男性がその犯人かもしれない、と思って追っていくと、実は呪術具の販売人、カーニバルでオークションをする、とか。ペットはせんがわ劇場に逃げ込んでいただけ、らしい。

途中、3分間の休憩があり、そこで「中間アフタートーク」が行われる。いや、中間という時点で、アフターじゃないだろ、とつっこんでしまう。

ほかにも、全編でどうでもいい話が展開される。例えば、たつきはなぜ演劇をやらなくなったのか。お金がかかるばかりで少しももうからないから、とか。舞台で遠くの風景や花火を見る場面、実際に風景も花火もないよな、とか。食事のシーンも劇場と保健所の許可が必要だし、とか。ゲーム「かまいたちの夜」の犯人も教えてくれるけど、誰がこのゲームを覚えているのかな。

オークションでは、出品されたカセットテープ「猿の夢の手」が盗まれる。このテープを聞くと、夢に猿が出てきて、3つの願いをかなえてくれるが、そのかわりにその街の人はすべて猿の電車に連れていかれてしまうという。後に、テープは発見されるが、誰かが聞いた後だったという。電車に乗って、街を出ようとするが、カーニバル期間中は終電が早まっており、街から出られない。みんなは再び時計台の上に集まり、カーニバルの花火を見上げ、花火に向かってロケット花火を飛ばそうとする。誰かが「猿の手の夢」で願いをかなえたのか、登場人物は手をつないで退場する。

で？

登場人物のひとり、風子が「See You on the other wise」と書かれたボードを持って出てくる。拍手をする隙を与えずに、劇は終了している。

役者の演技はほぼ素人レベルだし、自己言及的な言葉が過剰だし、とは思うのだけど、最後まで楽しく観てしまった。そして、「で？」となる。

ここにあるのは、不条理劇などではなく、劇の不条理なんだろうな。結末が存在することそのものが、リアルではない。そしがや温泉21が閉店したのも、せんがわ劇場で公演していることもリアルだけれど、結局のところ、そうしたリアルでぐるぐる回っている。それは、小劇場で存在を確認しようとしてぐるぐる回って結論を出そうとするよりも、ずっとリアルなことなのかもしれない。

「で？」

困ってしまうけど、また別の「Wise」で会いましょう。（M）

矢野寛治
わが故郷のキネマと文学

弦書房

★私の実家は東京の本郷である。「本郷もかねやすまでは江戸のうち」の、ギリで江戸に入れてもらってるとこだ。近所には樋口一葉や坪内逍遥がいたらしい。

加賀乙彦はうちの母親の実家と同じマンションだったそうで、遠藤周作や瀬戸内寂聴と同じエレベーターに居合わせたこともあったそうだ。だからといって、積極的に地元文士の本を読んだことはない。物集高量の『百歳は折り返し点』を読んで、物集氏も本郷育ちだったのかと知ったくらいだ。

本書は、矢野寛治が自身の故郷・大分県にまつわる小説・エッセイ・映画などについてまとめたものである。坂口安吾は『二流の人』を書いている。黒田官兵衛如水。天下とりを中津から狙っていても、世の流れにきっぱりあきらめて、自身の手柄を家康にゆずり恩賞もうけない。「見切り、損切り、引き際を知っていた男である」と矢野氏は書く。

引き際はほんとうにむずかしい。「きっぱりと恋もいのちもあきらめる江戸育ちほどかなしきはなし」。私の座右の銘である。大分にもこんな粋人がいたのか。

大林宣彦の映画、『二十二才の別れ』も、福岡の街が多くでてくる。『男はつらいよ』にも。うちの妹も結婚して子供も立派だ。私は寅さんだなあと、時おりしみじみすることがある。あちこちの街を文学・映画とともに軽妙な文章で紹介し、ここに行ってみたいなあと、思わせてくれる本だった。（日）

ミュージカル

ジェーン・エア

東京芸術劇場プレイハウス、23年3月11日〜4月2日

★上白石萌音、屋比久知菜、井上芳雄をはじめとして皆の歌が上手すぎる！　彼らの歌が、幻想的な味わいの演出と絶妙に絡み合い、神々しさすら感じるミュージカル。それに、演劇のテーマが愛と赦しなのであれば、もう全ての歯車がかみ合った奇跡としか言いようがないだろう。

　物語の筋は、継母から疎まれ、学校では理不尽な仕打ちに合い、怒りに震える少女ジェーンは、敬虔なキリスト教徒である友人のヘレンから赦すことの大切さを教えられるところから始まる。成長したジェーンは自由を求めて家庭教師として自立する。赴任先の主人であるロチェスターと心を通い合わせるものの、彼には秘密があり……というもの。

　物語の序盤から、ジェーンの暗い精神の混沌がありありと描写される。養家や学校でのつらい体験を経て、怒りと憎しみに沈む彼女の心中は暗く、分裂した自我が彼女を責め立てる。彼女は暗闇のなかで孤独に苦しんでいる。そんな彼女に復讐ではなく赦すことを教え、まさしく彼女にとって光となったヘレン。ヘレンは物語中病に死んでしまうのだが、成長した彼女がその赦しと愛を成就させ、幸せをつかみとった時、彼女の心中にヘレンが訪れる。これは、苦しみが赦しと愛によって救いを得る、一つのキリスト教神話なのだ。

　皆の紡ぐ歌は讃美歌のように響き渡り、救われた魂が眼前にありありと現れる。私たちの心にも救いが訪れる。そんな予感が観客の私たちの心にも芽生える。（清）

マーカス・デュ・ソートイ

数学が見つける近道

富永星訳、新潮社

★これまでのソートイの本と比べると、ずっと入門書っぽい。というか、わりとやさしめな数学の話題を取り上げている。

「近道」とあるけれど、数学はそもそも近道を見つけるための学問であり、同時にその近道を見つける苦労は半端ではないという学問でもある。

　最初に取り上げるのは、少年時代のガウスのエピソード。教師から、「1から100まで足し算しなさい」という問題を出されて、あっというまに計算したという話。等差数列の和の公式を知っていれば、簡単にわかることだけれど。次に、数字の記し方について、ちょっと歴史をもどってみる。ローマ数字って計算に不便だと思うけれど、まあそんな話。代数を使うと便利になる話、微分や積分もまた、計量では難しそうな問題を解いてくれるし、意外に直感が間違っているようなこともある。

　だいたい、高校で学ぶ数学の範囲なので、ほんとうに最後の章を除けばわかりやすい。

　最後は、ほぼ予想通りだけど、近道が見つからない問題が取り上げられる。巡回セールスマン問題がその代表だけれど、地道に計算しないと答えが出ないと予想されている問題もある。巡回セールスマン問題は、どのようなルートですべての地点をまわるのが最も近道なのかという問題で、これが3軒くらいならまだわかるけど、10軒ともなればもうとんでもない計算量になってくる。本当に簡単に計算できる方法はないのか。P≠NP問題というのだけど、実は証明されていない。

　数学の本でありながら、なぜか新潮クレストブックスで刊行されているソートイの本だけれど、理由はわからないでもない。専門的な話題も今回の入門書的なものであっても、それを物語として語ってくれる。科学啓蒙書であると同時に、ドラマとしても楽しめるソートイの入門書であるともいえる。（M）

アーロン・ホーバス、マイケル・ジェレニック監督

ザ・スーパーマリオブラザーズ・ムービー

★マリオは忙しい。宇宙や帽子の国など様々なところでクッパと戦ったり、時にはクッパと手を組んで世界の巨悪と戦ったり。そうかと思えばテニスやゴルフ、カーレースやパーティーなどにも抜け目ない。

そんなマリオの映画化、どんな作品になるだろうと思っていたが、単純明快、爽快痛烈、まさしくマリオな素晴らしいものだった。

　マリオ兄弟の活躍は目覚ましく、本職の配管工には手が回っていないようだったが、本作はそこをちゃんと掘り下げる。しかも、あんな派手な衣装をなんで着ているの？　という積年の疑問にもきちんと答える形で。他にも、細かな疑問が丁寧に拾われていく。キノピオばっかりの国で、なんでマリオやピーチばっかりが人間なの？　マリオ達の親ってどんな感じなの？　などなど。そんな細かい設定を補完しつつ、マリオカートのカーアクションや、ドンキーコングとのコラボレーション（もとは一つの作品だったらしいけれど）など、様々な要素がてんこもりの、ダイナミックなストーリー。そうでありながら、ただの原作再現におさまらず、普段はさらわれるばっかりで出番の少ないピーチの活躍など、オリジナリティも忘れない。

　これは、古参ファンも、新参ファンも、大満足だろう。少なくとも僕は大満足だった。（清）

アミア・スリニヴァサン
セックスする権利
山田文訳、勁草書房

★挑発的なタイトルだけど、最初に書いておくと、非モテも含めて同意しない相手とセックスする権利はない、ということはスリニヴァサンは書いている。レベッカ・ソルニットを引用し、「相手があなたとセックスしたいと思わない限り、セックスできない」のである。その上で、そこのある問題は、セックスしようとする相手とステイタスの問題。魅力的な女性とセックスすることで、ステイタスが上がる。そこには、人種、年齢などもかかわってくる。さらに家父長制は魅力的ではない男性を魅力あるように思わせる。そうした罠がある。

　でも、本書が全体で述べていることは、フェミニズムの内部にある、ポルノと反ポルノ、セックスワークと反セックスワークといった対立を、整理していくというものだ。そうした文脈の中で、非モテ（インセル）の問題も語られている。

　最初に取り上げられるのは、レイプとぬれぎぬの問題。#me too 運動で、ハリウッドでは、自分の権力をたてに女性の俳優らにセックスを強要したプロデューサーのハーヴェイ・ワインスタインが裁判で禁固16年を言い渡されている。こうした問題は、日本でもあった。表舞台から姿を消した映画監督がいるし、演劇界でも演出者の事例がある。最近では、相手こそ男性だけど、ジャニーズ事務所のジャニー喜多川がメディアで取り上げられている。

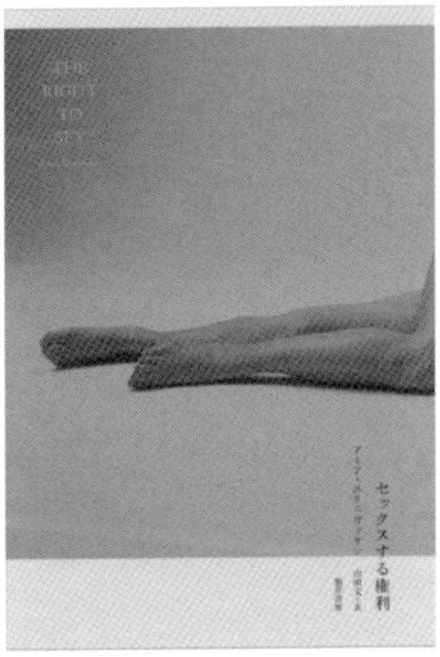

　スリニヴァサンはこの問題を、いくつかの視点から、いくつかの問題を指摘する。女性の発言だけを信じることで起こる「ぬれぎぬ」の問題がそうだ。また、人種の問題もある。黒人男性に対してより強いレイピストというイメージを持っている。一方、罪を認めた白人は、それでも短期間で復帰するケースが少なくない。そして、罪を認めた黒人の場合、家族はどうやって生活していけばいいのか。人種の不対称がある。

　この問題が、一つ先で「セックスする権利」として語られる。そこではさらに、セックスワークまで話題が進む。そもそも、セックスにおいてはしばしば、力関係が入り込んでいる。その意味では、セックスを強要する権力者と、セックスする権利を主張する非モテは同じなのかもしれない。こうした力関係の中に、セックスワークの存在があるということで、一部のフェミニストはセックスワークの存在を否定する。この点については、スリニヴァサンは同意する。けれども、では、セックスワークを法的に禁止すればいいのか。これについては、スリニヴァサンは明確に反対する。それは、セックスワークによってしか生活の手段が得られない層をさらに苦しめることになる。セックスワークを非合法化することは、女性をより危険にさらすことになるとも。どうすればいいのか、明確な答えはない。それでも、まずは性をめぐる政治によって構築された性的魅力について解体することが必要だろう。そしてセックスワークについては、最後の章であらためて論じられる。資本主義社会において、労働者階級がフェミニストになれるかどうか、が問われているとも。それは、しばしば低賃金のケア労働が女性によって担われているということを、いかに変えていくのか、ということになる。

ポルノグラフィをめぐる議論は興味深い。スリニヴァサンが学生に対して問うと、ポルノグラフィには問題があるという答えが返ってくる。キャサリン・マッキノンなど反ポルノ・フェミニストはポルノが男性による女性の従属をメッセージ化していると指摘しており、学生も同様に感じているということだ。どちらかといえばポルノを肯定していたスリニヴァサンにとっては意外だったようだが、その上で、現状は70年代とは大きく異なっていることも指摘する。現在は、インターネットでいくらでもポルノが見られるし、実際に学生の多くはそれを視聴した経験がある。そして、マッキノンが指摘してきた問題は、現実になっている。では、本当にそこが問題だったのか。その背景に、女性は男性の従属すべきものだという思想が蔓延する社会がある。そして、実際にポルノを禁止したとたん、むしろ適切な性教育の機会、それを提供するコンテンツが先に排除されるのではないか。結果として、インターネットのポルノだけが残る。実際に、学生がポルノを観る理由は、オナニーのためではなく、セックスについての知識を得るためだということだ。

スリニヴァサンは、例えばセックスワークの問題を整理しつつも、譲れないものは譲れないとする。それが例えば、セックスワークの非合法化であり、刑務所に入れれば問題が解決されるわけじゃないということだ。とはいえ、セックスワークそのものについては結論を保留している。そして、むしろ問題はその背後にある政治的なこと、ジェンダー、人種、経済格差、教育などだ。結論よりも、問題の所在を明らかにすることに重点が置かれているといってもいいだろう。

こうしたスリニヴァサンの考えは、その通りだと思う。日本についても、とてもよくあてはまることだ。例えば、しばしば萌えキャラポスターが炎上するけれども、それはただ攻撃しやすいものだけを対象にしているだけではないか、と思う。萌えキャラが着ている短いスカートのような制服のようなものは、現実社会ではしばしば、本当に制服として着用されている。教育現場では、男女共学といいつつ、女性には2番目の席しか与えられない。名簿は常に男子が先だ。けれども、昔(といってもたいした昔ではないが)からあるものは批判しにくいが、歴史がないものは批判しやすい。

セックスする権利なんてそもそもないけれども、それでも、政治的な、つまり家父長制や人種差別、ルッキズムなどのヒエラルキーから解放されれば、多少はましになるだろう。(M)

秋本治

ブラックティガー

集英社、全11巻

★秋本治が「こちら葛飾区亀有公園前派出所」(以下、「こち亀」)の連載を終了させたあとに描き始めたのがこの作品。他にもいくつかの作品を平行して描いてきたけど、「こち亀」でできなかったことをやってきたというのがある。同時にいろいろ通底するものもある。完結したので、あらためて取り上げたい。

南北戦争終結後のリンカーン大統領の時代、1860年代を舞台とした西部劇で、ヒロインは美貌のガンマン、賞金稼ぎだ。拳銃の腕は超一流だけれども、体力も半端なく、やってることは「こち亀」の主人公両津勘吉に近いものがある。悪い奴は容赦なく殺し、弱い人々を守ろうとする。勧善懲悪という点はすごくわかりやすい。

ただ、1927年生まれの秋本は、おそらくまだ戦後の雰囲気が残る中で育ったはずだ。そうした中で、どこかで社会の不公平さを感じていて、しばしばそのことが「こち亀」でも反映されていた。下町ということも影響している。ある意味では、筋金入りの勧善懲悪、ともいえる。

その不公平さへの異議ということを含めた、秋本のジェンダー／セクシュアリティ感というのは、もっと論じられてもいいなあとも思っている。

例えば、「こち亀」では、しばしば超巨乳の秋本麗子の水着姿が扉絵を飾ったりしていたが、不思議とクレームはつかなかった(わからないけど)。同じ少年ジャンプで、例えば「ゆらぎ荘の幽奈さん」のグラビアはさんざんクレームがつけられたのに。それは国民的マンガに対する配慮なのかな、とも思っていたけれど、そもそも秋本の場合、ジェンダー的なものを意識的に欠落させていたからなのかもしれない。「こち亀」には麻里愛というトランスジェンダーの警官が登場する。見た目は完璧な女性で、両津勘吉を愛しているけど、両津からは男性であることを理由に拒否されている、という設定だった。それが途中で「作者の力」によってシスジェンダーの女性に変更させられている。そこには、麻里愛の描き方がもたらすトランスジェンダーへの偏見に対する配慮を感じる。

　さて、ティガー、本名ティナ・バトラーの場合はどうか。賞金稼ぎの旅のパートナーは医者のウエキ（どう考えても、植木等がモデルだと思う）。二人はあくまでビジネスパートナーだ。ウエキにとっても、ティガーは恋人にするのは重すぎるだろう。

　ときどき、ティガーのシャワーシーンなど、サービスカットが入るけれど、そこではティガーがタトゥーを入れていることが描かれている。タトゥーはどこかで主人公の脱ジェンダー化の役割を果たしているということもあるし、別の文化という文脈も示される。

　実はティガーには家があり、長旅から帰ると、パートナーのアリスが待っている。明言はされていないが、同性愛のカップルである。アリスは唖者のタトゥー彫師で、ティガーのタトゥーも彼女が彫ったもの。そして、これも明言されていないけれど、アリスはネイティブアメリカンのように描かれている。

　カップルとして見たときに、ティガーのジェンダーは男性のように感じられる。最も大切にしているアリスを守ることが、最も重要なこととして。でも、ティガーが相手にする悪人は、そもそも弱者からの搾取をし続けている男性である。また、守ることは時に母親的でもある。とすると、人の行動はそもそも脱ジェンダー化されているのではないか。

　不公平な社会に異議を申し立てる秋本の作品にとって、女性、先住民族、障碍者というのはその不公平さを押し付けられている存在だし、だからこそ、一方で痛快な西部劇を展開しつつ、そうした配慮が忍び込んでいるのではないか。ティガーのタトゥーは、その意思表示ではないかと思う。

　最終巻では、ティガーを含めた賞金稼ぎのメンバーが、南軍の残党の悪人たちを退治し、ティガーは得られた賞金でアリスと結婚、賞金稼ぎをやめて牧場の経営を始めるところで終わる。めでたしめでたしである。

　ところで、秋本とジェンダー／セクシュアリティを語る上で欠かせない、もう一つの重要な作品である「Mr.Clice」は当分完結しないらしい。こちらは、超A級スパイの男性、繰巣陣が瀕死の重傷を負い、脳だけが女性の身体に移植されたところから始まるスパイアクション。強制的トランスジェンダーなのだけれども。この作品については、また別の機会に。なお、繰巣陣は性自認は男性だけど、お風呂は女湯。ということを、せっかくなので書いておきます。（M）

ダリア・セレンコ著、クセニヤ・チャルィエワ絵

女の子たちと公的機関
ロシアのフェミニストが目覚めるとき

高柳聡子訳、エトセトラ

★ぼくの友人に、大学内の機関と社団法人を掛け持ちでバイトしている女性がいる。それぞれの組織を管轄しているのが、大学内の先生だとか、大手企業のOBなどなのだが、あまり責任を持ってくれなかったり、仕事がそもそもできなかったり（デジタルに弱い高齢者とか）で、結局のところ、彼女がいろいろとやることになるのだが、だからといって彼女の給料が上がるわけでもない。お金が伴わずに仕事だけがやってくるという。

　責任感だけで仕事をしてしまうけれど、報われてないよね、という愚痴を聞かされることになるわけだが。でも、こうした話、いろいろなところで聞く。パートタイマーをまとめているのは、古株のパートタイムの職員だったりする。スーパーマーケットだけではなく、図書館のような公的機関でもそうなりつつあるらしい。介護事業所もそうなのだろうか。

　「女の子たちと公的機関」に登場する女性たちも、あまり変わらない。安い給料で、責任と仕事だけが押し付けられる。何となく、職場もすさんできて、みんな仲がいいというわけではないけれど、それでも共感くらいはする。レズビアンもいる（ロシアは同性愛者には厳しい法律がある）。

　これを持ってして、日本もロシアと変わらないなあ、ということもできるけれど、では、国としての違いって何なのだろうか、とも思う。

　この作品が書かれたのは、ロシアがウクライナに侵攻する直前の時期。けっこうみんな、プーチン大統領には不満を持っている。というか、国家の体制に不満を持っている。それでも、国家の歯車の中

で、安い賃金でまわりつづけている。そして、この時点ですでに、予感としての戦争は始まっていた。

詩人でフェミニスト、反戦活動家のダリア・セレンコの文章は、飾り気がなく進んでいく。ストレートな異議申し立ての言葉だ。そこに、生命力を奪われたようなクセニヤ・チャルィエワのイラストが挟み込まれていく。

ロシアでは女性は政治の歯車に組み込まれ、日本では経済の歯車に組み込まれる。そうした犠牲の下で、社会が回っている。そのことに対する異議申し立ては、日本もロシアも変わらない。そして、その背景が、何らかの戦争であるとしたら、それもやはり同じだろう。

ロシアにいられなくなったセレンコはジョージアに滞在し、ロシアが戦争で負けるところを見たいと言っているそうだ。(M)

ぺぺ長谷川をみんなで送る交流会

かけこみ亭、23年2月18〜19日

★仕事が長続きしない、モテないなどの『だめ』をこじらせない生き方を模索する集団『だめ連』。今から30年以上前の1992年に結成。現在に至っている。

『だめ連』主要メンバー、ぺぺ長谷川さん死去の知らせを受けたのは2月中旬。2月15日までに胆管ガンで亡くなった。享年56歳。若すぎる死である。90年代の東京・中央線沿線カルチャーにおいて、『だめ連』は異色を放っていた。ひと昔前のヒッピーとも少し違う、ゆるい生き様が注目を集め、テレビや雑誌などで取り上げられたことも。

筆者がぺぺさんと出会ったのは約25年前。100人規模の路上飲酒、原っぱでの音楽ライブ、ヤバイ集会などにおける思い出は尽きない。

2月18日と19日に急遽行われた、お別れ会『ぺぺ長谷川をみんなで送る交流会』には、日本全国から大勢の友人・知人らが集まった。その数、2日間でのべ650人以上。

棺の中に眠るぺぺさんに話しかける者、在りし日のぺぺさんの歌声を流す者、近くの公園で酒を酌み交わし思い出を語り合う者……。各自が好きなように別れを惜しんだ。

晩年、「友達と遊んだだけ」と人生を振り返ったというぺぺさん。人間が好きで、交流に積極的だった交流家のぺぺさんに相応しい大交流会だった。(シ)

よなよな 班女 マウンティング

北とぴあカナリアホール、23年6月17日・18日

★上演される演劇で、その中心にあるのは一般的に、脚本と演出だと思われている。演出家が脚本をどのように解釈し、俳優の力を引き出して、舞台をつくっていくのか、ということが第一に重要なのだろう。

しかし、演出家がいなかったらどうなるのか。むしろ、そのことが新たな演劇の可能性なのかもしれない。

音楽についていえば、作曲家がいて、編曲者がいて、編曲者が楽譜を解釈しながら、演奏家が演奏していく。とは限らない。バンドのメンバーで作り上げていくことは、めずらしくない。

「班女」は三島由紀夫の作品。画家の実子は、来る日も来る日も恋人を待ち続けている狂女の花子と暮らしている。実子は、その花子が毎日、井の頭線の駅で恋人を待っているという記事が掲載された新聞を読みながら登場。その記事に極度の不機嫌になっているところに、花子が現れる。その後、実子のところに花子の恋人の吉雄が現れるが、実子は花子に会わせようとしない。会わせてしまえば、花子は吉雄にとられるかもしれないから。

というのがあらすじなのだけれど、これをベテランの役者がそれぞれどのように解釈し、どのようにぶつかっていくのか。

黒い和風の衣装の実子は、花子を支配しようとするものの、そのいらいらを隠し切れない。一方、白いウエディングドレスを着た花子は、野獣のように動き、視線を

投げかける。ジャズでいえば、ピアノとドラムスでバトルしているようなものだ。

そこに、学生服を着た吉雄が登場すると、客席から笑いが漏れる。60代の学ランのアンバランスさということもあるだろう。これまでの緊張感を壊してしまう。

ずっと笑みを絶やさない吉雄は、実子や花子を皮相なものに落とし込めようとする。そのことによって、かえって舞台に奥行ができているといっていい。狂気は狂気にとどまらないし、不機嫌にはその先がある。

その後、一転して、吉雄のアカペラによる歌を挟んで、「マウンティング」が始まる。こちらはホームレスがいかにして配給の食事にありつくのか、という話だ。先ほどの女性の役者がホームレスの男性の姿で登場し、鬘をかぶせられた吉雄は学生服を脱ぐと赤いワンピース姿になる。異なる性別を演じることで、作品の持つおかしさがデフォルメされていく。

3人とも「班女」とは180度異なる芝居を始めることで、この喜劇の中で、「班女」の余韻は薄められていくし、実子が花子に対してマウントをとろうとしていたことが、どんどん軽くなっていく。愛とか、そんな重苦しいものではなく、食の幻想がその人の生きることを支えている、ということにもなってくる。

「マウンティング」は、ホームレスが登場人物、というだけではなく、根源的な欲望をめぐる人間関係の変わらなさも含め、現在に響いてくる作品だし、そのことによって「班女」が別のイメージを持つことになる。古典を現在において演じるという意味では、このカップリングは効果的だった。

実力ある役者が集まり、演出家不在のまま、化学反応させていくというのは、ジャズのピアノトリオみたいなものなのかもしれない。そこでは、スタンダードナンバーが破壊され、創造されるように、「班女」と「マウンティング」がそのように演じられたということだ。（M）

アリ・スミス
五月、その他の短編

岸本佐知子訳、河出書房新社

★アリ・スミスは、ぼくとしてはイチオシの作家。二面性があって、それは政治的なところに切り込む面と、極めて技術的でトリッキーな面だ。その2つのバランスの中でスミスの作品が成り立っている。そうした中で、『秋』『冬』『春』『夏』の「四季四部作」は政治的な面が良く出ていた。移民を扱った『春』なんかは、入管法改正が問題となった日本で、もっと読まれてもいいと思うけれど。もちろんそれを支える技術も持っている。

という点からすると、短編は技巧の方が目立つ。スミスにとっては、技巧が先にあって、テーマがあとから来たんじゃないかなあって思う。そんなトリッキーな作品が12か月分収録されている。最初の「普遍的な物語」では、感じのいい青年が古本屋でありったけの『グレート・ギャツビー』を買っていく。で、なぜ同じ本を買うのか。理由はまあ、そうなのかぁって思うけど、でも結論は、売れて良かったね。訳者の岸本がタイトル作に選んだ「五月」は木に恋をする女性の話だ。だからなんだ。「生きるということ」では、駅の構内で死神とぶつかってしまうけど、その死神がハンサムな中年男性で。と、このあたりの変な感じを楽しんでもらえるといいなあ、と、そう思うような短編集なのである。その上で、やっぱりアリ・スミスは長編だな、とも思うのであった。（M）

加藤真史 個展
Suburban Undercurrent

神奈川県立相模湖交流センターアートギャラリー、23年5月20日～6月4日

★地図は世界の記号化であり、その地図の世界にインスパイアを得て、ノーテーションのように、そこから喚起される土地に纏わる様々な伝記的説話的な情報や要素を立体的に読み込んで、それぞれの土地固有の物質的痕跡性をある種の洛中洛外図のような絵画に落とし込む。それは美術作家・画家である加藤真史にとってフィルドワークであり、社会学や民俗学的考察を兼ねる批評行為であるのだ。

加藤は1983年生まれ。2012年多摩美術大学大学院修士課程修了。「第20回岡本太郎現代芸術賞」(2017)入選や「VOCA展2021 現代美術の展望—新しい平面の作家たち—」出展等の実績がある。愛知の郊外に生まれた加藤は、戦後日本の近代化の典型的な都市風景であるファスト文化とともに、大型ショッピングモールやベットタウンなどフラットな風景を心象風景に持ち、エベネザー・ハワード『明日の田園都市』を嚆矢に、宮台真司や若林幹夫、三浦展の社会学的な都市論や郊外論を渉猟する。またフィル

ドワークの方法論は、中沢新一の『アースダイバー』が想起される。
　会場には、加藤曰く「通勤・通学で通ったことのある土地の航空写真であり、制作によって出た痕跡付きの紙を貼ったパネルを支持体として使い、徒歩で特定の地域の道を覚えるように色鉛筆の線描を刻んで」いった『Trace the Trace』の都市シリーズや、「Atlas」(地図)と「Trace」(痕跡)を合わせ「a trace」(面影)とをかけた造語『ATRACE』(アトレイス)のシリーズ、ネオ・ジオのピーター・ハリーを思わせる、『Atlas p.12 (Fuchinobe #3)』(2021)、「都市郊外風景画」の大作である『郊外の果てへの旅と帰還 #5 (つくばの背骨)』(2022)等が並ぶ。今回のフォーカスである相模原市東部市街地で10年を過ごした加藤の個人史も踏まえながら、1947年に完成した日本初の多目的ダムである相模ダムを擁する人工胡・相模湖に纏わる文献調査と踏査に基づき、戦時下の相模ダム建設の際に、中国や朝鮮半島から強制連行された人々や強制移住させられた勝瀬部落の存在などが理解される。また、相模野のでいらぼっち(巨人)伝説をゴヤの巨人に擬するような『郊外の果ての旅と帰還 #8 (相模野の巨人—南)』(2023)なども。Google Map的な思考をローテクの技術で処理し、地図やその郷土の説話等と向き合う加藤の作品は、郷土史や地図の記号論的で社会学的な展開を含む意義深い実践である。今後の展開が楽しみである。(並)

街とその不確かな壁

村上春樹

新潮社

★40年前に村上が書いて文芸誌に発表したあと、ずっと単行本に収録されてこなかった中編の作品を、あらためて書き直した、という。最初の中編の部分は第1部に生かされており、さらに第2部と第3部が書き加えられた。
　同じ設定は、「世界の終わりとハードボイルド・ワンダーランド」でも描かれている。

　さらに、この作品は、村上がしばしば描いてきた「壁」や「図書館」をはじめ、「影」、「地下」、「導く人」、「助ける女性」、「失われた女性」が出てくる、オールスターキャストじゃないか、といった感じもする。

　それから、村上の長編小説としては「海辺のカフカ」はひとつの転換点だったと思うのだけれど、それって何かといえば、主人公が自分の子供の世代になったということ。それは作者と主人公との距離感でもある。村上には子供はいないらしいけれど、そういうことではなく、もっと世代的なこと。その意味でいうと、40年後に書き直したときには、第1部の主人公は孫の世代(が成長して子供の世代になる)という話になっている。

　そして、壁といえば思い出すのが、村上がイスラエルで文学賞の授賞式を行ったスピーチ。壁とそこにぶつかる卵があれば、村上は卵の立場をとると発言した。言うまでもなく、そこでは、壁(見えようと見えまいと)に囲まれ、あるいは圧迫されて暮らすパレスチナ人がいるし、その壁をつくっているのはユダヤ人だ。そうした世界の、エルサレムには嘆きの壁がある。そして、ユダヤ人のことをさかのぼれば、ユダヤ人を迫害してきたナチス時代のドイツがあり、戦後に(西)ベルリンは壁に囲まれた都市となった。

　という世界における不確かな壁、物理的な壁と見えない壁をめぐる話といえばいいのだろうか。

　ついでに、村上はアーシュラ・K・ル＝グウィンの「空飛び猫」シリーズの翻訳をしているが、村上にとっての影というのは、ゲド戦記の「影との戦い」の影響を受けているのではないかと思っている。というか、村上は第三の新人の作品もけっこう読んでいるので、遠藤周作の「スキャンダル」も読んでいるような気がする。でも、この作品では、これまでと異なり、影が肯定的に描かれている。

　40年前の中編を書き直したのが、第一部だ。ここでは主人公の「ぼく」は高校二年生で、他の高校に通う1学年下の恋人がいる。毎週、その恋人と過ごすのが大切な時間だったのだが、彼女の個人的なこと、家族のことなどはほとんど教えてもらえなかった。おそらく、あまり恵まれた家庭環境ではなかったのではないか。彼女は自分が本当の自分ではないという。自分は本当の自分の影だというのだ。そして、本当の自分は壁に囲まれた場所の図書館におり、「ぼく」はいずれその図書館に行き、本当の彼女と会うという。そうして、「ぼく」と彼女は、その図書館のある壁に囲まれた場所の地図をつくる。やがて、自分を影だという恋人はある日、行方が分からなくなり、連絡もとれなくなってしまう。

　「ぼく」は大学を卒業したあと、本の取次

の会社に就職し、その後、壁に囲まれた街に行くことになる。そこで自分の影を切り離されて、図書館に行き、本当の彼女と出会い、そして夢読みの仕事に就く。一方、切り離された影は、本体と切り離されたことが原因で死につつある。そうした中、影は「ぼく」に対して、壁の外に出ることをもちかける。「ぼく」と影は外に出られる場所にたどりつくが、「ぼく」は街に残る。

村上は比喩をものすごく大切にする作家だけれど、40年前に書かれたモチーフはその比喩が重すぎる。3作目の作品として考えたとき、前2作の軽さと比べると、無防備に自分の奥深くに潜り込んでしまったのではないか、とも思う。結局、この作品を封印し、店を閉めて、専業作家としての最初の小説「羊をめぐる冒険」を書く。さらに影は「ダンス、ダンス、ダンス」に受け継がれていく。

でも、村上が40年たって、書き直したときに、第一部だけで、これまでのおそらく2倍以上の言葉を費やしたと思うのだけれども、その結果として、自分の奥深くに潜り込んでしまったところから出ることはなかったし、言葉を費やした分だけ、退屈な作品にすらなってしまったのではないか。もっと言えば、高校生のエピソードだけで十分だったのではないか。それ以外は、「世界の終わりとハードボイルド・ワンダーランド」で書いたことではないか。

その結果、より、現在の村上らしいテイストの第二部が書かれるのは、必然だったと思う。

街から戻ってきた「ぼく」は、取次の会社を退職し、東北地方の山間部にある地方の図書館長に転職する。そこで、前館長や実務を担当する女性に導かれながら、業務をこなしていく。かつての恋人のかわりにはならないが、一緒に生活してもいいと思える女性にも出会う。そうした中、高校に進学せず、毎日のように図書館に来て、ひたすら本を読む、驚異的な記憶力を持つサヴァン症候群の少年に出会う。彼は「ぼく」の話を聞き、壁にかこまれた街に行き、夢読みの仕事をしたいという。それが自分にふさわしい仕事だという。

実は第二部の「ぼく」は、影であり、そのことが第三部で明らかにされる。第三部ではサヴァン症候群の高校生が壁にかこまれた街に行き、「ぼく」の代わりに夢読みをする。そして「ぼく」は元の世界に帰ることになる。

まあ、実際に帰ってみると、やっぱり図書館勤務が待っているのだけれども。

おそらく村上によると、現実世界は見えない壁に囲まれているし、それに押しつぶされそうになる。それはしばしば、目に見える壁になっていることもある。それは比喩の世界では、具体的な壁になっている。そうした世界であっても、導く人や助けてくれる人（あるいは羊男）がいて、どうにか、コースを走りきるように生きることができる。図書館では、時間を保存してくれており、それもまた人を助けてくれる。その一方で、人々には影がはりついており、それがしばしば人を飲み込もうとする。そして飲み込まれてしまう人もいる。この作品で描かれているのは、そういったことではないか。

ジョン・アーヴィングの代表作「ガープの世界」の原題は、日本語にすると「ガープによるとこの世界は」となるらしい。だとしたら、村上の作品はそれこそ「村上春樹によるとこの世界は」どうなっているのか、をずっと書き続けてきたのではないか。40年前に封印されていた作品は、それをあまりに直接的に書きすぎた結果、かえって何らかの小説の持つ豊かさが失われていたのではないか。では、40年後に書き直してどうなったのかといえば、やはり直接的なままだったとは思う。けれども、村上春樹によるとこの世界はどうなっているのか、その視野はクリアになったのかもしれない。でもそれは、小説としての豊かさを十分に獲得しているかといえば、そうでもない。それは、「世界の終わりとハードボイルド・ワンダーランド」には及ばない。進化したことといえば、唯一、影との和解が成立したといえるし、同時に壁はそこにずっと残ったままだ。

それはそうとして、ぼくの友人に、会社を定年退職したあと、図書館で勤務しているやつがいる。工学部出身の彼は、本好きでもあり、図書館勤務は楽しいという。たしかに、ちょっといいな、とは思う。もちろん、指定者管理制度のおかげで、公立図書館という職場の多くが、あまりいいものではなくなっているということも知っているのだけど。（M）

古今亭菊龍

呑べえ安兵衛

黒門亭、23年2月19日

★ひさしぶりに五人で落語を聴いた。上

野・黒門亭。落語協会の建物二階。昔の上野黒門町。畳敷きの座席で、定員四十人の小さな会場。千円で真打ち三人、二つ目と前座さんも聴け。高校時代よく通った。当時は毎週金土で、いまは土日興行だ。

人気の師匠がでれば満員になるが、そういうときはあまり行かない。黒門亭では、地味でもとってもいい落語家さんが、ネタ出しで出演してくれるから、そんなときを目当てに。

とはいえこのコロナ禍で。狭い会場だし、黒門亭も中止になったり十人限定・予約制だったりもしたけれど、ようやくそんな制約もとれ。行ってみたら自分ふくめて客数五人。

でもよかったなあ、国宝・柳家小三治門下の〆治師匠も大好きだし、金原亭馬の助師匠も明るくって。そして何より、『呑べえ安兵衛』ってどんな噺かも気になって。演るのはこれまたシブい、古今亭菊龍師匠というから、何年ぶりかで駆けつけた。

大のお酒好きのサムライ。知らぬとむらいに割り込んではタダ酒を呑み。その噂が広まると今度は、喧嘩の仲裁を料亭でして、呑むだけ呑んで先に帰ってしまう。

いいなあ。こういうひと、実にあこがれるのだ。コミュ障日原さんにはできないわざだ。こんないい噺を聴けたのが、たったの五人とは。もったいないなあと思いつつ、私もアルコールになりながら帰った。（日）

劇団うつり座
糸地獄
上野ストアハウス、23年5月11日〜14日

★「糸地獄」は1984年初演、岸田理生が岸田國士戯曲賞を受賞した作品。舞台は1939年の日本、亀戸のあたり。ここに紡績工場がたくさんあり、女工が過酷な労働を強いられていた場所でもある。また、プロレタリア演劇なら労働争議をテーマにしそうなものだけど、ここではそうではない。そして、亀戸のもう一つの顔は、玉ノ井と並ぶ、私娼街だったとも。この作品では、戸籍を持たない女性が集められ、昼は女工、夜は娼婦として働かされている。

花札のそれぞれの名前を持つ12人の女工がいるが、桜は自殺してしまい、そこに新たな桜の候補として女学生がやってくる。一方、女工の中に母親がいると考えた女性もまた、ここにやってくる。女工をとりまとめる糸屋の主人に女工が逃げないように警備をする4人の男たち。そこでは、女性は地獄で人形として生きている、ということが映し出されているのだろう。80年代のフェミニズム演劇だともいえる。

でも、フェミニズムが二周目をまわって複雑な状況になる中で、30年前の作品をそのまま演じてしまうことには、疑問がある。というか、形だけのフェミニズムではないと思うのだけれども、そこに届かないまま、この演目を選んでしまったような気がした。一度解体して、再構成するくらいでないと、伝わらないのではないか。

今回が劇団うつり座の第一回公演とのこと。演劇のワークショップに参加していたシニアの女性たちが立ち上げたとのことだけれども、正直なところ、ワークショップの発表会を超えるものではなかったとも思う。それは、この作品が劇団を立ち上げた役者にとって切実なものではなかったからではないか。そういったことも考えてしまった。（M）

今村昌弘
屍人荘の殺人
創元推理文庫

★関西にある神紅大学三回生の明智恭介は、単なるライトミステリしか読まず、親睦団体にすぎない同校のミステリ研究会に嫌気がさし、硬派のミステリ愛に満ちたミステリ「愛好会」を創設する。そして、学内の事件や依頼された事件を解決したことから「神紅のホームズ」と呼ばれている。この明智が、ミステリ「研究会」に入ろうとして躊躇している新入生の葉村譲を説得して、強引に自分のミステリ「愛好会」に入れ、従順なワトスンに仕立て上げる。

そんな、ある日、明智と葉村が話していると、二回生の美少女、剣崎比留子が映画研究部の夏合宿に一緒に同行して欲しいと声をかける。明智は、その部の去年の夏合宿に参加した女子学生が、後に謎の自殺をした等の情報を得ており、こうした事から渡りに船で、この夏合宿に三人で参加する。この比留子は横浜の名家の出身で、家名をはばかり報道統制がなされているが、警察も手を焼いた難事件の数々を解決した「探偵少女」である

ことを、かつて明智は警察から聞いたことがあった。こうした事で明智は、自分より警察の評価が高いらしい比留子の御手並み拝見というわけで、ライバル心もあっての参加だった。こうして名探偵と、素性を隠した男言葉で話す「探偵少女」に、ワトスン一人のトリオが出来あがる。

合宿先はS県の避暑地の娑可安《さべあ》湖近くにある、部のOBの父が所有する三階建ての豪華なペンション紫湛荘《しじんそう》である。合宿参加者は三人の他に、同大学の映画研究部と演劇部員で、他にOBのオーナーの息子の七宮に加え、七宮の友人二人、総勢女性六人、男性七人である。葉村は女性参加者が美人ぞろいなのに驚く。噂通りにOBの七宮たちは、一年以上前から現役の女子学生を物色していたらしい。

バーベキューパーティーのあと、恒例の肝試しとなり、葉村は比留子とペアになるが、その行程の最中、二人は何と、ゾンビの群れに遭遇する。そして、後続の仲間に急いで事情を伝えながら、ペンションに駆け戻る。明智は近くまで帰って来ていたが、仲間を助けるために手間取り、ゾンビに噛まれてしまう。そしてゾンビの群れの中へ……。他にも女性部員一人が行方不明のまま、女性五人、男性六人に加え管理人の総勢十二人でペンションに籠城となる。こうした状況の中で断続的に、一人、また一人と、密室などの不可能状況で、惨殺死体が発見されメンバーが減っていく……。ゾンビのいる世界で、あえて殺人を犯す理由とは何か？……しかも、トリックなどを使って、犯行の隠蔽を図る理由は何故か？……

鮎川哲也賞の受賞作である。つまり真骨頂の本格推理である。粗筋を読まれた方は安手のホラーやサスペンスを想像されるかも知れないが、最後まで読むと、この今村昌弘という作家が、十年に一人の本格ミステリの逸材であることを思い知る。犯罪計画が突如のゾンビ騒ぎで、外界から閉鎖された空間の「クローズド・サークル」となり、新規まき直しで、そこでの犯罪を描いたものだが、ゾンビ騒ぎが単なるケレンに終わらず、サスペンスのみならずトリックや謎の醸成に生かされているのは、まったく見事である。ゾンビがいる世界を描いた本格推理は著者が最初ではないが、アクシデントによる不条理な世界での畳み掛ける謎の設定、緻密に作られた世界観と伏線、そして巧緻なまでの圧倒的な謎解きまで、読者を飽きさせない。まさにこれは、あえてエリートとは言わないが、日本に五千人、あるいは上限一万人くらいしかいないと思われる、硬派の本格推理ファンのためのミステリである。にもかかわらず、この作品がベストセラーにになったのは、論理的説得力のある感情移入できる文章の力もさることながら、事件によって成長してゆく主人公二人の人間的魅力であろう。一般的に読み飛ばしになりがちになるミステリ読者の手を止めて考えさせる工夫が随所に見られ、凡百の美少女探偵と気弱な少年のツンデレ関係を持ち味とする作品とは、一線を画す魅力に満ちている。

新味と思われるのは、名探偵然とした名探偵が、犯行とは別に起きたゾンビ騒ぎの犠牲者になり、小説の三割地点で突然に消えることである。「明智」も「恭介」も乱歩と高木彬光の名探偵に由来し、日本の名探偵の代名詞とも言うべき名前である。そのため、これほどの荒技はミステリ史で、あまり見たことが無い。あるとすれば先駆的な傑作である山口雅也の「生ける屍の死」のほかに、ラヴクラフトと倉阪鬼一郎に、探偵や主人公が小説の途中で怪物やゾンビになってしまうものがあったが、記憶にあるのはそれだけである。きっと「トレント最後の事件」のように、この事件以前の明智と葉村コンビによるシリーズが書かれるに違いない。あるいは今後の作品で、明智は敵対組織のゾンビ探偵になって舞いもどって来るのであろうか？　映画の「バイオハザード」に従えば、そうした予想は、あながち外れでない気がする。

もう一つの新味はミステリ・ジャンルに対する自己言及である。葉村はヴァン・ダインや都筑道夫も知らないミステリ「研究会」に愛想を尽かし明智とコンビを組むが、これは一見《いちげん》の客ならぬ、マニアでない読者への立ち入り禁止のサインである。つまりミステリ初心者は覚悟せよというサインでもある。また容赦なしの惨殺には、「日常の謎」派やライトミステリに対する、批判でないにしても対抗意識を感じた。こうした、あからさまでない読者を意識したメタ構造が随所に見られる。また、粗筋では触れられなかったが、このゾンビを生み出したらしき秘密組織「斑目《まだらめ》機関」が背後にあり、比留子は、この組織の解明のために秘密裏に動いている事と、その組織の暗躍が仄《ほの》めかされていることも壮大な連作を予感させる魅力である。このゾンビ騒ぎは、山ひとつ向うのロック・コンサートの観客五千人を巻き添えにしたものの波及であったが、これを制圧した政府の公式見解は「集団感染テロ事件」だった。つまりテロには対抗しながら一方で、斑目機関とゾンビ化といった具体性を「集団感染」として隠蔽しようとする政府がいることが、最初から読者に明かされていることである。それほど巨大な謎を秘めた組織の陰謀の、本作品はプロローグに過ぎなかったわけである。これから何作も書かれて斑目機関の全貌が明らかになることに期待したい。最初は舐めてかかって脱帽させられた傑作である。（村）

今村昌弘
魔眼の匣の殺人
創元推理文庫

★葉村譲のワトスンと名探偵の剣崎比留子によるシリーズ第二作である。冒頭部に、比留子が秘密裏に探偵社に調査を依頼した調書の返事があるのは、前作と同様である。それによれば謎の斑目機関の研究施設は他にも、わかっただけで過去に関東に一つ、近畿に二つ、中国地方に一つあり、それぞれの施設でテーマの違う異様な研究が、なされていたらしい。その調書の中で一ヶ所フリーハンドで消された部分があり、抹消部分を二重括弧に入れて記すと、「貴殿はよほど斑目機関と縁があるようだ。それもこれも、貴殿の『持つ体質』否、本題に戻ろう。」――とあり、何か比留子に秘密にすべき特異体質があるようだ……。

　新生「ミステリ愛好会」会長の葉村と唯一の会員である比留子は、オカルト雑誌「月刊アトランティス」に「屍人荘の殺人」で体験したゾンビ騒ぎが、それ以前に予言されていたことを知る。そして、その謎を探るためW県の人里離れた山間にある実験施設「魔眼の匣」に向かう。なんと、そこでは過去に超能力実験がなされていたらしい。つまり今回は前作の「ゾンビがいる世界」に対して「超能力が存在する、ないしは、存在するかもしれない世界」として「合理的に」謎が解明されなければならない。

　目的の村に向かうバスの中で二人は、高校生らしき男女の片方の女生徒が、突然に色鉛筆で猛烈な勢いで絵を描くのを目撃する。そして、しばらくすると、バスが猪を轢き殺す。女生徒の描くのは、その惨状だった。目的の村近くで降りると、先程の高校生たちも行き先は同じらしい。少女は十色《といろ》と名乗り、付きまとっている後輩は茎沢という。四人で目的の好見地区に向かう途中で、バイクのガス欠のため村人を探す青年の王寺と出会い、近くの住人を探すが誰も出てこない。畑や家庭菜園は手入れがしてあり、突然に村から人がいなくなったように見える。

　するとそこへ、墓参りに来た好見地区の元住人という、二十代半ばのホステス風の女が現れる。その側に五十年配の男と、その子供らしい十歳くらいの男の子がいる。この親子は車のトラブルで立ち往生なのを彼女が助けたという。地区の者でないので不審がられるが、この地区の住人を探しに来たと伝えると、底無川を渡った向うに住む「サキミ様」なら居るはずだという。女は朱鷺野秋子と名前を告げ、親子は大学の社会学教授の獅々田と息子の純だと自己紹介する。この川向こうの地区は「真雁《まかり》」と言い、村人はサキミ様の住む施設を、地名にちなみ畏怖の念を込めて「魔眼の匣」と呼んでいるという。

　六人は朱鷺野に案内され、古びた木の橋を渡り真雁地区に入る。この真雁は平家の落人が開いた地区で、現在は村人がいない廃屋ばかりだが、後からサキミ様が来て、コンクリート造りの無機質の施設「魔眼の匣」が出来たという。その窓の少ない異様な建物に近づくと、サキミ様の御世話係で三十歳前後の神服《はっとり》という狐眼の美人が現れ、手に散弾銃を持っている。不審者と咎《とが》められたのかと思ったが、熊が出るのだという。神服に好見地区に人影が見えない理由を尋ねるが、それはサキミ様に会えばわかるという。

　「魔眼の匣」に入ると、そこには「月刊アトランティス」の編集者の臼井が先に来ていた。その正体を臼井が名乗る前に、比留子が推理力で的中させる。臼井によれば彼が来たのは、大阪の大火災や娑可安湖の集団感染テロ事件を「予言」していた読者投稿の情報源が、かつて超能力研究をしていた真雁の地を指し示すと考えたからだという。そして予言者サキミ様との会見となり、一同は「十一月最後の二日間に、真雁で男女が二人ずつ、四人死ぬ」という予言を告げられる。好見地区の村人がいないのは、それを恐れて村を留守にしているのだという。そして、その場にいない高校生の二人を探すと、十色は焼け落ちる橋の画を描き終えたところだった。そのすぐあとに、渡って来た木の橋が村人によって燃やされたことを知る。携帯電話も繋がらないクローズド・サークルに、来訪者八人とサキミ様と神服を加えた十人は、予言による恐怖の二日間を過ごすことになる……。

　予想を遥かに越えた大型新人の第二作である。この作品は今村昌弘における京極夏彦の「魍魎の匣」に相当するのだろう。登場人物それぞれに、のっぴきならない過去があり、それが収斂して、この犯罪の現場に集まってくる必然性が見事である。比留子の特異体質は、前作ですでに明かされているが、読んでの御愉しみである。こうしたトリッキーな本格推理では、殺されるためだけに登場する、言わば連続殺人を人数として派手にするための、水増しされた人物を感じる場合が多いのだが、本作では、そうした心配は無用である。殺害人数は、あらかじめ男女で予告され、緻密な精密機械のように犯行が成就する。読み終わればわかるが、男女二名ずつという予言設定を、よくも考え付いたものだと驚嘆する。

　比留子の推理は、必ずしも未来予知が存在することを前提としては考えない。絶えず、その状況が人間による作為で可能かどうかを検討しながら、推理を進めていく。悪意が無さそうな十色の予知能力についても、それが可能かどうかの判断は、一応、人為的に出来るものの、それを詐術として演じる動機がない事で、判断は保留にされている。つまり比留子の推理は、未来予知が存在する場合と作為である場合の、二つの推論を両方平行させて思考しているのである。そして、予言が確信に変わった時、人間がどんな思考でどんな作為をするかが、本作の肝《きも》である。多くのミステリで超常現象がおきた場合、その超常現象は真相解明で、完膚なきまでに白日の下にさらされてしまう。神秘感が、漂白された骸骨のように瓦礫の山になってしまうのだ。これを判断停止にしてブラックボックスとして扱うSFミステリやオカルト・ミステリの技法もあるが、本シリーズでは超常現象はグレーゾーンとして扱われ、それでいて神秘感はそのままに、本格推理としての興味は他を圧倒するばかりである。この様な趣向は、京極夏彦以外では、あまり目にしない超絶技巧である。それがリアル感を持ち不自然に見えないのは、ひとえに人物描写を含め、強固な世界観が描き切れているからに他ならない。そして真相解明の大団円の後で明かされる、もう一つの真相という二重底には、お見事と称賛を送りたい。地名の「真雁」は「真贋」から発想されていると推測されるが、こうした世界観を描き切れる作者は、久方ぶりの「本物」だろう。

　今回の事件の「W県」が近畿地方の和歌山県とするなら、冒頭の調書に従うと同様の斑目機関の施設が全国に、未発見は別にして、あと最低三つは残っていることになる。つまり、あと最低でも三作はシリーズが続くのである。前作でゾンビになったまま行方不明の明智探偵について、葉村が心配している場面があることから考えても、ゾンビ探偵は再び現れる気がしてならない。そうした意味も含めて今後の作品への期待は尽きないのである。（村）

山口雅也

生ける屍の死

創元推理文庫／改稿版＝光文社文庫

★ゾンビが日常化した世界の話である。ここでのゾンビは食欲を持たないので、生きている人間を齧って仲間を増やしはしない。あくまでも人間が死ぬとゾンビになって甦る確率が高いだけで、生前と同じように生活している。ただ、そのゾンビも体全体が腐敗し溶解しきると第二の死を迎える。つまり、この世界のゾンビは知性があり人間に危害を加えない。生前資産のあるゾンビは、防腐処理その他の方法で、自力で第二の死までの時間を延ばそうとする。ただしゾンビは顔色が悪く、事故などによる体の破損が激しい場合は、厚化粧や鬘《かつら》などで誤魔化して生者の世界に溶け込もうとする。危害は加えられなくても「死」そのものが忌避されるため、生者との関係性を緩和するためである。そのため心臓麻痺や脳卒中などの突然死は、その死からゾンビとしての復活までの時間に、目撃者がおらず、その死が確認されない場合は、ゾンビ本人は別として、それ以外の人々は誰も気づかない。ベッドの上の夜間の突然死のような場合である。足腰の不自由な老人などは、ゾンビになって、かえって元気になる。しかも自己申告が無ければ、誰もゾンビであることに気づかない。この小説が描くのは、そんな世界の「本格ミステリ」である。しかも登場人物の、ほぼ総てがアメリカ人である。なお、こうしたゾンビ観に現在の若年層は違和感を覚えるかもしれないが、吸血鬼の要素を加えたロメロ監督のゾンビ映画が六十年代の末に出現する以前の、西インド諸島のハイチのブードゥー教のゾンビは、おおむね、こうしたゾンビであったから、六十歳代以上の人々には懐かしいタイプのゾンビかも知れない。

　本作の主人公は気弱な性格を隠したパンクロッカーのフランシス、通称グリンと、その相棒の猫顔のサーガ、通称チェシャである。グリンが読書中、木の上からチェシャがダイエット・コーラを引っ掛け、揶揄《からか》って以来の親友である。「チェシャ」でわかるように、この小説はルイス・キャロルの二つのアリスを踏まえている。グリンが途中で毒殺（?）されゾンビ探偵になるように、これは著者の「不思議の国のゾンビ」なのかもしれない。

グリンはニューイングランドの田舎町マーブルタウンにある葬儀会社、スマイル霊園の支配人スマイリー・バーリイコーンの孫である。父母は暴走族との交通事故によって亡くなり、母が日本人のため母方の祖母によって東京で育てられ、こうした理由でバーリイコーン家とは疎遠であり、その祖母もハイティーンの頃に亡くなたことから、グリンは死と直面する不安を紛らわせるためロンドンに渡りパンク族になった。しかし、それでは死の恐怖から逃れられず、再び死を正面から考えるために、将来葬儀屋を志望する人の講座があるボストン葬儀科学大学に入学する。アメリカでは葬儀屋の地位が医師と同様に高く、他国に見られない葬儀産業発展の歴史があり、死体の防腐処理や死化粧する技術であるエンバーミングも国家資格の立派な免許だった。そんな学生生活を送っていたグリンは、ある日、まだ会ったことのない、死期の迫った祖父のスマイリーから遺言状披露のため、スマイル霊園に呼び寄せられる。

なおグリンの父（スティーヴン）は末子の三男のため、屋敷には二人の伯父（長兄ジョン、次兄ウイリアム）と一人の伯母（ジェシカ）の他に、スマイリーの後妻（モニカ）と、その息子である叔父のジェイムズがいる。このジェイムズには双生児の兄弟ジェイスンがいたが、二十年前の連続女子高生殺人事件の容疑者とされたまま失踪し、謎の死を遂げている。他にもウイリアムの妻ヘレンとジェシカの夫フレデリック、そしてジョンの愛人のイザベラが、この屋敷に集められている。またスマイリーと後妻のモニカとの仲は円満だが、ジェイムズ以外の腹違いの兄弟たちの母のローラの死が、スマイリーによるモニカとの浮気に対しての自殺のため、父のスマイリーも後妻のモニカも息子や娘たちに、内心は憎まれている。

チェシャはスマイリーの長男ジョンの愛人イザベラの連れ子であり、こうした事で屋敷では丁重に扱われているが、グリンと同様によそ者扱いである。こうした理由で二人は近づき、墓地と財政で街を支えるスマイル霊園のバーリイコーン一族の連続殺人と、その後の連続、死者の復活事件に立会い、事件の謎を解くことになる……。

アメリカ現代文化に対するサブカルチャーを含めた恐るべき該博な知識と、ミステリおよび映画と音楽に対する造詣を感じさせる本作は、一九八九年に書き下ろし長編探偵小説叢書「鮎川哲也と十三の謎」の一冊として発刊され、ミステリ界を驚愕させた山口雅也の超大作でありデビュー作である。このような猥雑にして重厚で衒学的かつ哲学的なミステリは、ジョイス・ポーターやドロシー・セイヤーズのような海外の女性本格ミステリ作家の作品にはあるかも知れないが、日本では、かつて無かったものだった。この小説の持つブラック・ユーモアにしても、「ブラック・ユーモア」としてカテゴライズすることが憚《はばか》られるような複雑な構造を持ち、同様に「パロディー」という批評も同じく、浅薄の誹《そし》りを受けるであろう。

日本での先行作品で言うなら、本書と同様にグルーチョ・マルクスのマルクス兄弟による喜劇を、その作品のユーモアの下敷きにした横溝の「びっくり箱殺人事件」と、それとは別だが日活で「やばい事なら銭になる」として映画化もされた、都筑道夫の「紙の罠」と「悪意銀行」のシリーズに、かろうじて、このようなミステリ・ジャンルをメタレベルに異化したことで生じるユーモアを感じさせるものがあったが、遥かに、それらの作を凌駕するものである。またゾンビ探偵という趣向は、過去にラブクラフトの作品と、創作年代は前後するが、倉阪鬼一郎に同様な作品があり、カリンフォード作品「死後」に、被害者が幽霊になり、加害者を目撃していないため探偵になる「幽霊探偵」という趣向があったが、それらの「探偵が異世界のアチラ側に行ってしまう」系譜につながるものである。

本作での謎は、ゾンビとして被害者が復活する世界で、トリックを弄して人を殺す意味があるか？――であり、意味があるとすれば、その方法と動機は何か？――である。こうした中で、グリンは毒死しゾンビとして復活するが、その事をまわりに悟られないように厚化粧し、謎を解こうとする。普段からパンク青年のため、厚化粧すればゾンビであることを悟られないという、ゾンビを半分「見えない人」にした設定は面白い。ゾンビ自身でないと、この事件の謎は解けないのである。まず最初に家長のスマイリーが自殺と思われる謎の死を遂げ、その葬儀の準備中、長男のジョンが霊安室で刺殺され、最後に末弟のジェイムズが後頭部を割られて殺される。このうちスマイリー

サイトで内容のサンプルを
ご覧いただけます。
www.a-third.com

TH ART Series
好評発売中!!

発行=アトリエサード 発売=書苑新社

天衣無縫なガーリーアート!
渋谷PARCOなどでの個展や音楽等、
多彩な活動を続けている真珠子の
20年の軌跡を凝縮した記念作品集!

真珠子　作品集
「真珠子メモリアル～"娘"を育んだ20年」
B5判・カヴァー装・128頁・定価3200円(税別)

エアリエル、ゴブリン、ドワーフ、ニンフ……
約100の妖精の特徴・成り立ちを解説。
多くの画家のカラー図版を添えた
イマジネーションの宝庫!

井村君江
「Fairy handbook～妖精ヴィジュアル小辞典」
A5判・並製・112頁・定価1800円(税別)

サロメの魅力を、ビアズリーの挿画、
ワイルドとビアズリーの運命、
サロメを描いた絵画の変遷、
オマージュ作品などを通して俯瞰!

「サロメ幻想
～ワイルド、ビアズリーから現代作家まで」
A5判・並製・112頁・定価1800円(税別)

物語作家 最合のぼると、
画家 深瀬優子が贈る、「赤ずきん」
「ピーター・パン」など、おなじみの
童話を元にした暗黒のメルヘン!!

深瀬優子(絵)最合のぼる(文・写真)
「柔らかなビー玉～暗黒メルヘン絵本シリーズ5」
B5判・カヴァー装・64頁・定価2255円(税別)

「Dolls～瞳の奥の静かな微笑み」に続く
田中流が写した魅惑の人形写真集!
可愛いものから前衛的なものまで
23人の作家の多彩な人形作品を掲載!

田中流 球体関節人形写真集
「DOLLS II ～瞳に映る永遠の記憶」
A5判・カヴァー装・96頁・定価2500円(税別)

かつて祖父がハルピンで開いたキャバレー。
時代の束の間の栄華と、刹那的な享楽。
球体関節人形と人形オブジェで、
歴史の陰翳を描き出した幻影の劇場!

清水真理 人形作品集
「VITA NOVA～革命の天使」
B5判・ハードカヴァー・64頁・定価2700円(税別)

好評発売中!! 書店店頭で見つからない場合は、書店にご注文下さい(通信販売やインターネット書店もご利用下さい)。

とジョンは、あとでゾンビとして復活するが、明白な他殺であるジョンの死は、加害者を目撃していないため謎のままである。

グリンに限らず捜査するマーブルタウン署のトレイシー警部も、何度も推理を組み立て、チェシャも「山勘」で推理し、スマイル霊園の顧問である死学博士のハースも衒学的推理を披露する。その他にも多くの従業員や屋敷の使用人たちが、それぞれ根拠のない無責任で勝手な推理を述べるので、小説全体が推理合戦の様相を呈している。この猥雑にしてゴージャスな謎が、最後には女子高生連続殺人を含めて「合理的に」解き明かされる本格推理として、本作は非常に優れた傑作である。かつて「穢れ」であった葬儀業が、アメリカの葬儀儀礼の重視によって社会的地位を得、また市の財政基盤であることからも大企業として発達した、華麗なる財閥一族の事件である。普通なら陰気な世界の暗い話になるはずが、ゾンビ騒ぎの力にもよるが、死のカーニヴァルのような馬鹿陽気な気分によって満たされている。厳粛であるべき「死」が、瞬殺的なブラックなギャグとしてではなく、物語全体で「茶化されている」のである。こうした作者の「ゆるやかな悪意」が非常に面白い。読者はセンテンスの短い作者の文体と、主人公二人が運転するピンクでリムジンの霊柩車に乗せられ、無類の疾走感を味わって欲しい。(村)

bug-depayse
レトロスペクティブ

23年5月6日、Art×Jazz M's

★宗方勝は差別・権力・暴力といった問題系と立ち上げ当初から取り組む演出家である。視覚芸術、メディア芸術、上演芸術の枠を越えて作品や理論に取り組む、一連のテーマのクラスターに立つ演出家である。日本化したり、権威になることなく、時代の証言者として制作を重ねていく才能ともいえる。かなりのダンサーやパフォーマーがこのグループを経ている。

バリバリのアーティストたちと若者たちの向こうに京大吉田寮にあったWeekend Cafeやヘーゼルナッツスペース(だめ連の前身)に近い空気を感じる。

宗方と対照的ともいえるモレキュラーシアターの豊島重之の最後はあらゆる意味で刹那的で悲惨だった。豊島は作業療法と芸術で知られた青南病院の医師であり演出家だった。カフカ・コロックというイベントで青森にフェリックス・ガタリを招聘し交流したことがその作品の1つのコアだった。演出理論はガタリのカオスモスなどに多く依拠している。

晩年はインテリばかりの関係者で周囲をかため、舞台が終わると2次会・3次会と終わることがなく真夜中まで関係者を接待し続けた。その面々は彼らの作品を長く見ているものはいなく、演劇・ダンス業界ではない写真関係者や著述家などが多かったが、左翼演劇にありがちな終演後のカンファレンスや〝過剰接待〟で参加者の見方を変えてしまうという風聞が当時からたっていた。私はその場に接して黄信号を感じた為、豊島からの誘いの半分ぐらいしか応えず去った。豊島の作品を愛好するグループではなく接待を楽しみにきているインテリもいる印象も受けた。

豊島は確かにエスタブリッシュメントされていた。しかし、そんな彼の最晩年の末路は悲惨そのもので迷走していた。ダンス表現としても彼らの立ち位置は青森の現代舞踊の祖である豊島和子がいたため、コンテンポラリーというよりは新保守であるところもあった。これは視覚芸術においてもその空気があるのではないかと豊島弘尚の展覧会にもアンテナを張っていた。

山野博大は「説明をしないとわからない作品はそれだけのものでしかない」と語っていたし、その全貌が誰も分からないということも大きな問題だった。

豊島そのものが反差別や反権力を提唱しながらも、インテリたちの取り巻きと彼らとの政治に腐心し、生き方は逆に差別的で権力的になっていたと考えても良い。私は最晩年の豊島と接触しながら、自ら離れていき、決して褒めるだけではないのはこんな背景もある。

最晩年は、迷走した劇団の最後を思い返しながら、豊島にbug-depayseやOM-2の持っていたコミュニティ形成・ノードとしての要素があったら事態は変わったのではないかと痛感した時間でもあった。また広く芸術関係者にとっては反権威、反権力、反差別は重要で「日本」に取り込まれない事が重要なのである。山野博大は若き日に日本誕生に立ちあうも、「日本」と一体化した江口博の背中をみたことが仇になり「一度目は悲劇(江口博)、二度目は喜劇」のようになってしまった。同じようなことは舞踏の先速、例えば「日本化」していった舞踏や、舞踊に限らずメディア芸術における文化庁メディア芸術祭などにも見いだせまいか。

震災前以上に規模が小さくなった舞踊界の権威様になることは特に危険信号なのである。新しい時代の為に狭い世界に篭らず歩いていこう。(吉)

サイトで内容のサンプルを
ご覧いただけます。
www.a-third.com

TH ART Series
好評発売中!!

発行＝アトリエサード 発売＝書苑新社

「同じ夢」に続く、待望の椎木かなえ画集!
音、夢、空、部屋、人間と、5章に分けて
椎木ならではの、奇妙でシュールで、
だけどどこかユーモラスな世界を凝縮!

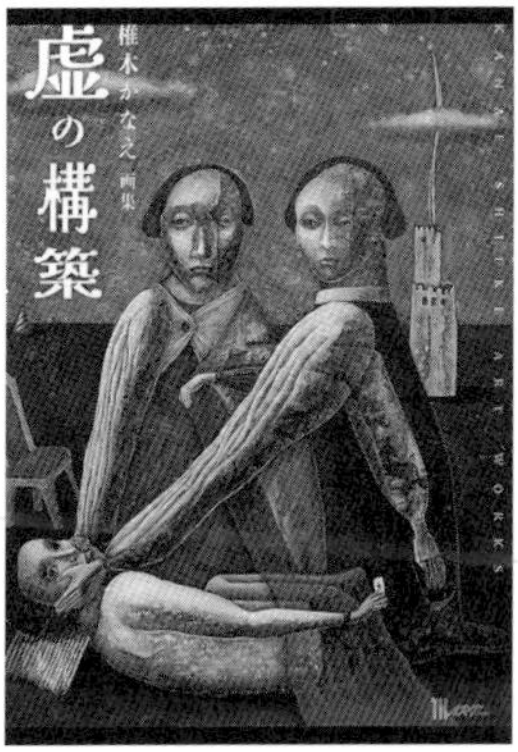

椎木かなえ 画集
「虚の構築」
A5判・ハードカヴァー・64頁・定価2700円(税別)

赤川次郎、恩田陸、中島らも、津原泰水…
あのワクワクは、この絵とともにあった。
40年間に手がけた装幀画から、
約400点を収録した決定版画集!

北見隆 装幀画集
「書物の幻影」
B5判・ハードカヴァー・96頁・定価3200円(税別)

村田兼一の原点、禁断の手彩色写真集!
エロスとタナトスが交錯する
13の秘密の夜。自身が見た夢などを
添えた濃密な魔術的世界。

村田兼一 写真集
「宵待姫 十三夜」
B5判・ハードカヴァー・96頁・定価3200円(税別)

日本画の手法により、現代に生きる
少女の心性を、寓意によって描き出してきた
イヂチアキコ。画集『イルシオン』以降の
作品を集約した一冊!

イヂチアキコ画集
「Dignity」
A4判・並製・48頁・定価1500円(税別)

8人8様の美の姿。
美しさ、艶やかさ、妖しさ……
それぞれのスタイルで探究された
現代美人画の数々。久下じゅんこ他。

「楽園の美女たち
Paradise Garden〜現代美人画集」
A4判・カヴァー装・80頁・定価2200円(税別)

抒情とノスタルジー漂う
レトロなパリと、昭和の残像——。
リアルかつ精緻につくり上げられた
驚きのミニチュア作品の写真集!

芳賀一洋 作品集
「錠前屋のルネはレジスタンスの仲間」
A5判・並製・224頁・定価2222円(税別)

好評発売中!! 書店店頭で見つからない場合は、書店にご注文下さい(通信販売やインターネット書店もご利用下さい)。

◎写真集

珠かな子 写真集「肌に降る七星」
978-4-88375-446-5／B5判・80頁・カバー装・税別2500円
●「日差しを浴びてその肌は、小さな星屑がスパークするかのようにきらめいていた」――珠かな子が、七菜乃の原初の力と「蜜」を写す！

珠かな子 写真集「いまは、まだ見えない彗星」
978-4-88375-371-0／B5判・64頁・ハードカバー・税別2700円
●私にとってセルフポートレートは、〝可愛さと強さの脅迫〟だ。女の子は強くなれる、そう願っている――珠かな子、待望の写真集！

村田兼一 写真集「宵待姫 十三夜」
978-4-88375-469-4／B5判・96頁・ハードカバー・税別3200円
●村田兼一の原点、禁断の手彩色写真集！ エロスとタナトスが交錯する13の秘密の夜。自身が見た夢などを添えた濃密な魔術的世界。

村田兼一 写真集「女神の棲家」
978-4-88375-416-8／B5判・96頁・ハードカバー・税別3200円
●古の女神を現代の少女に重ね合わる――魔術的なエロスやタナトスと、御伽のような叙情性が混交する村田兼一写真集、第7弾！

村田兼一 写真集「月の魔法」
978-4-88375-354-3／B5判・96頁・ハードカバー・税別3200円
●禁忌を解く魔法――月乃ルナをモデルに生み出された、マジカルで濃密なエロスに満ちたおとぎの世界。

トレヴァー・ブラウン×七菜乃「トレコス」
978-4-88375-298-0／B5判変型・80頁・ハードカバー・税別2750円
●トレヴァー描く、かわいくてシニカルな少女に七菜乃が扮した〝トレコス〟全作品！ トレヴァーの原画はもちろん、メイキング写真も収録！

美島菊名 写真作品集「HOPE」
978-4-88375-308-6／B5判・64頁・ハードカバー・税別2750円
●少女よ あなたは 世界を変える――少女の無垢と欲望を、インパクトあるヴィジュアルで表現してきた美島菊名、初の写真作品集！

谷敦志 写真集「D. P Collage Series」
978-4-88375-283-6／A4判・64頁・ハードカバー・税別3800円
●妖しく溶け合う、肉体とオブジェ。異型の写真家・谷敦志が、女体のコラージュによって生み出した極北の美の世界。A4サイズの豪華版！

谷敦志 写真集「Flowers and Nudes」
978-4-88375-284-3／A4判・64頁・ハードカバー・税別3800円
●透き通るような静けさをまとう、ヌードと花。進化し続ける孤高のアーティストの「今」が詰まった、最新写真集！ A4サイズの豪華版！

谷敦志 写真集「アンビバレンス」
978-4-88375-148-8／A5判・64頁・ハードカバー・税別2800円
●ダークでカオティック、フェティッシュでアヴァンギャルド、そして最高にスタイリッシュ！ 異型の写真家の処女写真集！！

堀江ケニー 写真集「恍惚の果てへ」
978-4-88375-139-6／A5判変型・96頁・カバー装・税別2200円
●澄んだ空気感の中で恍惚の果てへ導かれる―湖や廃墟で撮った、堀江ケニーならではの幻影的作品を集めた待望の写真集！

◎幻想系・少女系

たま 画集「Deep Memories～少女主義的水彩画集VII」
978-4-88375-451-9／B5判・64頁・ハードカバー・税別2700円
●深く落ちた記憶の欠片、透明な絵の具で彩って、5つに束ねて留めました。記憶の底にある、可愛らしくも不気味な楽園にようこそ！

高田美苗 作品集「箱庭のアリス」
978-4-88375-393-2／B5判・64頁・ハードカバー・税別2700円
●混合技法によるタブローから銅版画まで、少女をモチーフとした夢幻世界を描き続ける高田美苗の軌跡を集約した、待望の作品集！

◎小説・コミック・評論・エッセイ

◎ナイトランド・クォータリー（ホラー＆ダーク・ファンタジー）

ナイトランド・クォータリー vol.32 未知なる領域へ～テラ・インコグニタ
978-4-88375-495-3／ A5判・176頁・並製・税別1800円

ナイトランド・クォータリー vol.31 往方の王、永遠の王～アーサー・ペンドラゴン
978-4-88375-487-8／A5判・224頁・並製・税別2000円

〈増刊〉妖精が現れる！～コティングリー事件から現代の妖精物語へ
978-4-88375-445-8／A5判・200頁・並製・税別1800円

◎TH Series ADVANCED（評論・エッセイ）

樋口ヒロユキ「恐怖の美学～なぜ人はゾクゾクしたいのか」
978-4-88375-482-3／320頁・税別2500円

フロリス・ドラットル「フェアリーたちはいかに生まれ愛されたか～イギリス妖精信仰――その誕生から「夏の夜の夢」へ」
978-4-88375-474-8／320頁・税別2500円

◎TH Literature Series

伊野隆之「ザイオン・イン・ジ・オクトモーフ～イシュタルの虜囚、ネルガルの罠」
978-4-88375-501-1／四六判・224頁・カバー装・税別2300円

健部伸明「メイルドメイデン～A gift from Satan」
978-4-88375-498-4／四六判・256頁・カバー装・税別2250円

壱岐津礼「かくも親しき死よ～天鳥舟奇譚」
978-4-88375-491-5／四六判・192頁・カバー装・税別2100円

篠田真由美「レディ・ヴィクトリア完全版1～セイレーンは翼を連ねて飛ぶ」
978-4-88375-485-4／四六判・352頁・カバー装・税別2500円

橋本純「妖幽夢幻～河鍋暁斎 妖霊日誌」
978-4-88375-477-9／四六判・320頁・カバー装・税別2500円

M・ジョン・ハリスン「ヴィリコニウム～パステル都市の物語」
978-4-88375-460-1／320頁・税別2500円

ケン・リュウ他「再着装（リスリーヴ）の記憶～〈エクリプス・フェイズ〉アンソロジー」
978-4-88375-450-2／384頁・税別2700円

SWERY（末弘秀孝）「ディア・アンビバレンス～口髭と〈魔女〉と呆れられた遺体」
978-4-88375-454-0／416頁・税別2500円

図子慧「愛は、こぼれるqの音色」
978-4-88375-345-1／四六判・256頁・カバー装・税別2200円

◎ナイトランド叢書（TH Literature Series）いずれも四六判

アーサー・コナン・ドイル「妖精の到来～コティングリー村の事件」
井村君江訳／978-4-88375-440-3／192頁・税別2000円

キム・ニューマン「《ドラキュラ紀元》われはドラキュラ―ジョニー・アルカード」
鍛治靖子訳／上巻384頁・税別2500円／下巻432頁・税別2700円

キム・ニューマン「《ドラキュラ紀元一九五九》ドラキュラのチャチャチャ」
鍛治靖子訳／978-4-88375-432-8／576頁・税別3600円

キム・ニューマン「《ドラキュラ紀元一九一八》鮮血の撃墜王」
鍛治靖子訳／978-4-88375-327-7／672頁・税別3700円

キム・ニューマン「ドラキュラ紀元一八八八」
鍛治靖子訳／978-4-88375-311-6／576頁・税別3600円

クラーク・アシュトン・スミス「魔術師の帝国《3 アヴェロワーニュ篇》」
安田均他訳／978-4-88375-409-0／320頁・税別2400円

クラーク・アシュトン・スミス「魔術師の帝国《2 ハイパーボリア篇》」
安田均他訳／978-4-88375-256-0／272頁・税別2300円

E&H・ヘロン「フラックスマン・ロウの心霊探究」
三浦玲子訳／978-4-88375-361-1／272頁・税別2300円

E・H・ヴィシャック「メドゥーサ」
安原和見訳／978-4-88375-339-0／272頁・税別2300円

M・P・シール「紫の雲」
南條竹則訳／978-4-88375-336-9／320頁・税別2400円

◎TH Art series

◎PICK UP ★2023年1月以降の新刊は、p.149参照

真珠子作品集「真珠子メモリアル～〝娘〟を育んだ20年」
978-4-88375-483-0／B5判・128頁・ハードカバー・税別3200円
●天衣無縫なガーリーアート！ 渋谷PARCOなどでの個展等、多彩な活動を続けている真珠子の20年の軌跡を凝縮した記念作品集！

椎木かなえ 画集「虚の構築」
978-4-88375-475-5／A5判・64頁・ハードカバー・税別2700円
●無意識を彷徨い、構築する――形容し難い不可思議さ。シュールだけどユーモラス。椎木かなえが闇の中から構築した〝虚〟の世界！

イヂチアキコ 画集「Dignity」
978-4-88375-462-5／A4判・48頁・並製・税別1500円
●日本画の手法により、現代に生きる少女の心性を寓意によって描き出してきたイヂチアキコ。画集『イルシオン』以降の作品を集約！

「楽園の美女たち Paradise Garden～現代美人画集」
978-4-88375-463-2／A4判・80頁・カバー装・税別2200円
●美しさ、艶やかさ、妖しさ…それぞれのスタイルで探究された現代美人画の数々。久下じゅんこ、樋口ひろ子、九鬼匡規など8作家収録！

「甲秀樹 人体デッサン 男性ポーズ集 ディープシーン」
978-4-88375-455-7／B5判・160頁・ハードカバー・税別2700円
●ソロ、回転アングル、フェティッシュ、絡みなど裸体ポーズ写真を約500点収録。こんなディープシーンを描きたかった！ 絵描きのバイブル！

ウォルター・デ・ラ・メア「ダン・アダン・デリー～妖精たちの輪舞曲」
978-4-88375-443-4／A5判変形・224頁・カバー装・税別2000円
●デ・ラ・メアの幻想味豊かな詩に、ラスロップが愛らしく想像力豊かな挿画を添えた、読者を夢幻の世界へいざなう、夢見る大人の絵本！

北見隆 装幀画集「書物の幻影」
978-4-88375-398-7／B5判・96頁・ハードカバー・税別3200円
●赤川次郎、恩田陸、中島らも、津原泰水…あのワクワクは、この絵とともにあった！ 40年の装幀画業から、約400点を収録した決定版画集！

北見隆 作品集「本の国のアリス～存在しない書物を求めて」
978-4-88375-223-5／A5判・64頁・ハードカバー・税別2750円
●本そのものが、「アリス」の物語の、愉快な舞台〈ワンダーランド〉に！ 本の形をした"ブックアート"を中心に、不思議な物語に満ちた作品集!!

深瀬優子(絵) 最合のぼる(文・写真・構成)
「柔らかなビー玉～暗黒メルヘン絵本シリーズ5」
978-4-88375-470-0／B5判・64頁・カバー装・税別2255円
●「赤ずきん」「ピーター・パン」「星のひとみ」など、おなじみの童話を元に生み出された、可愛らしくもダークなヴィジュアル物語！

須川まきこ(絵) 最合のぼる(文・写真・構成)
「甘い部屋～暗黒メルヘン絵本シリーズ4」
978-4-88375-457-1／B5判・64頁・カバー装・税別2255円
●「一寸法師」「鶴の恩返し」など、おなじみの童話を元に生み出された、須川まきこと、最合のぼるによるヴィジュアル物語！

鳥居椿(絵) 最合のぼる(文・写真・構成)
「青いドレスの女～暗黒メルヘン絵本シリーズ3」
978-4-88375-427-4／B5判・64頁・カバー装・税別2255円
●こんな美しい悪夢なら毎晩でも見たい――深澤翠／不穏な空気感で少女を描く鳥居椿と、最合のぼるによるヴィジュアル物語！

eat「DARK ALICE-Heart Disease-(ハート・ディジーズ)」
978-4-88375-438-0／A5判・224頁・カバー装・税別1295円
●摩訶不思議な世界で、奇妙な境遇を生きる者たちのトラウマティック・メルヘン!! 描き下ろし・ホワイト誕生の秘話も収録!!

小川貴一郎 作品集「監禁芸術 confinement art」
978-4-88375-419-9／A5判・128頁・カバー装・税別2500円
●1日目、イヴ・サンローランに蟻を描いた。COVID-19の流行で渡仏が延期になり、緊急事態宣言発令中、家にこもって制作し続けた芸術の記録。

◎人形・オブジェ作品集

田中流 球体関節人形写真集「Dolls Ⅱ～瞳に映る永遠の記憶」
978-4-88375-480-9／A5判・96頁・カバー装・税別2500円
●「Dolls～瞳の奥の静かな微笑み」に続く人形写真集。可愛いものから個性的なものまで、23人の作家の多彩な人形作品を掲載！

田中流 写真集「Dolls～瞳の奥の静かな微笑み」
978-4-88375-373-4／A5判・96頁・カバー装・税別2300円
●数多くの人形に接してきた写真家・田中流が、28人の人形作家の作品を撮影し、現代の創作人形の潮流をも浮き彫りにした写真集！

「Dolls in labyrinth～田中流・人形写真館」
978-4-88375-449-6／A5判・112頁・並製・税別1636円
●球体関節人形たちの夢の迷宮。可愛らしかったり妖しげだったり…田中流が、12人の人形作家の作品の魅力を写し出した写真集。

清水真理 人形作品集「VITA NOVA～革命の天使」
978-4-88375-464-9／B5判・64頁・ハードカバー・税別2700円
●ハルピンの束の間の栄華と、刹那的な享楽。球体関節人形と人形オブジェで、歴史の陰翳の中に生きた者たちを描き出した幻影の劇場！

清水真理 人形作品集「Wonderland」
978-4-88375-364-2／B5判・64頁・ハードカバー・税別2750円
●肉体と霊魂、光と闇、聖と俗…それらの狭間で息づく、人形たちのワンダーランド。多彩な活躍を続ける清水の近年の作品の魅力を凝縮！

神宮字光 人形作品集「Cocon」
978-4-88375-378-9／A5判・64頁・ハードカバー・税別2700円
●ビスクなどで作られた愛おしい人形達がさまざまなシチュエーションの中で遊ぶ、かわいくも、ときにシュールでミラクルな世界！

ホシノリコ 作品集「蒼燈のばら」
978-4-88375-326-0／B5判・64頁・ハードカバー・税別2750円
●艶かしく息づく球体関節人形、幻想的な物語奏でるオブジェ。ホシノの10年の歩みをまとめた待望の作品集！ 写真＝吉田良、田中流

森馨 人形作品集「Ghost marriage～冥婚～」
978-4-88375-236-2／B5判・64頁・ハードカバー・税別2750円
●妖しい美しさと、哀しいエロスを湛えた、森馨の球体関節人形。その蠱惑的な肢体を写真家・吉成行夫が撮影した、闇の色香ただよう写真集！

林美登利 人形作品集「Night Comers～夜の子供たち」
978-4-88375-288-1／A5判・96頁・ハードカバー・税別2750円
●異形の子供たちは、夜をさまよう――「Dream Child」に続く、人形・林美登利、写真・田中流、小説・石神茉莉のコラボ、第2弾！

与偶 人形作品集「フルケロイド FULLKELOID DOLLS」
978-4-88375-265-2／A5判・68頁・ハードカバー・税別2750円
●園子温推薦！ 多くの人の心に突き刺さっている、凄みのある作品たち。20年の作家生活をここに総括。横4倍になる綴じ込み2枚付！

木村龍 作品集「光速ノスタルジア」
978-4-88375-245-4／B5判・96頁・ハードカバー・税別3500円
●ボックスアートから彫像的作品、球体関節人形、絵画などまで、妖美で奇矯、かつ純真な世界を濃密に凝縮した、待望の初作品集!！

芳賀一洋 作品集「錠前屋のルネはレジスタンスの仲間」
978-4-88375-331-4／A5判・224頁・並製・税別2222円
●パリの街並みや日本の昭和的風景などを精巧なミニチュアで再現した驚異の作品群。その40作以上を郷愁あふれる写真に収めた作品集。

No.87 はだかモード〜はだける、素になる文化論

A5判・208頁・並装・1389円（税別）・ISBN978-4-88375-444-1

●タブー視されてきた「はだか」、そして「はだけること」をめぐる文化の諸相。珠かな子、七菜乃、彫師・SHIGEインタビュー、人はなぜ裸という無垢を捨てたか、黒田清輝と裸体画論争、偏愛のヌーディズム、絵本『すっぽんぽんのすけ』、映画におけるヌード表現史、バタイユとクロソウスキー、銭湯・温泉主義者たちの裸のユートピア他

No.86 不死者たちの憂鬱

A5判・224頁・並装・1389円（税別）・ISBN978-4-88375-439-7

●不死は幸福か？苦しみか？――『ポーの一族』、ヴァンパイアと浦島太郎、『ガリヴァー旅行記』、『火の鳥』からヒーラ細胞へ、クレア・ノースの孤独、ドリアン・グレイ、韓国SF、不老不死になれる（かもしれない）秘薬・霊薬・仙薬、荒川修作、不老不死を生きる童話世界の住民たち、サザエさんシステム、不死の怪物プルガサリ ほか

No.85 目と眼差しのオブセッション

A5判・208頁・並装・1389円（税別）・ISBN978-4-88375-433-5

●窃視、邪視から千里眼、眼球まで、オブセッションの数々！ 図版構成/泥方陽菜・神宮字光・下田ひかり、邪視にまつわる民俗史、眼球考〜ルドンの絵から、映画から考えた覗き見の功罪、「屋根裏の散歩者」の愉悦、法医学オプトグラフィー、千里眼事件、『ジャガーの眼』を通して唐十郎が寺山修司に捧げたもの、panpanyaが「見る」世界 ほか

No.84 悪の方程式〜善を疑え!!

A5判・224頁・並装・1389円（税別）・ISBN978-4-88375-421-2

●「悪」を意識することは、この世の「善」に対して疑いを差し挟むことだ――ダークナイト・トリロジーにみる悪の本質、〈アート〉と〈革命〉は常に悪である〜テロ的アートの系譜、「黒い幽霊団（ブラック・ゴースト）」には悪意がない、警官を蹴るチャップリン、悪いヤツはだいたいイケメン〜少女漫画におけるモラルとエロス、娼婦と聖性ほか満載！

No.83 音楽、なんてストレンジな！〜音楽を通して垣間見る文化の前衛、または裏側

A5判・224頁・並装・1389円（税別）・ISBN978-4-88375-412-0

●パンクからクラシックまで、音楽をめぐる少々ストレンジなイマジネーション！ 恍惚のアヴァンギャルド音楽偏愛史、パンクとポストパンクの思想的地下水脈、イスラムにおける音楽、近代日本の音楽の闇、ワーグナーの共苦と革命、バッハのもとに本当にニシンは降ったのか他

No.82 もの病みのヴィジョン

A5判・224頁・並装・1389円（税別）・ISBN978-4-88375-402-1

●「病み」＝「闇」のヴィジョン。人形作家・与偶トークイベントレポ、梅毒をめぐる幾つかの逸話と謎、舞踏病と死の舞踏、「吸血鬼ノスフェラトゥ」とペストのパンデミック、草間彌生の小説『すみれ強迫』、美人薄命の文化史、病と日本人、舞踊家・土方巽の〈病み〉、澁澤龍彦と病ほか

No.81 野生のミラクル

A5判・208頁・並装・1389円（税別）・ISBN978-4-88375-389-5

●我々は野の何を表現の糧にしてきたか。ケロッピー前田インタビュー〜野生を取り戻してテクノロジーを乗りこなせ、管理された野生、粘菌、牧神、人豚、八化けタヌキ、シュルレアリスムのアフリカ、変身人間、キム・ギヨンが描く〝オス〟と〝メス〟、異類婚姻譚、動物フォークロアほか

No.80 ウォーク・オン・ザ・ダークサイド〜闇を想い、闇を進め

A5判・224頁・並装・1389円（税別）・ISBN978-4-88375-376-5

●新たな想像力は闇から生まれる。［図版構成］濱口真央、C7、新宅和音、紺野真弓、宮本香那、萌木ひろみ、谷原菜摘子。タスマニアの美術館MONA、書肆ゲンシシャの驚異のコレクション、日本の闇を感じさせるゲゲゲスポット紀行、萩尾望都が描き始めた「楽園の裏側」、カタコンブほか。

No.79 人形たちの哀歌

A5判・240頁・並装・1389円（税別）・ISBN978-4-88375-363-5

●［図版構成］田中流写真作品（人形＝日隈愛香・SAKURA・ホシノリコ・舘野桂子）・清水真理・野原 tamago・神宮字光、現代の〝生き人形〟〜中嶋清八・井桁裕子・衣・森馨・佐藤久雄、菅実花、ロボット・アンドロイド演劇、映画『オテサーネク』ほか。追悼・遠藤ミチロウなども。

No.78 ディレッタントの平成史〜令和を生きる前に振り返りたい私の「平成」

A5判・256頁・並装・1389円（税別）・ISBN978-4-88375-350-5

●私たちが感じ取ってきた「平成」を振り返る。TH的・平成年表、極私的平成の三十年間（友成純一）、平成ゾンビ考〜「終わりなき日常」から「サバイバル」へ、舞踏の平成、アニメ『どろろ』に見る内実の変容、死体ビデオと90年代悪趣味ブーム、SNSという「ネオ世間」の出現、IT盛衰、「今日の反核反戦展」、酒見賢一論ほか。

No.77 夢魔〜闇の世界からの呼び声

A5判・224頁・並装・1389円（税別）・ISBN978-4-88375-340-6

●不穏さに満ちた夢の世界へようこそ。mizunOE、飴屋晶貴、亜由美、林良文、タイナカジュンペイ、「メアリーの総て」と『フランケンシュタイン』の悪夢、《夢》は現実を超えるか〜古代記紀神話から『君の名は。』まで、ラース・フォン・トリアー「ヨーロッパ」、『エルム街の悪夢』、『鏡の国の孫悟空』、『ルクンドオ』ほか。

No.76 天使／堕天使〜閉塞したこの世界の救済者

A5判・224頁・並装・1389円（税別）・ISBN978-4-88375-330-7

●天使や堕天使から発した想像力。村田兼一、ホシノリコ、『ベルリン・天使の詩』、ボカノウスキー『天使』がいたころ、天使と日本人、イスラムの堕天使たち、「天使の玉ちゃん」と〈失われた子供時代〉、『デビルマン』飛鳥了、熊楠の天使／天子と男色ほか。ジャ・ジャンクー論（藤井省三）、アジアフォーカス2018レポなども。

No.75 秘めごとから覗く世界

A5判・256頁・並装・1389円（税別）・ISBN978-4-88375-316-1

●秘めごとが生む物語。ステュ・ミード、中井結、宮本香那、『檸檬』『四畳半襖の裏張り』などに見る秘めごとの諸相、文学における「告白」、J・T・リロイの事情、自販機本の原稿書きが「映画芸術」の編集長に教えられたこと ほか。小特集としてマッケローニと映画「スティルライフオブメモリーズ」、追悼・ケイト・ウィルヘルム。

No.74 罪深きイノセンス

A5判・224頁・並装・1389円（税別）・ISBN978-4-88375-309-3

●無垢への信奉とそれが持つ残酷さ。美島菊名、村田兼一、蟲川ギニョール、Hajime Kinoko、ドストエフスキーと無垢なるもの、わたなべまさこ『聖ロザリンド』と萩尾望都『トーマの心臓』、『悪童日記』と『フランケンシュタイン』、『小さな悪の華』と『乙女の祈り』、少女ポリアンナほか。

No.73 変身夢譚〜異分子になることの願望と恐怖

A5判・224頁・並装・1389円（税別）・ISBN978-4-88375-299-7

●miyako（異色肌ギャル）インタビュー、トレヴァー・ブラウン×七菜乃、別人化マニュアル、変身譚としてのギリシア神話、バルテュスと鏡〜少女の変身を映すもの、変装から変身へ〜怪盗から見る映画史、女性への抑圧が生み出す変身〜『キャット・ピープル』とその系譜ほか。

No.72 グロテスク〜奇怪なる、愛しきもの

A5判・224頁・並装・1389円（税別）・ISBN978-4-88375-289-8

●林美登利〜異形の子供に惜しみのなく注がれる愛情、立島夕子〜瀬戸際から発せられた生命の賛歌、たま〜可愛らしい少女の中に秘められた不気味な何かを暴く、黒沢美香〜既成の価値観に収まらない名前のない景色の豊満さ、畔亭数久とその時代、謎のバンド ザ・レジデンツ ほか。

No.71 私の、内なる戦い〜"生きにくさ"からの表現

A5判・224頁・並装・1389円（税別）・ISBN978-4-88375-273-7

●生きにくさから生まれてきた表現―。渡辺篤（現代美術家）〜ひきこもり体験からアートへ／若林美保（ストリッパー）インタビュー／与偶（人形作家）〜人形によって人に何かを与え、それが自身の〝生〟も支えている／石塚桜子（画家）〜一筆一筆に感じられる、祈りのような叫び ほか。

No.70 母性と、その魔性〜呪縛が生み出す物語

A5判・224頁・並装・1389円（税別）・ISBN978-4-88375-260-7

●母性による呪縛がなにをもたらし、どんな物語を生んだのか。「母がしんどい」などで共感を呼ぶマンガ家 田房永子や、ラブドールを妊娠させた作品が話題になった菅実花のインタビューのほか、「三島由紀夫の同性愛と母性の不在」など、神話や文学等多様な見地から俯瞰します。

◎ExtrART（エクストラート）～異端派ヴィジュアルアート誌

file.37◎FEATURE：幻視者たちが見たリアル
A4判・112頁・並装・1318円（税別）・ISBN978-4-88375-499-1
●サワダモコ、椎木かなえ、真珠子、神野歌音、スミシャ、冨岡想、夏目羽七海、丹羽起史、ひらのにこ、美濃瓢吾、山上真智子、横尾龍彦、他

file.36◎FEATURE：白昼夢の劇場／少女の遊戯
A4判・112頁・並装・1250円（税別）・ISBN978-4-88375-492-2
●朱華、SAKURA、大野泰雄、森本ありや、石松チ明、Zihling、濵口真央、中井結、緋衣汝香優理、喜藤敦子、佐藤文音、山田ミンカ、都築琴乃（遊）、他

file.35◎FEATURE：幻想の王国へ、ようこそ。
A4判・112頁・並装・1250円（税別）・ISBN978-4-88375-486-1
●エセム万、網代幸介、塚本紗知子、松本ナオキ、ミルヨウコ、雛菜雛子、塚本穴骨、田中流、下山直紀、村上仁美、沖綾乃、ジュリエットの数学、すうひゃん。

file.34◎FEATURE：美のゆらぎ、闇の鼓動
A4判・112頁・並装・1250円（税別）・ISBN978-4-88375-479-3
●三谷拓也、高久梓、安藤朱里、日野まき、藤浪理恵子、西村藍、六原龍、戸田和子、SRBGENk、shichigoro-shingo、雪駄、異形のヴンダーカンマー展

file.33◎FEATURE：聞こえぬ声を聞く
A4判・112頁・並装・1250円（税別）・ISBN978-4-88375-471-7
●土谷寛枇、小野隆生、Sui Yumeshima、鶴見厚子、大西茅布、芳賀一洋、駒形克哉、清水真理、松平一民、太郎賞展、i.m.a.展立体部門

file.32◎FEATURE：たましいの棲むところ
A4判・112頁・並装・1200円（税別）・ISBN978-4-88375-466-3
●衣[hatori]、安藤榮作、村上仁美、西條冴子、FREAKS CIRCUS、岡本瑛里、宮崎まゆ子、前田彩華、アンタカンタ、たま、mumei、真木環

file.31◎FEATURE：動物と花のワンダー！
A4判・112頁・並装・1200円（税別）・ISBN978-4-88375-459-5
●石塚隆則、吉田泰一郎、森勉、水野里奈、萩原和奈可、永見由子、珠かな子、椎木かなえ、金澤弘太、雫石知之、Sitry、呪みちる×古川沙織

file.30◎FEATURE：揺らぐ心象の迷宮
A4判・112頁・並装・1200円（税別）・ISBN978-4-88375-452-6
●宮本香那、ÔБ、川上勉、高松潤一郎、田中流、大山菜々子、塩野ひとみ、かつまたひでゆき、Ma marumaru、シン・ニッポン風土記 ほか

file.29◎FEATURE：見る／見えることの異相
A4判・112頁・並装・1200円（税別）・ISBN978-4-88375-442-7
●金巻芳俊、倉崎稜希、泥方陽菜、山村まゆ子、根橋洋一、平良志季、晝正、吉田有花、高齊りゅう、奥村あか、須川まきこ ほか

file.28◎FEATURE：少女への夢想曲
A4判・112頁・並装・1200円（税別）・ISBN978-4-88375-436-6
●イヂチアキコ、くるはらきみ、九鬼匡規、鈴木那奈、傘嶋メグ、蕾、吉岡里奈、中尾変、吉田和夏、清水真理、田中流、林美登利

◎トーキングヘッズ叢書（TH Seires）

No.94 ネイキッド～身も心も、むきだし。
A5判・208頁・並装・1444円（税別）・ISBN978-4-88375-494-6
●心の枷を解き放とう――そう訴えかけてくるものたち。七菜乃、真珠子、村田兼一、ストロベリーソングオーケストラ、加藤かほる、ゲルハルト・リヒターの肖像、羞恥心考、『まぼろしの市街戦』、エゴン・シーレの歪なエロス、公衆浴場、異物としての裸体、翼と裸体、ありのままの「脱ぎ恥」論、結城唯善インタビューほか

No.93 美と恋の位相／偏愛のカタチ
A5判・224頁・並装・1444円（税別）・ISBN978-4-88375-488-5
●「美」に幻惑され、偏愛的、狂的、病的な愛に憑かれた者たちの物語――美しき吸血鬼像、クレオパトラ、ベニスに死す、桜の森の満開の下、乱歩式人形愛の美学、ヴェルレーヌと美少年ランボー、少女人形フランシーヌが見せた夢、コスプレで上流階級を魅了した美女エマ・ハミルトン、八田拳（みこいす）インタビュー他

No.92 アヴァンギャルド狂詩曲～そこに未来は見えたか？
A5判・224頁・並装・1444円（税別）・ISBN978-4-88375-481-6
●新たな価値観を創出することを志したアヴァンギャルド的表現を見直し、新たな多様な表現を眺望してみよう！ マン・レイ、合田佐和子、田部光子、ヴェネチア・ビエンナーレ、舞踏はいまも前衛か、きゅんくんインタビュー、アヴァンギャルド映画、未来派とバウハウス、寺山修司による『市街劇ノック』、月刊漫画ガロの足跡他

No.91 夜、来たるもの～マジカルな時間のはじまり
A5判・224頁・並装・1444円（税別）・ISBN978-4-88375-473-1
●「魔」的なものが支配する時間、それが夜だ！ 神は闇を渡る、『稲生物怪録』、児童文学と少年少女の夜、裸のラリーズという《夜の夢》、ドイツ表現主義映画、『ナイトホークス』、稲垣足穂、埴谷雄高、『百億の昼と千億の夜』、妖精たちの長くて短い夜、『夜のガスパール』、金縛り・過眠症・夢遊病、高千穂の夜神楽他

No.90 ファム・ファタル／オム・ファタル～狂おしく甘美な破滅
A5判・224頁・並装・1389円（税別）・ISBN978-4-88375-467-0
●危険な魔性の女、魔性の男たち――エヴァ、イザナミからラムまで、かぐや姫の正体、女奇術師・松旭斎天勝、カサノヴァの艶なる恋、高級娼婦コーラ・パール、クラーナハ、ジャンヌ・モロー、松本俊夫『薔薇の葬列』、キューブリック、横溝正史の美少年像、オペラ『カルメン』、妲己のお百、トレヴァー・ブラウン、アーバンギャルド他

No.89 魔都市狂騒～都市の闇には、物語がある。
A5判・224頁・並装・1389円（税別）・ISBN978-4-88375-461-8
●都市の狂騒的な享楽と、頽廃的な闇――上海、ベルリン、ニューヨーク、円都と歌姫、東洋の魔窟・九龍城砦、酔いどれと怪物～大都市ロンドン近代化の影、コペンハーゲンにあるヒッピーたちの独立自治村、美魔都市・京都、観音、遊郭から一大歓楽街へ～浅草の歴史、ゴッサム・シティの光と影、都市から生まれる都市伝説他

No.88 少女少年主義～永遠の幼な心
A5判・224頁・並装・1389円（税別）・ISBN978-4-88375-456-4
●永遠を夢見る少女、少年の魂は、時代や性差、生死をも超える―［図版構成］たま、須川まきこ、戸田和子、パメラ・ビアンコ、村田兼一、甲秀樹他／「恐るべき子供たち」などに見る少年少女たちの死と再生、少女主義者たちの文学、「不思議の国のアリス」の姉をめぐって、庵野秀明と宮崎駿、『紅楼夢』、鷗外と芥川のヴィタ・セクスアリス他

トーキングヘッズ叢書（TH series） No.95

SWEET POISON
～甘美な毒

編　者　アトリエサード
　　　　編集長　鈴木孝（沙月樹 京）
　　　　編　集　岩田恵／望月学英・徳岡正肇・田中鷹虎
協　力　岡和田晃

発行日　2023 年 8 月 10 日

発行人　鈴木孝
発　行　有限会社アトリエサード
　　　　東京都豊島区南大塚 1-33-1 〒 170-0005
　　　　TEL.03-6304-1638 FAX.03-3946-3778
　　　　http://www.a-third.com/
　　　　th@a-third.com
　　　　振替口座／ 00160-8-728019
発　売　株式会社書苑新社
印　刷　株式会社平河工業社
定　価　本体 1444 円＋税
ISBN978-4-88375-502-8 C0370 ¥1444E

©2023 ATELIERTHIRD
本書からの無断転載、コピー等を禁じます。

出版物一覧

http://www.a-third.com/

ご意見・ご感想をお寄せ下さい。
Web で受け付けています。

新刊案内などのメール配信申込も
Web で受付中!!

●アトリエサード twitter　@athird_official

●編集長 twitter　@st_th

アトリエサード HP

AMAZON（書苑新社発売の本）

A F T E R W O R D

■その昔、小学生のころ、鼻が垂れたりちょっと不潔なことがあると「えんがちょ」とか言って避けたり避けられたりしていた。なんとなく不浄なものを禁忌しようという気持ちがあって、「バイ菌」というのも蔑称だったしね。そんな気持ちが神社などの聖域を生み出し、異物を排除することで共同体が生まれ社会が形成されていった面もあると思うけど、でもね、排除される側のことも忘れてはいけない、っていうか、毒やバイ菌もそれぞれ思いを持っているんです、ってことなんですよ。で、次はExtrARTが9月下旬、THが12月末です！（S）

★弦巻稲荷日記一前号の弦巻稲荷日記（本編）で、「RRRを宝塚でみたい」を書いたが、2024年宝塚110周年記念公演のラインアップが熱い。1月幕開けは私ご贔屓の星組、礼真琴主演でRRR、宙組は芹香斗亜主演でFF XVI、「責務は行為であって、結果では無い」と書いたが、結果がでたよ。以下次号（め）

■展覧会・個展や上映・上演等の情報は、編集部あてにお送りください（なるべく発売の1カ月半前までに。本誌は1・4・7・10の各月末発売です）。

■絵画等の持ち込みは、郵送（コピーをお送りください）またはメール（HPがある場合）で受け付けています。興味を持たせて頂いた方は、特集や個展など、合うタイミングでご紹介させて頂きます。

■巻末の「TH特選品レビュー」では、ここ数ヶ月の文学・アート・映画・舞台等のレビューを募集中。1本400字以内で、数本お送り下さい。採用の方には掲載誌を進呈します（原稿料はありません）。THの色にあったものかどうかも採否の基準になります。投稿はメール（th@a-third.com）でOK。

■詳しくはホームページもご覧ください。

※応募の際には、本名・筆名・住所・TEL・E-mail・年齢・職業・趣味の傾向等簡単な自己紹介・本書のご感想を必ずお書き添え下さい。

※恐れ入りますが、原則的に採用の方にのみご連絡を差し上げています。ご了承ください。

アトリエサードの出版物の購入のしかた・通信販売のご案内

● TH series（トーキングヘッズ叢書） の取扱書店は、 http://www.a-third.com/ へ。 定期購読は富士山マガジンサービス及び小社直販にて受付中！（www.a-third.com のトップページにリンクあり） ●書店店頭にない場合は、 書店へご注文下さい（発売＝書苑新社と指定して下さい。 全国の書店からOK）。 ●ネット書店もご活用下さい。

●アトリエサードのネット通販でもご購入できます。

■各書籍の詳細画面でショッピングカートがご利用になれます。■郵便振替 / 代金引換 / PayPal で決済可能。

■インターネットをご利用になれない方は、郵便局より郵便振替にて直接ご送金いただいても結構です（送料の加算は不要！ 連絡欄に希望書名・冊数を明記のこと）。入金の通知が届き次第お送りいたします（お手元に届くまで、だいたい 1 週間～10 日ほどお待ち下さい）。振込口座／00160－8－728019　加入者名／有限会社アトリエサード

■また TEL.03-6304-1638 にお電話いただければ、代金引換での発送も可能です（取扱手数料 350 円が別途かかります）